L'auteur de *Dune*, le livre suprême de la S.-F. — comme *Le Seigneur des Anneaux* pour la fantasy —, est né en 1920 à Tacoma (État de Washington), au nord-ouest des U.S.A. Sa mère est de la région, son père y est venu enfant avant d'y exercer les professions de policier puis d'inspecteur du travail ; de jeunes Indiens chinooks lui apprennent à pêcher dans les rivières voisines. Études de littérature (université de Washington) où il rate tous ses examens mais forme son style à l'école d'Edgar Poe, d'O'Henry et d'Ezra Pound : un idéal d'écriture à la fois concise et précise. Alors il entre dans le journalisme, dont il vivra pendant trente ans ; il se marie (1946) : trois enfants, cinq petits-enfants ; tout du patriarche, y compris la barbe fleurie. « La société a plus besoin de généralistes que de spécialistes », dit-il en se dotant d'une culture encyclopédique (écologie, biologie, génétique, sémantique...). En 1952, il publie sa première nouvelle de S.-F. dans *Astounding* ; la même année, il « étudie » la psychanalyse jungienne — après quoi il devient analyste lui-même pendant deux ans et familier de la psychologie des profondeurs. Premier roman, en 1955 ; la même année, il devient rédacteur en chef du *San Francisco Examiner* (édition du dimanche). Le triomphe de *Dune* (1963-1965) puis du *Messie de Dune* (1969) fait de lui un écrivain à plein temps : en 1972, près de Tacoma, il crée une ferme expérimentale écologique. En 1984 sort le film *Dune* ; il réagit à la mort de sa femme en se remariant et en partant pour Hawaii où il écrit *la Maison des Mères* (1985). C'est là qu'il meurt le 11 février 1986.

DUNE

DU MÊME AUTEUR
CHEZ POCKET

LA BARRIÈRE SANTAROGA

LE BUREAU DES SABOTAGES

1. L'ÉTOILE ET LE FOUET
2. DOSADI

CHAMP MENTAL

LE CYCLE DE DUNE

1. DUNE, tome 1
2. DUNE, tome 2
3. LE MESSIE DE DUNE
4. LES ENFANTS DE DUNE
5. L'EMPEREUR-DIEU DE DUNE
6. LES HÉRÉTIQUES DE DUNE
7. LA MAISON DES MÈRES

LE DRAGON SOUS LA MER
ET L'HOMME CRÉA UN DIEU
LES FABRICANTS D'ÉDEN
LE PRENEUR D'ÂMES
LES PRÊTRES DU PSI

LE PROGRAMME CONSCIENCE

1. DESTINATION VIDE
2. L'INCIDENT JÉSUS

LE PROPHÈTE DES SABLES (Le grand temple de la S.-F.)
LES YEUX D'HEISENBERG

SCIENCE-FICTION

Collection dirigée par Jacques Goimard

FRANK HERBERT

LE CYCLE DE DUNE

DUNE

ROBERT LAFFONT

Titre original :
DUNE
traduit de l'américain par Michel Demuth

Si vous souhaitez recevoir régulièrement
notre zine « **Rendez-vous ailleurs** », écrivez-nous à :
« Rendez-vous ailleurs »
Service promo Pocket
12, avenue d'Italie
75627 PARIS Cedex 13

ISBN 2-266-11404-2

LIVRE PREMIER

DUNE

C'est à l'heure du commencement qu'il faut tout particulièrement veiller à ce que les équilibres soient précis. Et cela, chaque sœur du Bene Gesserit le sait bien. Ainsi, pour entreprendre cette étude de la vie de Muad'Dib, il convient de le placer tout d'abord en son temps, en la cinquante-septième année de l'Empereur Padishah, Shaddam IV. Il convient aussi de bien le situer, sur la planète Arrakis. Et l'on ne devra pas se laisser abuser par le fait qu'il naquit sur Caladan et y vécut les quinze premières années de sa vie : Arrakis, la planète connue sous le nom de Dune restera sienne à jamais.

Extrait du Manuel de Muad'Dib
par la princesse Irulan.

DURANT la semaine qui précéda le départ pour Arrakis[1], alors que la frénésie des ultimes préparatifs avait atteint un degré presque insupportable, une vieille femme vint rendre visite à la mère du garçon, Paul.

C'était une douce nuit. Les pierres anciennes du Castel Caladan qui avaient abrité vingt-six générations d'Atréides étaient imprégnées de cette fraîcheur humide qui annonçait toujours un changement de temps.

La vieille femme fut introduite par une porte dérobée et conduite jusqu'à la chambre de Paul par le passage voûté. Pendant un instant, elle put le contempler dans son lit. Il ne dormait pas ; à la faible lueur de la lampe à

1. Se reporter au *Lexique de l'Imperium*, à la fin du volume 2. (N.D.E.)

suspenseur qui flottait près du sol, il distinguait à peine cette lourde silhouette immobile sur le seuil et celle de sa mère, un pas en arrière. La vieille femme était comme l'ombre d'une sorcière ; sa chevelure était faite de toiles d'araignée qui s'emmêlaient autour de ses traits obscurs ; ses yeux étaient comme deux pierres ardentes.

« N'est-il pas bien petit pour son âge, Jessica? »

La voix sifflait et vibrait comme une balisette mal accordée. Et la douce voix de contralto de la mère de Paul répondit : « Il est bien connu que, chez les Atréides, la croissance est tardive, Votre Révérence. »

« On le dit, on le dit, chuchota la vieille. Pourtant, il a quinze ans déjà. »

« Oui, Votre Révérence. »

« Il est éveillé, il nous écoute. (Elle eut un rire étouffé.) Le rusé petit démon! Mais ceux de son rang ont besoin de ruse. Et s'il est réellement le Kwisatz Haderach... Eh bien... »

Dans les ténèbres, Paul gardait les yeux mi-clos, réduits à deux fentes très minces. Mais il voyait les yeux de la vieille femme, larges et brillants comme ceux d'un oiseau de nuit, de plus en plus larges, de plus en plus brillants, semblait-il.

« Dors bien, rusé petit démon. Demain tu auras besoin de tous tes moyens pour affronter mon gom jabbar. »

Et la vieille disparut, elle entraîna la mère de Paul ; la porte se referma avec un bruit sourd. Et Paul se demanda : *Qu'est-ce qu'un gom jabbar?*

Entre tous les récents bouleversements, la vieille sorcière était bien la chose la plus étrange qui lui fût apparue. *Votre Révérence...* Et elle s'était adressée à sa mère comme à une servante... Une Dame Bene Gesserit, concubine du Duc et mère de l'héritier du nom...

Un gom jabbar... Est-ce là une chose d'Arrakis qu'il me faut connaître? se demanda-t-il. Et il rumina les mots étranges : *Gom jabbar... Kwisatz Haderach...* Il lui avait fallu apprendre tant de choses. Arrakis était si différente de Caladan... Tout ce qu'on lui avait récemment inculqué tourbillonnait maintenant dans son esprit. *Arrakis... Dune... La planète des sables...*

Thufir Hawat, le Maître Assassin de son père lui avait expliqué : leurs ennemis mortels, les Harkonnens, avaient résidé sur Arrakis durant quatre-vingts ans. Ils avaient signé un contrat de semi-fief avec la compagnie CHOM pour l'exploitation du Mélange, l'épice gériatrique. A présent, les Harkonnens allaient être remplacés par la Maison des Atréides qui recevrait Dune en fief sans restriction aucune. A première vue, c'était là une victoire pour le Duc Leto mais, selon Hawat, cela représentait en réalité un péril mortel. Le Duc était populaire auprès des Grandes maisons du Landsraad, « et un homme trop populaire provoque la jalousie des puissants »...

Arrakis... Dune... La planète des sables...

Paul se rendormit et rêva d'une caverne arrakeen. Des êtres silencieux se dressaient tout autour de lui, dans la pâle clarté des brilleurs. Tout n'était que solennité, ainsi qu'à l'intérieur d'une cathédrale. Il percevait le bruit lointain de gouttes d'eau. Au cœur du songe, il se dit qu'il se souviendrait de tout à son réveil. Il se souvenait toujours des rêves prémonitoires.

Le rêve s'évanouit. Il s'éveilla dans la tiédeur de son lit... Il pensa, pensa longtemps...

Castel Caladan ne méritait pas le moindre regret. Il n'avait ni jeux ni compagnons de son âge sur ce monde. Le docteur Yueh, son éducateur, lui avait laissé entendre que le système de castes des faufreluches n'était pas aussi rigide sur Arrakis. Sur Arrakis, au seuil du désert, vivaient des hommes qui ne dépendaient d'aucun caïd, d'aucun bashar, les Fremens, le peuple du vent de sable, libre de toute règle impériale.

Arrakis... Dune... La planète des sables...

Paul perçut toutes les tensions qui l'habitaient et décida de mettre en pratique les exercices du corps et de l'esprit que lui avait enseignés sa mère. Trois brèves inspirations déclenchèrent le processus : Il tomba dans un état de perception flottante... ajusta sa conscience...

dilatation aortique... hors du mécanisme non ajusté de la conscience... choix... enrichissement du sang et irrigation rapide des régions surchargées... *nul ne peut obtenir nourriture-sécurité-liberté par le seul instinct...* La conscience animale ne s'étend pas au-delà d'un instant donné, pas plus qu'elle n'admet la possibilité de l'extinction de ses victimes... L'animal détruit sans produire... Ses plaisirs, en demeurant au niveau des sensations, évitent le perceptuel... L'être humain a besoin d'une grille pour observer l'univers... Une conscience sélectivement ajustée, telle est cette grille... La perfection du corps résulte du flux nerveux et sanguin en accord avec une conscience précise des besoins cellulaires... êtres / cellules / choses... tout est non permanent, tout lutte pour le flux de permanence...

Sans cesse la leçon se répétait dans la conscience flottante de Paul, encore et encore...

A travers ses paupières closes, il perçut la clarté jaune de l'aube qui effleurait le rebord de la fenêtre de sa chambre. Il ouvrit les yeux sur le dessin familier des poutres du plafond et il entendit alors les échos de la vie fébrile du castel.

Puis la porte s'ouvrit et sa mère apparut. Ses yeux verts avaient une expression solennelle dans son visage ovale, impassible. Ses cheveux, maintenus par un ruban noir, avaient la sombre couleur du bronze.

« Tu es éveillé, dit-elle. As-tu bien dormi ? »

« Oui. »

Il l'observait et, tandis qu'elle choisissait ses vêtements dans la penderie, il décela la tension qui l'habitait dans le mouvement de ses épaules. Cela fût passé inaperçu à tout autre regard, mais Paul avait été éduqué dans la Manière Bene Gesserit, avec le sens aigu de l'observation.

Sa mère, se retournant, lui présenta une tunique de demi-cérémonie arborant la crête de faucon rouge, emblème des Atréides.

« Hâte-toi de t'habiller, dit-elle. La Révérende Mère t'attend. »

« J'ai rêvé d'elle, dit Paul. Qui est-ce ? »

« C'est elle qui m'a éduqué à l'école Bene Gesserit. A présent elle est la Diseuse de Vérité de l'Empereur et, Paul… (elle hésita) Il faut que tu lui parles de tes rêves. »

« Je lui en parlerai. Est-ce grâce à elle que nous avons eu Arrakis ? »

« Nous n'avons pas *eu* Arrakis. »

Sa mère secoua un des pantalons de Paul comme pour en chasser la poussière et le posa auprès de la tunique. « Ne faisons pas attendre la Révérende Mère. »

Il s'assit et mit les mains autour de ses genoux. « Qu'est-ce qu'un gom jabbar ? »

De nouveau, grâce à l'éducation qui était la sienne, il perçut l'invisible hésitation de sa mère et la ressentit comme de la peur. Elle s'approcha de la fenêtre, ouvrit les rideaux en grand et, durant un instant, contempla le mont Syubi, par-delà le verger, au bord de la rivière.

« Tu apprendras ce qu'est le gom jabbar… bien assez tôt », dit-elle.

Une fois encore, il sentit la peur dans sa voix et il en fut intrigué. Sans se retourner, Jessica reprit : « La Révérende Mère attend dans mon salon, Paul. Hâte-toi. »

La Révérende Mère Gaïus Helen Mohiam, assise dans un fauteuil de tapisserie, regardait approcher la mère et le fils. De part et d'autre, les fenêtres ouvraient sur la courbe de la rivière qui coulait vers le sud et sur les terres verdoyantes des Atréides, mais la Révérende Mère était indifférente à ce paysage. Ce matin, elle ressentait son âge. Elle en rendait responsable ce voyage dans l'espace, cette association avec l'abominable Guilde Spatiale aux menées obscures. Mais cette mission requérait l'intervention d'une Bene Gesserit-avec-le-Regard. Et la Diseuse de Vérité de l'Empereur Padishah elle-même ne pouvait se soustraire à son devoir.

Maudite soit cette Jessica ! songea la Révérende Mère.

Si seulement elle nous avait donné une fille ainsi qu'il lui avait été ordonné !

A trois pas du fauteuil, Jessica s'arrêta. Elle esquissa une brève révérence tout en pinçant légèrement sa jupe de la main gauche. Paul s'inclina rapidement, ainsi que le lui avait enseigné son maître à danser pour les circonstances « où l'on pouvait douter du rang de la personne ».

Les nuances de l'attitude de Paul ne passèrent pas inaperçues de la Révérende Mère. « Il est prudent, Jessica », dit-elle.

Jessica posa la main sur l'épaule de son fils, la serra. Le temps d'un battement de cœur, la peur irradia de sa paume, puis elle se maîtrisa une fois encore et répondit : « Ainsi a-t-il été éduqué, Votre Révérence. »

Que craint-elle ? se demanda Paul.

La vieille femme l'étudiait, tout entier, en un seul regard. Il avait le visage ovale de sa mère, avec une ossature plus forte. Ses cheveux étaient noirs, très noirs, comme ceux du Duc, son père. Ses sourcils étaient ceux de ce grand-père du côté maternel dont on ne pouvait dire le nom. Il avait un nez fin, plein de dédain, et ses yeux verts avaient le regard direct du vieux Duc, son grand-père paternel qui était mort.

Voilà bien un homme qui appréciait la puissance du geste, même dans la mort, songea la Révérende Mère.

« L'éducation est une chose, dit-elle, l'ingrédient de base en est une autre. Mais nous verrons. »

Les yeux anciens eurent un regard acéré à l'adresse de Jessica : « Laisse-nous. Je t'enjoins de pratiquer la méditation de paix. »

Jessica retira sa main de l'épaule de son fils. « Votre Révérence, je... »

« Jessica, tu sais bien que cela doit être fait. »

Intrigué, Paul regarda sa mère.

Elle se raidit : « Oui, bien sûr... »

Il se tourna vers la Réverende Mère. La déférence de Jessica et sa crainte visible commandaient la méfiance.

Pourtant, il ressentait une certaine appréhension devant la peur qui irradiait de sa mère.

« Paul... (Jessica prit une inspiration profonde) Cette épreuve à laquelle tu vas être soumis... Elle... elle est importante pour moi... »

« Une épreuve ? »

« Souviens-toi que tu es le fils d'un Duc », dit encore Jessica. Puis elle fit demi-tour et quitta le salon dans le froissement léger de sa robe. La porte se referma derrière elle. Paul regarda la vieille femme tout en contenant sa colère.

« Depuis quand congédie-t-on Dame Jessica comme une servante ? » demanda-t-il.

Un sourire vint jouer aux commissures des lèvres anciennes. « Dame Jessica, mon garçon, fut ma servante durant quatorze années d'école. (La Révérende Mère hocha la tête.) Et une bonne servante, je dois le dire. Maintenant, *approche !* »

L'ordre fut comme un coup de fouet. Paul obéit avant de réfléchir. Puis il se dit : *Elle s'est servie de la Voix... contre moi !* Sur un geste, il s'arrêta, près de ses genoux.

« Tu vois cela ? » demanda-t-elle. Des plis de sa robe, elle sortit un cube de métal vert qui avait environ quinze centimètres d'arête. Elle l'éleva, le fit pivoter et Paul vit que l'une des faces était creuse, obscure, étrangement effrayante, impénétrable à la lumière.

« Mets ta main droite dans cette boîte », dit la Révérende Mère.

La peur fusa en lui. Il recula. Mais la vieille femme reprit : « Est-ce ainsi que tu obéis à ta mère ? »

Il affronta le regard de ses yeux d'oiseau brillants. Lentement, conscient de toutes les contraintes qu'il ne pouvait repousser, il mit la main dans le cube. Tout d'abord, à l'instant où l'obscurité se refermait sur ses doigts, il éprouva une sensation de froid. Puis il sentit le contact du métal doux et un picotement envahit sa main, comme si elle était endormie.

Les traits de la vieille femme devinrent ceux d'un animal de proie. Elle éloigna sa main droite du cube et, lentement, la posa près du cou de Paul. Il devina alors un scintillement métallique et voulut tourner la tête.

« Arrête ! »

La Voix ! Encore ! Il regarda son visage.

« Je tiens le gom jabbar près de ton cou ! Le gom jabbar, l'ennemi suprême. Une aiguille avec une goutte de poison à son extrémité. Ah ! Surtout ne bouge pas ou tu pourrais goûter de ce poison ! »

Il lutta pour déglutir. Sa gorge était sèche. Il ne parvenait pas à détacher son regard de ce visage ancien, usé, de ces yeux luisants, de ces dents d'argent qui scintillaient à chaque mot dans les gencives pâles.

« Un fils de Duc *se doit* de connaître les poisons. Ainsi le veut notre époque, n'est-ce pas ? Le Musky que l'on met dans ton verre. L'Aumas, que l'on glisse dans ta nourriture. Les poisons lents, les foudroyants et les autres. Et le gom jabbar, que j'ai ici. Lui, il ne tue que les animaux. »

L'orgueil domina la peur. « Osez-vous insinuer qu'un fils de Duc est un animal ? »

« Disons que je pense que tu peux être humain. Attention ! Ne fais plus un mouvement ! Je suis vieille mais ma main plongerait cette aiguille dans ton cou avant que tu puisses te dérober. »

« Qui êtes-vous ? Comment avez-vous pu obliger ma mère à me laisser seul avec vous ? Etes-vous une Harkonnen ? »

« Une Harkonnen ? Ciel, non ! Mais à présent : silence ! » Un doigt sec sur son cou. Il maîtrisa l'impulsion de fuite.

« C'est bien : tu as passé la première épreuve. A présent, voici ce qui va suivre : si tu retires la main de cette boîte, tu meurs. Telle est l'unique règle. Laisse ta main dans cette boîte et tu vis. Ote-la et tu meurs. »

Il respira profondément pour réprimer un tremblement. « Si j'appelle, dit-il, nos gens seront là en un instant et c'est *vous* qui mourrez. »

« Tes serviteurs n'iront pas plus loin que ta mère qui veille à cette porte. Elle a déjà survécu à cette épreuve.

Maintenant, ton tour est venu. Sois-en fier : il est rare que nous soumettions des enfants mâles à cette épreuve. »

La curiosité vint atténuer la peur jusqu'à la rendre supportable. Paul avait perçu la vérité dans la voix de la vieille femme. Il ne pouvait nier ses paroles. Si vraiment sa mère veillait là-dehors... Si vraiment il s'agissait d'une épreuve... Quelle qu'elle fût, il savait qu'il ne pouvait y échapper. Il était prisonnier de cette main près de son cou, du gom jabbar. Il se souvint des paroles de la Litanie contre la Peur du rituel Bene Gesserit, telles que sa mère les lui avait enseignées.

Je ne connaîtrai pas la peur, car la peur tue l'esprit. La peur est la petite mort qui conduit à l'oblitération totale. J'affronterai ma peur. Je lui permettrai de passer sur moi, au travers de moi. Et lorsqu'elle sera passée, je tournerai mon œil intérieur sur son chemin. Et là où elle sera passée, il n'y aura plus rien. Rien que moi.

Il sentit son calme revenir. « Finissons-en, vieille femme », dit-il.

« Vieille femme ! (Elle avait crié.) Tu as du courage, on ne peut en douter. Eh bien, nous allons voir cela, mon petit ami ! »

Elle se pencha tout contre lui et sa voix devint un murmure.

« Tu vas sentir la douleur dans cette main qui est dans la boîte. La souffrance... Mais... Ote seulement ta main et mon gom jabbar touchera ton cou. Et la mort sera aussi rapide que la hache du bourreau. Ote seulement ta main et mon gom jabbar t'ôte l'existence. Compris ? »

« Qu'y a-t-il dans cette boîte ? »

« La souffrance. »

Dans sa main, le picotement se fit plus net. Il serra les lèvres. *Quelle épreuve est-ce donc là ?* se demanda-t-il. Le picotement se fit démangeaison.

« As-tu déjà entendu parler de ces animaux qui se dévorent une patte pour échapper à un piège ? C'est là une astuce animale. Un humain, lui, demeurera pris au piège, il supportera la souffrance et feindra d'être mort afin de pouvoir tuer le trappeur et supprimer ainsi la menace qu'il représente pour l'espèce tout entière. »

La démangeaison devint une brûlure très légère.

« Pourquoi ? » demanda Paul.

« Pour déterminer si tu es vraiment un humain. Silence ! »

La brûlure se fit plus intense dans sa main droite. Il referma sa main gauche. Lentement, lentement, la douleur augmentait. Chaleur, chaleur... Toujours plus de chaleur... Les ongles de sa main libre s'enfoncèrent dans sa paume. Les doigts de sa main en feu ne lui obéissaient plus.

« Ça brûle », dit-il.

« Silence ! »

La douleur s'élança dans son bras. La sueur perla sur son front. Chaque fibre de son corps lui commandait de retirer sa main de ce puits de feu. Mais le gom jabbar était là. Sans tourner la tête, Paul devinait la terrible aiguille qui veillait près de son cou. Il se rendit compte qu'il respirait convulsivement et tenta de se maîtriser, mais sans y parvenir.

Souffrance ! Le monde devint vide. Il n'y eut plus que sa main, seule, noyée dans la souffrance, et ce visage ancien, à quelques centimètres.

Ses lèvres étaient sèches, soudées. *Brûlure ! Brûlure !* Il avait l'impression de sentir sa peau se craqueler. Sa chair griller jusqu'à laisser apparaître les os. Puis : plus rien !

La souffrance avait cessé, comme si l'on avait appuyé sur un bouton.

Il vit que son bras droit tremblait convulsivement. Et la sueur continuait de ruisseler par tout son corps.

« Ça suffit, dit la vieille femme. Kull Wahad ! Jamais nul enfant né d'une femme n'a enduré autant ! C'est comme si j'avais voulu te voir échouer. (Elle se recula, éloigna le gom jabbar de son cou.) Ote ta main de cette boîte, jeune humain, et regarde-la ! »

Il lutta pour réprimer un frisson douloureux et ses yeux se fixèrent sur le trou obscur où sa main était encore plongée, comme si elle se refusait à tout mouvement, comme si le souvenir de la souffrance la paralysait. Toute sa raison soufflait à Paul qu'il allait retirer un moignon noirci de cette boîte.

« Ote-la ! »

Il obéit. Il regarda sa main, stupéfait. Il ne vit pas une marque, pas la moindre trace de la douleur qu'avait éprouvée sa chair. Il éleva sa main devant lui, la fit tourner, plia les doigts.

« Douleur par induction nerveuse, dit la vieille femme. Elle ne peut venir à bout des humains potentiels. Certains donneraient gros pour connaître le secret de cette boîte. » Elle prit le cube de métal et l'enfouit dans les plis de sa robe.

« Mais, cette douleur... », dit Paul.

« Cette douleur ! Un humain est capable de dominer chacun des nerfs de son corps ! »

Il eut mal à la main gauche, ouvrit ses doigts et découvrit quatre marques sanglantes sur sa paume. Il laissa retomber son bras et regarda la vieille femme.

« Vous avez déjà fait cela à ma mère ? »

« As-tu jamais tamisé du sable ? »

La question était tangente et mordante : son esprit gagna un niveau supérieur d'appréhension. *Tamiser le sable.* Il acquiesça.

« Nous, Bene Gesserit, tamisons les gens pour découvrir les humains », dit la vieille femme.

Il éleva alors sa main droite devant ses yeux, essayant de retrouver le souvenir de la souffrance.

« Et c'est tout ?... De la souffrance. C'est tout ?... »

« Je t'ai observé, mon garçon. La souffrance n'est que l'axe de l'épreuve. Ta mère t'a enseigné la façon dont nous observons. J'ai vu les signes de cet enseignement en toi. C'est là toute notre épreuve : crise et observation. »

Sa voix même portait la confirmation de ses paroles et Paul dit : « C'est vrai. »

Elle le regarda. *Il perçoit la vérité ! Se pourrait-il qu'il soit celui-là ? Vraiment ?...* Puis elle songea : *L'espé-*

rance ternit l'observation, et elle étouffa l'excitation qu'elle ressentait.

« Tu sais lorsque les gens croient ce qu'ils disent. »

« Je le sais. »

Dans la voix de Paul, il y avait les harmoniques de ses capacités ; elle les perçut et dit : « Peut-être es-tu le Kwisatz Haderach. Assieds-toi, petit frère, là, à mes pieds. »

« Je préfère demeurer debout. »

« Ta mère s'est assise là, autrefois. »

« Je ne suis pas ma mère. »

« Tu me détestes un peu, n'est-ce pas ? » Elle regarda vers la porte et appela : « Jessica ! »

La porte s'ouvrit. Jessica apparut sur le seuil. Le regard de ses yeux était dur. Il s'attendrit en voyant Paul. Elle parvint à sourire faiblement.

« Jessica, as-tu jamais cessé de me haïr ? » demanda la vieille femme.

« Je vous aime et vous déteste tout à la fois,' dit Jessica. Je vous déteste pour cette souffrance que je ne pourrai jamais oublier. Je vous aime pour... »

« Le plus important seulement, dit la vieille femme, et sa voix était douce. Tu peux venir à présent, mais garde le silence. Ferme cette porte et veille à ce que nul ne vienne nous interrompre. »

Jessica s'avança, referma la porte et s'appuya au battant. *Mon fils vit,* pensa-t-elle. *Il vit... et il est humain. Je le savais... mais il vit. Et il peut vivre, désormais.* Le contact de la porte était dur, réel contre son dos. Tout, dans cette pièce, semblait peser sur ses sens.

Mon fils vit.

Paul regardait sa mère. *Elle a dit vrai.* Il aurait voulu être seul pour repenser à cette expérience mais il savait que ce ne serait pas possible avant qu'on lui eût donné congé. La vieille femme avait acquis un empire sur lui. Elle avait dit vrai. Et sa mère avait subi cette même épreuve. Le but devait en être terrible pour justifier une telle souffrance, une telle peur. Et il savait qu'il était terrible, qu'il défiait toute probabilité et n'existait que pour lui-même. Il savait que, d'ores et déjà, il en était prisonnier. Mais il ignorait tout de la nature de ce terrible but.

« Un jour, mon garçon, dit la vieille femme, toi aussi tu te tiendras devant une porte. C'est là une tout autre épreuve. »

Il contempla sa main qui avait traversé la souffrance, regarda la Révérende Mère. Il venait de déceler dans sa voix quelque chose d'inconnu. C'était comme si les mots avaient été scintillants, pleinement détachés, définis. Et il savait que chaque question qu'il pourrait désormais poser amènerait une réponse qui l'élèverait hors de son monde de chair vers quelque chose de plus grand.

« Pourquoi cherchez-vous les humains ? » demanda-t-il.

« Pour te libérer. »

« Me libérer ? »

« Les hommes ont autrefois confié la pensée aux machines dans l'espoir de se libérer ainsi. Mais cela permit seulement à d'autres hommes de les réduire en esclavage, avec l'aide des machines. »

« Tu ne feras point de machine à l'esprit de l'homme semblable », cita Paul.

« Oui, c'est ce que disent le Jihad Butlerien et la Bible Catholique Orange. Mais l'un comme l'autre devraient dire en vérité : Tu ne feras point de machine qui contrefasse l'esprit *humain.* As-tu étudié le Mentat de votre Maison ? »

« J'ai étudié *avec* Thufir Hawat. »

« La Grande Révolte nous a débarrassés de nos béquilles en obligeant l'esprit *humain* à se développer. On créa alors des écoles afin d'accroître les talents *humains.* »

« Les écoles Bene Gesserit ? »

Elle acquiesça. « Deux grandes écoles ont survécu : Bene Gesserit et la Guilde Spatiale. La Guilde, c'est du moins ce que nous pensons, incline plutôt à développer les mathématiques pures. La fonction du Bene Gesserit est tout autre. »

« La politique ! » lança Paul.

« Kull Wahad ! » s'exclama la Révérende Mère. Et elle se tourna vers Jessica avec un regard dur.

« Je ne lui ai rien dit, Votre Révérence », fit la mère de Paul.

La vieille femme reporta alors son attention sur le garçon. « Tu as déduit cela à partir de bien peu. Mais il est exact qu'il s'agit de la politique. A l'origine, l'école Bene Gesserit était dirigée par ceux qui estimaient nécessaire l'existence d'un lien de continuité dans les affaires humaines. Ils virent que cette continuité ne pouvait exister sans que l'on séparât l'humain de l'animal... dans le but de faciliter la sélection. »

Abruptement, pour Paul, les paroles de la Révérende Mère perdirent cette netteté qu'elles avaient eue jusqu'alors. C'était comme si l'on s'attaquait soudain à ce que sa mère appelait son *instinct de rectitude.* Non pas que la Révérende Mère lui mentît. Il était évident qu'elle était sincère. Mais, plus profondément, il avait décelé quelque chose, quelque chose qui était lié au but terrible de l'épreuve.

« Mais ma mère m'a appris que nombre de Bene Gesserit de l'école ignorent tout de leur lignée », dit-il.

« Nous détenons toute l'historique génétique. Ta mère sait ainsi qu'elle est de descendance Bene Gesserit ou que sa lignée, du moins, a été jugée acceptable. »

« Alors pourquoi ignore-t-elle qui étaient ses parents ? »

« Certains le savent... d'autres l'ignorent. Il se peut, par exemple, que nous souhaitions un accouplement avec un proche parent afin de rendre dominante quelque caractéristique génétique. Nos raisons sont multiples. »

A nouveau, il perçut l'offense à son *instinct de rectitude.* « Vous décidez beaucoup par vous-mêmes », dit-il.

La Révérende Mère le regarda en silence, songeant : *Est-ce bien une critique que j'ai perçue dans ses paroles ?*

« Notre fardeau est lourd », dit-elle.

Les effets de l'épreuve s'estompaient de plus en plus rapidement. Il affronta calmement le regard ancien. « Vous dites que je suis peut-être le... Kwisatz Haderach. Qu'est-ce donc là ? Un gom jabbar humain ? »

« Paul ! intervint sa mère. Tu ne dois pas employer ce ton avec... »

« Laisse, Jessica, dit la Révérende Mère. Mon garçon... connais-tu la drogue de la Diseuse de Vérité ? »

« C'est ce que vous prenez afin de mieux déceler ce qui est faux. Ma mère me l'a appris. »

« Et as-tu jamais assisté à la transe de vérité ? »

Il secoua la tête. « Non. »

« La drogue est dangereuse, mais elle donne un pouvoir véritable. Par elle, une Diseuse de Vérité peut visiter bien des lieux dans sa mémoire... dans la mémoire de son corps. Elle peut se pencher sur maintes avenues du passé... mais seulement sur des avenues féminines. (La voix de la vieille femme se chargea d'une note de tristesse.) Pourtant, il est un lieu que nulle Diseuse ne peut visiter. Un lieu qui nous repousse, nous terrifie. Mais il est dit qu'un homme viendra un jour qui, avec la grâce de la drogue, verra avec son œil intérieur, qu'il verra, comme aucune d'entre nous n'a pu le faire, dans tous les passés, masculins et féminins. »

« Votre Kwisatz Haderach ? »

« Oui, celui qui peut être en plusieurs endroits en même temps. Le Kwisatz Haderach. Bien des hommes ont essayé la drogue... Bien des hommes. Aucun n'a jamais réussi. »

« Ils ont essayé et ils ont échoué ? Tous ? »

« Oh, non ! (Elle secoua la tête.) Ils ont essayé et ils sont morts. »

Tenter de comprendre Muad'Dib sans comprendre ses ennemis mortels, les Harkonnens, c'est tenter de voir la Vérité sans connaître le Mensonge. C'est tenter de voir la Lumière sans connaître les Ténèbres. Cela ne peut être.

Extrait du Manuel de Muad'Dib *par la Princesse Irulan.*

C'ETAIT un monde, un globe sculpté partagé d'ombres qui tournait sous l'impulsion d'une main grasse chargée de bagues scintillantes. Il reposait sur un support changeant, contre un mur, dans une pièce dépourvue de fenêtres dont les autres murs offraient au regard une mosaïque multicolore de films, de bobines, de rubans et de rouleaux de parchemin. La lumière émanait de sphères dorées qui flottaient dans des champs mobiles de suspension gravifique.

Au centre de la pièce, se dressait un bureau de forme elliptique, revêtu de bois d'ellaca pétrifié, rose jade. Des chaises vériformes à suspenseurs avaient été placées autour. Deux personnages étaient assis. Le premier était un jeune homme aux cheveux sombres qui devait avoir seize ans. Son visage était rond, ses yeux tristes. Le second personnage était petit, gracile, et ses traits étaient efféminés.

L'un comme l'autre regardaient le globe qui tournait,

et l'homme qui le faisait tourner, à demi caché dans l'ombre. Un rire étouffé leur parvint. Puis une voix de basse : « Regarde, Piter. Le plus grand piège de toute l'Histoire. Et le Duc s'apprête à se placer de lui-même entre ses mâchoires. N'est-ce pas là un magnifique exploit du Baron Vladimir Harkonnen ? »

« Assurément, Baron », dit l'homme gracile. Il avait une voix de ténor enrichie d'une qualité musicale et douce.

La main grasse abaissa le globe et interrompit sa rotation. Chacun pouvait maintenant contempler la surface immobile, chacun pouvait voir qu'il s'agissait là d'un objet réservé aux plus riches collectionneurs ou aux gouverneurs planétaires de l'Empire. Le globe portait en fait l'estampille impériale. Les lignes de longitude étaient visibles, faites de fils ténus de platine. Les calottes polaires étaient serties de joyaux à l'éclat laiteux.

La main grasse se déplaça sur le globe, de détail en détail. « Je vous invite à bien observer, reprit la voix de basse grondante. Regarde attentivement, Piter, et toi aussi, Feyd-Rautha, mon chéri : entre le soixantième parallèle nord et le soixante-dixième sud, ces plissements ravissants. Leur couleur n'est-elle point comparable à celle de quelque délicieux caramel ? Et vous n'apercevrez nulle part le bleu de la moindre mer, du moindre lac, du moindre fleuve. Et ces calottes polaires... Ne sont-elles pas savoureuses ? Si petites. Qui pourrait ne pas reconnaître un tel monde ? Il est unique. Et il est le lieu idéal pour une victoire tout aussi unique. Arrakis. »

Un sourire apparut sur les lèvres de Piter. « Quand on pense, Baron, que l'Empereur Padishah croit avoir offert votre planète d'épice au Duc. Bouleversant. »

« Voilà bien une remarque absurde, grommela le Baron, que tu n'as faite que dans le dessein de troubler le jeune Feyd-Rautha. Mais il n'est point nécessaire de troubler mon neveu. »

Le jeune homme au regard triste s'agita dans son

fauteuil et eut un geste pour lisser un pli sur ses collants noirs. Puis il se redressa comme l'on frappait discrètement à la porte, derrière lui.

Piter s'extirpa de son siège, marcha jusqu'à la porte et l'entrouvrit juste assez pour saisir le cylindre à message qu'on lui tendait. Il referma, développa le feuillet et lut. Il eut un rire étouffé. Puis un autre encore.

« Eh bien ? » demanda le Baron.

« Ce fou nous répond, Baron ! »

« A-t-on jamais vu un Atréide ne pas saisir l'occasion d'un geste ? Et que dit-il donc ? »

« Il se montre particulièrement rustre, Baron. Il s'adresse à vous en tant qu'*Harkonnen* sans vous donner votre titre ni même vous appeler *cher cousin.* »

« Harkonnen est un beau nom, grommela le Baron d'une voix qui trahissait son impatience. Et que dit-il, ce cher Leto ? »

« Il dit : *L'art de la rétribution conserve encore certains adeptes au sein de l'Empire.* Et il signe : *Duc Leto d'Arrakis.* (Piter éclata de rire.) *D'Arrakis !* Oh ! C'en est trop ! C'en est trop ! »

« Du calme, Piter ! dit le Baron, et le rire de l'autre s'éteignit net, comme si l'on eût coupé quelque contact. Rétribution, hein ? La vendetta ? Il a employé ce terme ancien si riche de tradition afin que je sois bien certain de ses dires. »

« Vous avez fait le geste de paix, dit Piter. Vous vous êtes conformé à l'usage. »

« Pour un Mentat, Piter, tu parles trop », dit le Baron. Et il songea : *Il faudra que je me débarrasse de celui-là avant peu. Il a presque fait son temps.* Il contempla son Mentat assassin, s'arrêtant à ce détail que la plupart des gens remarquaient avant tout autre : les yeux, les yeux bleus sans le moindre blanc, avec seulement des stries d'un bleu plus sombre. Un sourire bref vint déformer les traits de Piter. C'était comme une grimace dans un masque, avec ces yeux pareils à deux trous bleus.

« Mais, Baron ! Jamais il n'y eut revanche plus belle.

Ce stratagème est d'une traîtrise exquise. *Obliger* Leto à quitter Caladan pour Dune, et ce sans la moindre chance de s'échapper puisqu'il s'agit d'un ordre de l'Empereur lui-même. Tout à fait facétieux ! »

La voix du Baron était glacée. « Ta bouche est enflée, Piter. »

« Mais je suis heureux, mon Baron. Du moment que... que vous êtes touché par la jalousie. »

« Piter ! »

« Ah, Baron ! N'est-il point regrettable que vous ne soyez pas parvenu à imaginer vous-même un aussi ravissant stratagème ? »

« Un de ces jours, Piter, je te ferai étrangler. »

« J'en suis bien certain, Baron ! Allons, *tant pis !* Mais, assurément, ce sera là un acte vain, n'est-ce pas ? »

« Aurais-tu mâché du verite ou de la sémuta, Piter ? »

« La vérité sans peur surprend le Baron, dit Piter, et son visage devint la caricature d'un masque grimaçant. Ah, ah, mais voyez-vous, Baron, je suis un Mentat et je saurai bien à quel moment vous convoquerez le bourreau. Et vous attendrez bien aussi longtemps que je vous serai encore utile. Le convoquer prématurément serait une erreur. Je suis encore très utile. Et puis, je sais l'enseignement que vous avez retiré de cette adorable planète, Dune : ne jamais gaspiller. N'est-ce point vrai, Baron ? »

Le regard du Baron ne quittait pas le Mentat. Dans son fauteuil, Feyd-Rautha eut un gémissement. *Quels idiots turbulents*, pensa-t-il. *Mon oncle ne peut adresser la parole à son Mentat sans qu'il s'ensuive une querelle. Croient-ils donc vraiment que je n'ai rien d'autre à faire que les écouter ?*

« Feyd, dit le Baron, je t'ai dit d'écouter et d'apprendre lorsque je t'invitais ici. Apprends-tu ? »

« Oui, mon oncle. » La voix de Feyd-Rautha était pleine d'un respect mesuré.

« Parfois, reprit le Baron, je me pose des questions à propos de Piter. Si je provoque la souffrance, c'est parce que cela est nécessaire, mais lui... Je suis sûr qu'il s'en délecte. Pour ma part, je ressens de la pitié envers ce pauvre Duc Leto. Très bientôt, le docteur Yueh va fondre sur lui et c'en sera fait des Atréides. Mais Leto saura certainement quelle main dirige le docteur traître... et ce sera pour lui une chose terrible. »

« En ce cas, pourquoi n'avez-vous pas ordonné au docteur de lui planter un kindjal dans les côtes ? Ce serait sûr et efficace. Vous parlez de pitié, mon oncle, mais... »

« Il faut que le Duc *sache* à quel moment je déciderai de sa fin, dit le Baron. Et les Grandes Maisons elles aussi devront le savoir. Cela les calmera. Et j'aurai ainsi un peu plus de champ libre. La nécessité m'apparaît évidente, mais je ne l'aime pas pour autant. »

« Le champ libre, dit Piter avec une moue. Déjà, les yeux de l'Empereur sont fixés sur vous, Baron. Vous êtes trop audacieux. Un jour, une légion de Sardaukars débarquera ici, sur Giedi Prime, et ce sera la fin du Baron Vladimir Harkonnen. »

« Tu aimerais voir ce jour, n'est-ce pas, Piter ? demanda le Baron. Cela te ferait plaisir de voir les Sardaukars piller mes villes et mettre mon château à sac. Je suis sûr que tu en serais ravi. »

« Est-il besoin de le demander, Baron ? » La voix du Mentat n'était qu'un chuchotement.

« Tu aurais dû être Bashar d'un corps de Sardaukars. Le sang et la souffrance te sont si agréables. Peut-être ai-je été trop irréfléchi en te promettant la mise à sac d'Arrakis. »

Piter fit cinq pas d'un air mutin et vint se placer derrière le fauteuil de Feyd-Rautha. L'atmosphère de la pièce devint tendue. Le jeune homme se retourna et contempla Piter avec un froncement de sourcils.

« Ne jouez pas avec Piter, Baron, dit le Mentat. Vous m'avez promis Dame Jessica. Vous me l'avez promise. »

« Pourquoi, Piter ? demanda le Baron. Pour la souffrance ? »

Piter le regarda, prolongeant le silence.

Feyd-Rautha déplaça son fauteuil à suspenseur sur le côté et demanda : « Mon oncle, faut-il que je reste ? Vous avez dit que... »

« Feyd-Rautha, mon chéri, devient impatient, dit le Baron.(Il se déplaça entre les ombres qui stagnaient derrière le globe.) Un peu de calme, Feyd. » Puis il reporta son attention sur le Mentat.

« Et le petit Duc, mon cher Piter ? L'enfant, Paul ? »

« Le piège vous le livrera », dit Piter dans un murmure.

« Telle n'est pas ma question. Tu te souviens que tu as prédit que cette sorcière Bene Gesserit donnerait une fille au Duc. Et tu t'étais trompé, n'est-ce pas, Mentat ? »

« Je ne me trompe pas souvent, Baron. (Pour la première fois, il y avait de la crainte dans la voix de Piter.) Accordez-moi cela, je ne me trompe pas souvent. Et vous savez bien vous-même que les Bene Gesserit donnent en général des filles. L'épouse de l'Empereur elle-même n'a produit que des femelles. »

« Mon oncle, dit Feyd-Rautha, vous aviez dit qu'il pouvait être question ici de quelque chose d'important pour moi et... »

« Ecoutez mon neveu. Il aspire à régir la baronnie et il ne peut même pas se régir lui-même. »

Ombre dans les ombres, le Baron se déplaça à nouveau derrière le globe d'Arrakis.

« Eh bien, Feyd-Rautha Harkonnen, je t'ai convoqué en ce lieu dans l'espoir de t'inculquer un rien de sagesse. As-tu observé notre bon Mentat ? De notre discussion, tu aurais dû retirer quelque chose. »

« Mais, mon oncle... »

« Piter n'est-il point un Mentat très efficace, selon toi, Feyd ? »

« Certainement, mais... »

« Ah ! Nous y voici : *Mais.* Mais il consomme trop d'épice. Il la savoure comme une friandise. Regarde ses yeux ! On dirait qu'il sort tout juste d'une équipe d'extraction arrakeen. Efficient, ce cher Piter, mais aussi émotif, enclin à des crises de colère. Efficient mais capable d'erreur. »

« M'auriez-vous convoqué pour ternir mon efficience par la critique, Baron ? » demanda Piter. Sa voix était grave.

« Ternir ton efficience ? Allons donc, Piter, tu me connais. Je désirais seulement que mon neveu se rende compte des limitations d'un Mentat. »

« Seriez-vous sur le point de me remplacer ? »

« Te remplacer, Piter ? Mais où pourrais-je donc trouver un Mentat doué d'autant de ruse et de venin ? »

« Là même où vous m'avez trouvé, Baron. »

« Peut-être me faudra-t-il me résigner à cela, en effet. Tu m'as paru assez instable, ces derniers temps. Et puis tu absorbes trop d'épice. »

« Mes plaisirs seraient-ils trop coûteux, Baron ? Vous y êtes opposé ? »

« Mon cher Piter, tes plaisirs constituent le lien qui nous unit, toi et moi. Comment pourrais-je y être opposé ? Je souhaite seulement que mon neveu se livre à quelques observations à ton propos. »

« Je suis donc en scène, en quelque sorte, dit Piter. Faut-il que je danse ? Peut-être devrais-je accomplir quelques-uns de mes tours pour l'éminent Feyd-Rautha ?... »

« Exactement, dit le Baron. Tu es en scène, Piter. Mais silence, à présent. »

Il se tourna vers son neveu et remarqua sur ses lèvres cette subtile moue d'amusement qui était la marque distinctive des Harkonnens.

« Ceci est un Mentat, Feyd. Il a été éduqué et conditionné afin de remplir certaines fonctions. Cependant, il ne faut jamais perdre de vue le fait que son esprit est contenu dans un corps humain. C'est là un sérieux handicap. Je pense même parfois que les anciens étaient dans le vrai avec leurs machines pensantes. »

« Des jouets, comparées à moi, gronda Piter. Même vous, Baron, pourriez dépasser ces *machines.* »

« Peut-être, peut-être..., fit le Baron. Eh bien (il prit une profonde inspiration puis éructa), à présent, Piter, tu pourrais retracer pour mon neveu les grandes lignes de notre campagne contre la Maison des Atréides. Joue donc ton rôle de Mentat pour nous, je te prie. »

« Baron, je vous ai mis en garde contre le fait de confier à un homme aussi jeune de tels renseignements. Mes observations... »

« Moi seul suis juge, Piter. Je t'ai donné un ordre, Mentat. Remplis l'une de tes nombreuses fonctions. »

« Qu'il en soit donc ainsi. »

Piter se raidit dans une étrange attitude de dignité et ce fut comme si le masque qui semblait recouvrir son visage s'était étendu à tout son corps, comme une carapace.

« Dans quelques journées standard, commença-t-il, toute la Maison du Duc Leto embarquera sur un long-courrier de la Guilde à destination d'Arrakis et plus précisément de la cité d'Arrakeen qui aura sans doute été préférée à notre fief de Carthag. Le Mentat du Duc, Thufir Hawat, a certainement conclu à juste titre qu'Arrakeen est plus facile à défendre. »

« Ecoute attentivement, Feyd, intervint le Baron. Et remarque tous les plans qui sont à l'intérieur des plans. »

Feyd acquiesça et songea : *J'aime mieux cela. Le vieux monstre me livre enfin ses secrets. Il désire certainement que je sois son héritier.*

« Il existe plusieurs possibilités tangentes, reprit Piter. J'ai dit que la Maison des Atréides allait se rendre bientôt sur Arrakis. Cependant, nous ne devons pas ignorer la possibilité d'un accord entre le Duc et la Guilde afin que cette dernière le conduise en un endroit sûr, hors du Système. Certains, en de semblables circonstances, sont devenus renégats aux Maisons et ont emporté boucliers et atomiques de famille pour fuir loin de l'Empire. »

« Le Duc est trop fier pour cela », dit le Baron.

« Cette éventualité n'en subsiste pas moins. Mais pour nous, le résultat ultime serait le même. »

« Non ! s'écria le Baron. Je veux qu'il meure et que sa lignée s'éteigne ! »

« C'est là l'éventualité la plus probable. A ses activités, on peut reconnaître une Maison qui s'apprête à devenir renégate. Celle du Duc n'en présente aucun signe. »

« En ce cas, Piter, poursuis. »

« Dans Arrakeen, le Duc et sa famille occuperont la Résidence, qui fut dernièrement la demeure du Comte Fenring et de sa Dame. »

« Ambassadeurs auprès des contrebandiers », pouffa le Baron.

« Auprès de qui ? » demanda Feyd-Rautha.

« Votre oncle se laissait aller à une plaisanterie, expliqua Piter. Il donnait au Comte Fenring le titre d'*Ambassadeur auprès des contrebandiers* afin de souligner les intérêts que l'Empereur peut avoir dans les opérations de contrebande sur Arrakis. »

Feyd-Rautha posa sur son oncle un regard perplexe. « Pourquoi ? »

« Ne sois pas si balourd, Feyd ! Comment pourrait-il en être autrement aussi longtemps que la Guilde échappera au contrôle impérial ? Comment les espions et les assassins pourraient-ils jouer leur rôle ? »

Les lèvres de Feyd-Rautha s'arrondirent en un *Oh !* silencieux.

« A la Résidence, reprit Piter, nous avons préparé quelques diversions. On essaiera d'attenter à la vie de l'héritier des Atréides... Et il se pourrait que cet essai réussisse. »

« Piter, gronda le Baron, tu avais dit que... »

« J'ai dit que certains accidents peuvent se produire Et cette tentative d'assassinat doit paraître authentique. »

« Mais ce garçon a un corps si jeune, si tendre, dit le Baron. Bien sûr, potentiellement, il est plus dangereux que le père... avec sa sorcière de mère pour l'éduquer. Satanée femme ! Mais poursuis, Piter, je te prie. »

« Hawat devinera qu'un agent à nous s'est infiltré parmi eux. Le suspect le plus évident est le docteur Yueh qui est effectivement notre agent. Mais Hawat s'est livré à quelques investigations et il a appris que notre docteur est diplômé de l'Ecole Suk avec Conditionnement Impérial et qu'on le juge suffisamment sûr pour traiter l'Empereur lui-même. On fait grand cas du Conditionnement Impérial. On assure qu'on ne peut l'effacer sans tuer le sujet. Cependant, ainsi que quelqu'un l'a déjà remarqué, on peut fort bien mouvoir une planète si l'on dispose du levier adéquat. Et nous avons trouvé le levier qui nous permet de mouvoir le docteur. »

« Lequel ? » demanda Feyd-Rautha. Il trouvait ce sujet fascinant. Tout le monde savait bien qu'il était impossible de venir à bout du Conditionnement Impérial.

« Nous verrons cela une autre fois, dit le Baron. Continue, Piter. »

« Au lieu et place de Yueh, nous allons glisser un suspect bien plus intéressant sur le chemin de Thufir Hawat. Notre choix a été audacieux. Le Maître Assassin de Leto ne saurait manquer de la soupçonner. »

« *La* soupçonner ? » s'exclama Feyd-Rautha.

« Il s'agit de Dame Jessica en personne », dit le Baron.

« N'est-ce pas sublime ? fit Piter. Hawat sera si préoccupé par ce problème que son efficience de Mentat en sera considérablement diminuée. Il se pourrait même qu'il tente de tuer Dame Jessica. (Le Mentat fronça les sourcils.) Mais je ne pense pas qu'il y parvienne. »

« Et tu ne le souhaites pas non plus, n'est-ce pas ? » demanda le Baron.

« Ne me distrayez pas. Tandis qu'Hawat sera aux prises avec Dame Jessica, nous lui procurerons certaines autres diversions sous la forme de garnisons en révolte et autres événements du même genre. Tout cela sera réprimé. Il faut bien que le Duc pense qu'il jouit d'un degré supplémentaire de sécurité. Puis, quand le moment opportun sera venu, nous ferons signe à Yueh, nous lancerons toutes nos forces et... »

« Va, dis-lui tout », intervint le Baron.

« Nous frapperons alors avec l'appui de deux légions de Sardaukars qui arboreront la tenue des gens d'Harkonnen. »

« Des Sardaukars ! » s'exclama Feyd-Rautha dans un souffle.

Et il évoqua l'image des terrifiantes troupes impériales, composées de tueurs sans merci, soldats fanatiques de l'Empereur Padishah.

« Tu vois à quel point je te fais confiance, Feyd, dit le Baron. Jamais le moindre mot de tout ceci ne doit parvenir à quelque autre Grande Maison, sinon le Landsraad tout entier pourrait bien s'unir contre la Maison Impériale et ce serait le chaos. »

« Le point important est le suivant, dit Piter. Puisque l'on se servira de la Maison des Harkonnens pour exécuter la vilaine besogne de l'Empire, celle-ci bénéficiera d'un avantage certain. Avantage dangereux, bien sûr, mais qui, utilisé avec prudence, rendra les Harkonnens plus riches que toute autre Maison de l'Empire. »

« Tu ne saurais avoir la moindre idée des richesses qui sont en jeu, Feyd, dit le Baron. Même dans tes rêves les plus démentiels. Et, avant tout, nous nous assurerons pour toujours un directorat de la CHOM. »

Feyd-Rautha hocha la tête. Seule la richesse comptait. Et la compagnie CHOM était la clé de la richesse. Chaque Maison Noble puisait dans les coffres de la compagnie, quand elle en éprouvait le besoin, et sous le contrôle des directoires de la CHOM étaient la preuve évidente de la puissance à l'intérieur de l'Imperium ; ils changeaient au gré des votes du Landsraad qui, dans son ensemble, s'opposait à l'Empereur *et* à ceux qui le soutenaient.

« Le Duc Leto, dit Piter, pourrait essayer de rejoindre ces canailles de Fremens qui vivent au seuil du désert. A moins qu'il ne préfère réserver ce refuge imaginaire à sa famille. Mais cette issue lui est fermée par l'un des agents de Sa Majesté, cet écologiste planétaire dont vous devez vous souvenir : Kynes. »

« Feyd s'en souvient, dit le Baron. Continue. »

« Sottises, Baron ! »

« Continue, c'est un ordre ! »

Le Mentat haussa les épaules. « Si tout se déroule selon les prévisions, la Maison des Harkonnens jouira d'un sous-fief sur Arrakis d'ici à une année standard. Votre oncle obtiendra remise de ce fief et son propre agent régnera alors sur la planète des sables. »

« Ainsi, les profits seront plus importants », dit Feyd-Rautha.

« Bien sûr », dit le Baron. Et il pensa : *Ce n'est que justice. C'est nous qui avons colonisé Arrakis... si l'on excepte ces quelques métèques de Fremens qui se cachent près du désert... et les contrebandiers qui sont prisonniers de la planète au même titre que les travailleurs indigènes...*

« Alors, les Grandes Maisons sauront que le Baron a détruit les Atréides, acheva Piter. Toutes, elles le sauront. »

« Elles le sauront », souffla le Baron.

« Et le plus délicieux, ajouta Piter, c'est que le Duc lui aussi le saura. Il le sait même dès maintenant. Déjà, il flaire le piège. »

« Il est exact que le Duc sait déjà, dit le Baron avec une note de tristesse dans la voix. Et il ne peut rien faire.. Ce qui est d'autant plus triste. »

Il s'éloigna du globe de lumière d'Arrakis. Et, comme il émergeait de l'ombre, sa silhouette prit une autre dimension. Il devint gras, énorme. De subtils mouvements sous les plis de ses vêtements sombres révélèrent que sa graisse était partiellement soutenue par des suspenseurs gravifiques fixés à même sa chair. Son poids devait approcher les deux cents kilos standard mais, en réalité, son ossature n'en supportait pas plus du quart.

« J'ai faim ! gronda-t-il, et sa main couverte de bagues

vint caresser ses lèvres grasses tandis que ses yeux enfoncés dans la bouffissure de son visage se posaient sur son neveu. Demande que l'on nous serve, mon chéri. Nous allons manger avant de nous retirer. »

Ainsi parla sainte Alia du Couteau : « La Révérende Mère doit combiner les pouvoirs de séduction d'une courtisane avec la majesté d'une déesse vierge et conserver ses attributs sous tension aussi longtemps que subsistent ses pouvoirs de jeunesse. Car, lorsque beauté et jeunesse s'en seront allées, elle découvrira que le lieu intermédiaire autrefois occupé par la tension s'est changé en une source de ruse et d'astuce. »

Extrait de
Muad'Dib, commentaires de famille,
par la Princesse Irulan.

« EH bien, Jessica, qu'as-tu à dire pour toi-même ? » demanda la Révérende Mère.

Ce même jour, Paul avait subi l'épreuve et maintenant le crépuscule venait. Les deux femmes étaient seules dans le salon de Jessica ; Paul attendait dans la Chambre de Méditation d'où il ne pouvait percevoir la moindre parole.

Jessica se tenait devant les fenêtres ouvertes sur le sud. Elle voyait et ne voyait pas les couleurs qui s'étaient rassemblées sur la prairie, sur la rivière, avec le soir. Elle entendait et n'entendait pas les mots que prononçait la Révérende Mère. Elle avait déjà subi l'épreuve, tant d'années auparavant. Elle n'était alors qu'une fillette frêle aux cheveux couleur de bronze, au corps secoué par les tempêtes de la puberté. Une fillette qui avait subi l'examen de la Révérende Mère Gaius Helen Mohiam, Rectrice supérieure de l'école Bene Gesserit de Wallach IX. Aujourd'hui, elle contemplait sa main droite, pliait ses doigts et se souvenait de la souffrance, de la peur, de la colère.

« Pauvre Paul », souffla-t-elle.

« Jessica, je t'ai posé une question ! » La voix de la vieille femme était sèche, impérative.

« Oui ? Oh... » Jessica s'arracha au passé, se tourna vers la Révérende Mère qui était assise le dos au mur, entre les deux fenêtres d'occident. « Que voulez-vous que je vous dise ? »

« Ce que je veux que tu me dises ? *Ce que je veux que tu me dises ?* » Il y avait une note cruelle de moquerie dans cette voix ancienne et Jessica s'écria : « Eh bien, j'ai eu un fils ! » Mais elle savait que la colère qu'elle ressentait avait été provoquée, délibérément.

« Il t'avait été ordonné de ne donner que des filles aux Atréides. »

« Mais cela représentait tant pour lui ! »

« Et dans ton orgueil, tu as pensé pouvoir donner le jour au Kwisatz Haderach ! »

Jessica redressa le menton. « J'ai senti que cela était possible. »

« Tu n'as pensé qu'au désir du Duc de posséder un fils ! lança la vieille femme. Mais son désir n'a rien à voir avec tout cela. Une fille Atréide aurait pu épouser un héritier Harkonnen et la brèche eût été ainsi comblée. Tu as compliqué les choses d'une façon impensable. Maintenant, nous pourrions perdre les lignées. »

« Vous n'êtes pas infaillibles », dit Jessica, et elle défiait le regard des yeux anciens.

« Ce qui est fait est fait », dit la Révérende Mère.

« Je jure que jamais je ne regretterai ma décision », dit Jessica.

« Comme c'est noble de ta part ! Aucun regret, jamais ! Nous verrons bien ce qu'il en sera lorsque tu fuiras avec ta tête mise à prix et que toutes les mains se lèveront sur toi et ton fils. »

Jessica était devenue pâle. « N'y a-t-il donc aucune alternative ? »

« Une alternative? Comment une Bene Gesserit peut-elle demander cela ? »

« Je veux seulement savoir ce que vous avez pu lire dans l'avenir grâce à vos pouvoirs. »

« Je lis dans l'avenir ce que j'ai lu dans le passé. Tu connais très bien nos problèmes, Jessica. La race sait qu'elle est mortelle et elle redoute la stagnation de son hérédité. Il coule dans son sang, le besoin de mêler dans le désordre les lignées génétiques. L'Imperium, la compagnie CHOM et les Grandes Maisons ne sont que des débris d'épaves emportés par ce flot. »

« La CHOM, murmura Jessica. Je suppose que d'ores et déjà il a été décidé de quelle façon elle partagera les restes d'Arrakis. »

« Qu'est-ce que la CHOM sinon la girouette au vent de notre époque ? demanda la vieille femme. L'Empereur et ses partisans contrôlent à présent 59,65 pour cent des votes du Conseil de la compagnie. Il est certain qu'ils sentent les profits possibles et comme d'autres les sentent aussi, leur puissance sur les votes s'en trouve renforcée. Ainsi se fait l'Histoire, ma fille. »

« Voilà exactement ce qu'il me faut en ce moment, dit Jessica. Un bon cours d'Histoire ! »

« Ne sois pas sarcastique, ma fille ! Tu sais aussi bien que moi quelles forces nous environnent. Notre civilisation repose sur trois bases : La Maison Impériale, qui s'oppose aux Grandes Maisons du Landsraad et, entre elles, la Guilde et son satané monopole des transports interstellaires. En politique, le tripode est la plus instable de toutes les structures. Et je compte sans ce système commercial qui est demeuré au stade féodal, tournant le dos à toute science et qui complique toute chose. »

« Des débris d'épaves emportés par le flot... comme le Duc Leto, son fils et... »

La voix de Jessica était amère et la Révérende Mère l'interrompit : « Oh, silence, ma fille ! Tu savais très bien en entrant dans ce jeu sur quel fil tu allais danser. »

« Je suis une Bene Gesserit. Je n'existe que pour servir. »

« C'est la vérité, et tout ce que nous pouvons espérer, c'est empêcher que tout ceci ne provoque une conflagration générale afin de préserver ce qui peut l'être encore dans nos lignes de sang. »

Jessica ferma les yeux et elle sentit le picotement des larmes sous ses paupières. Elle lutta contre le tremblement intérieur qui la saisissait, contre les frissons de sa peau, un souffle rauque, un pouls qui s'affolait, la sueur sur ses paumes. Elle dit : « Je paierai mes fautes. »

« Ton fils paiera avec toi. »

« Je le protégerai autant que je pourrai. »

« Le protéger ! Mais si tu le protèges trop, Jessica, jamais il ne deviendra assez fort pour accomplir son destin ! »

Jessica se détourna. Par-delà la fenêtre, elle contempla l'ombre qui se faisait plus dense.

« Est-elle vraiment aussi affreuse, cette planète Arrakis ? »

« Affreuse, mais pas complètement, dit la Révérende Mère. La Missionaria Protectiva est passée là et elle a quelque peu amélioré les choses. »

La Révérende Mère se leva et lissa un pli de sa robe. « Appelle le garçon. Je dois bientôt partir. »

« Vraiment ? »

La voix ancienne s'adoucit : « Jessica, ma fille, je souhaiterais être à ta place et assumer tes peines. Mais chacun de nous doit suivre son propre chemin. »

« Je sais. »

« Tu m'es aussi chère que n'importe laquelle de mes filles, mais je ne puis laisser cela interférer avec le devoir. »

« Je comprends... C'est nécessaire. »

« Ce que tu as fait, Jessica, et pourquoi tu l'as fait... nous le comprenons toutes deux. Mais la bonté m'oblige à te dire qu'il y a peu de chance pour que l'enfant soit la Totalité du Bene Gesserit. Il ne faut pas trop espérer. »

Jessica chassa les larmes au coin de ses yeux. C'était un geste de colère. Elle dit : « Vous me donnez l'impression d'être redevenue une petite fille, de réciter à nouveau ma première leçon... (Les mots franchissaient difficilement ses lèvres.) *Les humains ne doivent point se soumettre aux animaux...* (Elle eut un sanglot étouffé et acheva, presque dans un murmure :) J'ai été si seule. »

« Cela devrait faire partie des épreuves, dit la vieille femme. Les humains sont presque toujours seuls. Maintenant, appelle le garçon. Il a vécu une journée longue et effrayante. Mais il a eu suffisamment de temps pour réfléchir et se souvenir et je dois lui poser d'autres questions à propos de ses rêves. »

Jessica hocha la tête et se dirigea vers la Chambre de Méditation. « Paul, entre, s'il te plaît. »

Il obéit, avec lenteur. Il regarda sa mère comme une étrangère. Puis, comme il posait les yeux sur la Révérende Mère, la méfiance ternit son regard. Et il se contenta d'incliner le menton, comme à l'adresse d'un égal. Derrière lui, il entendit sa mère refermer la porte.

« Jeune homme, dit la Révérende Mère, revenons-en à ces rêves. »

« Que voulez-vous savoir ? »

« Rêves-tu chaque nuit ? »

« Mes rêves ne valent pas toujours que l'on s'en souvienne. Je puis me rappeler chacun d'eux mais seuls certains en valent la peine. »

« Comment fais-tu la différence ? »

« Je le sais. »

La vieille femme regarda Jessica, puis Paul, de nouveau.

« Quel rêve as-tu fait la nuit dernière ? demanda-t-elle. Valait-il que tu t'en souviennes ? »

« Oui. (Il ferma les paupières.) J'ai rêvé d'une caverne... et d'eau... Il y avait une fille... très maigre, avec de grands yeux. Des yeux entièrement bleus, sans le moindre blanc. Je lui parlais de vous, je lui disais que j'avais vu la Révérende Mère sur Caladan... » Il rouvrit les yeux.

« Et ce que tu racontais à cette étrange fille, est-ce arrivé aujourd'hui ? »

Il réfléchit un instant. « Oui. Je disais à la fille que vous étiez venue et que vous m'aviez marqué d'un sceau d'étrangeté. »

« Un sceau d'étrangeté, murmura la Révérende Mère, et elle regarda de nouveau Jessica avant de revenir au garçon. Mais, dis-moi, Paul, as-tu souvent de ces rêves où se passent des événements qui se répètent ensuite dans la réalité, exactement comme tu les as rêvés ? »

« Oui. Et j'avais déjà rêvé de cette fille. »

« Ah ? Et tu la connais ? »

« Je la connaîtrai. »

« Parle-moi d'elle. »

A nouveau, il ferma les yeux. « Nous sommes dans un petit refuge, entre des rochers. Il fait presque nuit mais il y a encore un peu de tiédeur et je peux apercevoir des bandes de sable entre les rochers. Nous... nous attendons quelque chose... Je dois rencontrer des gens. La fille est effrayée mais elle essaie de ne pas le montrer. Moi, je suis excité. Elle me dit : « Parle-moi des eaux de ton monde natal Usul. » (Paul ouvrit les yeux.) N'est-ce pas étrange ? Ma planète natale s'appelle Caladan. Jamais je n'ai entendu parler d'un monde appelé Usul. »

« Y a-t-il autre chose dans ce rêve ? » intervint Jessica.

« Oui. Mais j'y pense : peut-être est-ce moi que la fille appelle Usul... (A nouveau, ses paupières s'abaissèrent.) Elle me demande de lui parler des eaux de ce monde. Et je lui prends la main. Je lui dis que je vais lui réciter un poème. Je le lui récite mais en lui expliquant certains termes comme plage, ressac, algue, mouette. »

« Quel est ce poème ? »

Il regarda la Révérende Mère. « L'une des ballades de Gurney Halleck pour les moments de tristesse. »

Derrière son fils, Jessica se mit à réciter :

« Je me souviens de la fumée de sel d'un feu de plage
Et des ombres sous les pins,
Dures, propres... Solides.
Des mouettes au bout de la terre,
Blanches sur tout ce vert.
Et du vent qui venait dans les pins
Faire se balancer les ombres.
Des mouettes qui déployaient leurs ailes
Vers le ciel
Et qui l'emplissaient de cris
Dans le bruit du vent
Qui soufflait sur la plage,
Et le ressac.
Et je vois notre feu
Qui a brûlé les algues. »

« C'est celui-ci », dit Paul.

La vieille femme le regarda et dit : « Jeune homme, en tant que Rectrice du Bene Gesserit, je recherche le Kwisatz Haderach, le mâle qui pourra devenir véritablement l'un d'entre nous. Votre mère voit en vous cette possibilité, mais elle voit avec les yeux d'une mère. Cette possibilité, je la vois moi aussi, mais rien de plus. »

Elle se tut et Paul comprit qu'elle désirait qu'il parle. Alors, il attendit.

« Très bien, fit-elle après un instant. Comme tu voudras. Il y a en toi des abîmes. Je dois le reconnaître. »

« Puis-je disposer, à présent ? » demanda-t-il.

« Ne désires-tu pas entendre ce que la Révérende Mère peut te dire à propos du Kwisatz Haderach ? » demanda Jessica.

« Elle a dit que tous ceux qui avaient essayé étaient morts. »

« Mais je puis te donner quelques indices pour expliquer leur échec », dit la Révérende Mère.

Des indices, songea Paul, *des indices... En vérité, elle ne sait rien...*

« Donnez », dit-il.

« Et allez au diable, hein ? (Elle grimaça un sourire et des rides s'entrecroisèrent sur son visage.) Très bien, alors voici : *Qui se soumet domine.* »

Il éprouva de l'étonnement : quoi, elle parlait de choses aussi élémentaires que la tension dans la signification ? Croyait-elle donc que sa mère ne lui avait rien appris ?

« Est-ce là un indice ? » demanda-t-il.

« Nous ne sommes pas ici pour jouer sur les mots ou ergoter sur leur sens, dit la Révérende Mère. Le saule qui se soumet au vent, prospère et donne de nombreux saules qui formeront un mur contre le vent. Tel est le but du saule. »

Il la regarda. Elle venait de dire *but* et le mot avait pénétré profondément en lui, distillant à nouveau cette pensée d'un but terrible. Il en éprouva une colère soudaine à l'égard de la vieille femme. Cette prétentieuse sorcière n'avait donc que des platitudes à lui débiter ?...

« Vous pensez que je puis être ce Kwisatz Haderach, dit-il. Vous parlez de moi mais vous n'avez encore rien dit qui puisse en aucune façon aider mon père. Je vous ai entendu parler de ma mère, mais vous semblez considérer que mon père est déjà mort. Pourtant, il ne l'est pas, non ? »

« S'il était possible de faire quelque chose pour lui, nous l'aurions déjà fait. Mais il se peut que nous parvenions à te sauver, toi. C'est douteux, mais possible. Quant à ton père... Il n'y a rien à faire pour lui. Lorsque tu auras admis ce fait, tu auras appris une vraie leçon Bene Gesserit. »

Il comprit que ces mots venaient d'atteindre durement sa mère mais il ne détacha pas son regard de la vieille femme. Comment pouvait-elle parler ainsi de son père ? Comment pouvait-elle être aussi sûre d'elle ? Dans son esprit, le ressentiment était maintenant comme un feu brûlant.

La Révérende Mère se tourna vers Jessica. « Tu l'as éduqué dans la Manière. J'en vois les signes sur lui.. J'aurais fait de même à ta place. Au diable les Règles. Mais à présent je t'avertis. Ne tiens plus compte de la progression régulière de son éducation. Pour sa propre sécurité, il lui faut la Voix. Déjà, il en a quelque idée, mais nous savons toutes deux qu'il a besoin de beaucoup plus... Et de toute urgence. »

Jessica acquiesça et la Révérende Mère revint à Paul. « Au revoir, jeune humain. J'espère que tu réussiras. Mais, quoi qu'il advienne... nous réussirons quand même. »

Lorsqu'elle regarda de nouveau Jessica, il y eut entre les deux femmes un imperceptible signe de compréhension. Puis, la Révérende Mère quitta la pièce dans un froissement de tissu, sans un regard en arrière. Déjà, ceux qu'elle laissait avaient déserté ses pensées. Pourtant, Jessica avait eu le temps de surprendre des larmes sur les joues anciennes, ridées, des larmes plus inquiétantes que tous les mots qui avaient été prononcés en ce jour, que tous les signes échangés.

Les écrits vous ont appris que Muad'Dib n'avait sur Caladan aucun compagnon de jeu de son âge. Les dangers étaient bien trop grands. Mais Muad' Did avait de merveilleux éducateurs et amis. Ainsi, Gurney Halleck, le guerrier-troubadour. Tandis que vous avancerez dans ce livre, vous chanterez certaines de ses ballades. Muad'Dib avait aussi Thufir Hawat, le vieux Mentat, le Maître Assassin du Duc, Thufir Hawat qui suscitait la terreur dans le cœur de l'Empereur Padishah lui-même. Et il y avait aussi Duncan Idaho, le Maître d'Armes du Ginaz, et le docteur Wellington Yueh, dont le nom, noir de trahison, rayonnait pourtant de connaissance... Et Dame Jessica, qui éduquait son fils dans la Manière Bene Gesserit ainsi que, bien sûr, le Duc Leto, dont on ignora longtemps les vertus paternelles.

Extrait de Histoire de Muad'Dib enfant,
par la Princesse Irulan.

DOUCEMENT, Thufir Hawat se glissa dans la salle d'exercice et referma la porte. Un instant, il demeura immobile. Il se sentait vieux, las, usé par la tempête. Et la douleur était revenue dans sa jambe gauche, blessée au service du vieux Duc.

Trois générations d'Atréides, songea-t-il.

A l'autre extrémité de la vaste pièce illuminée par le soleil de midi, il voyait le jeune garçon assis le dos à la porte, penché sur des papiers, des cartes étalées devant lui, sur la vaste table.

Combien de fois faudra-t-il que je lui répète de ne jamais tourner le dos à une porte ? Hawat toussota. Paul ne fit pas le moindre mouvement. Un nuage passa devant le soleil. A nouveau, Hawat toussota. Paul se figea et dit, sans se retourner : « Je sais. Je tourne le dos à la porte. »

Réprimant un sourire, Hawat s'avança. Paul ne leva la tête qu'à l'instant où le vieil homme s'arrêtait au coin de la table. Dans son visage sombre aux rides profondes, ses yeux étaient vigilants.

« Je t'ai entendu traverser le hall, dit Paul. Et je t'ai également entendu ouvrir la porte. »

« On pourrait imiter les sons que je produis. »

« Je saurais reconnaître la différence. »

Il en est capable, songea Hawat. *Sa sorcière de mère doit l'éduquer à fond. Je me demande ce que sa précieuse école peut bien en penser? C'est sans doute pour cela qu'ils ont envoyé la vieille Rectrice... Afin de ramener notre chère Dame Jessica dans le droit chemin.*

Il prit une chaise et s'assit en face de Paul, face à la porte. Ses gestes étaient lents et précis. Il se laissa aller en arrière et examina la salle. Elle lui paraissait soudain étrangère. La plupart des objets avaient déjà été installés sur Arrakis. Pourtant, une table d'exercice subsistait encore, ainsi qu'un miroir d'escrime aux prismes de cristal inertes dont le mannequin-cible rembourré évoquait quelque ancien fantassin marqué et lacéré par les guerres. *Tout comme moi*, songea Hawat.

« A quoi penses-tu, Thufir ? » demanda Paul.

Le Maître Assassin regarda le jeune garçon. « Je pense que très bientôt nous serons loin d'ici et que nous ne reviendrons peut-être jamais. »

« Et cela te rend triste ? »

« Triste ? Non, c'est absurde. Il est triste d'être séparé de ses amis. Mais une demeure n'est jamais qu'une demeure. (Il contempla les cartes déployées sur la table, éparses.) Arrakis n'est qu'une demeure de plus. »

« Mon père t'a-t-il envoyé pour me sonder? »

Hawat fronça les sourcils. Paul se montrait souvent très perspicace à son endroit. Il acquiesça : « Je sais bien que tu te dis qu'il eût été mieux qu'il vienne lui-même, mais tu dois savoir à quel point il est occupé. Il viendra plus tard. »

« J'étudiais les tempêtes d'Arrakis. »

« Les tempêtes... »

« Elles ont l'air assez terrible. »

« *Terrible...* C'est un mot bien faible. Ces tempêtes se développent sur quelque six ou sept mille kilomètres de plaine. Et elles prennent appui sur tout ce qui recèle la moindre once d'énergie, y compris les autres tempêtes. Elles atteignent sept cents kilomètres/heure et elles emportent tout sur leur passage : sable, poussière, n'importe quoi. Elles rongent la chair sur les os et réduisent les os en fétus. »

« Arrakis n'a pas de contrôle climatique? »

« Arrakis pose des problèmes. Tout y revient plus cher, et il faudrait prévoir un entretien et le reste. La Guilde exige un prix exorbitant pour un satellite de contrôle et la Maison de ton père n'est pas parmi les plus riches, mon garçon. Tu le sais. »

« As-tu déjà vu des Fremens? »

Il s'attaque à tout, aujourd'hui, se dit Hawat.

« Comme qui dirait que je les ai vus, oui. Il est difficile de les distinguer des gens des creux et des sillons. Ils portent tous ces grandes robes flottantes. Et ils puent autant les uns que les autres dès qu'ils sont en lieu clos. C'est à cause de ce vêtement qui récupère l'eau de leur corps. Ils appellent ça un « distille ». »

Paul se sentit soudain la bouche sèche comme lui revenait le souvenir d'un rêve de soif. Il déglutit. L'idée de ce peuple qui devait recycler l'eau de son propre corps l'emplissait d'un sentiment de désespoir. « L'eau est très précieuse, là-bas », dit-il.

Hawat hocha la tête et songea : *Peut-être suis-je en train de réussir et de lui faire comprendre que cette planète est un ennemi important. Ce serait de la folie que de partir sans avoir cette idée en tête.*

Paul leva la tête et vit qu'il avait commencé à pleuvoir. Des gouttes éclaboussaient la surface grise de métaglass. « De l'eau », dit-il.

« Tu apprendras son importance, dit Hawat. Tu es le fils du Duc et tu n'en manqueras jamais, mais, tout autour de toi, tu sentiras la soif. »

Paul s'humecta les lèvres, évoquant sa rencontre avec la Révérende Mère et l'épreuve. Une semaine s'était déjà écoulée. La Révérende Mère, elle aussi, avait parlé de la soif. Elle lui avait dit : « Tu apprendras à connaître les plaines funèbres, les déserts absolument vides, les vastes étendues où rien ne vit à l'exception des vers de sable et de l'épice. Tu en viendras à ternir tes pupilles pour atténuer l'éclat du soleil. Le moindre creux à l'abri du vent et des regards te sera un refuge. Et tu te déplaceras sur tes jambes, sans orni, sans véhicule ni monture. »

Il avait été plus impressionné sur le moment par le ton qu'elle avait employé, chantonnant, hésitant, que par les mots prononcés.

« Lorsque tu vivras sur Arrakis, tu verras que khala, la terre, est vide. Les lunes, alors, seront tes amies et le soleil ton ennemi. »

C'est alors qu'il avait senti que sa mère s'approchait de lui, qu'elle avait quitté sa faction devant la porte pour venir à ses côtés. Elle avait regardé la Révérende Mère et elle avait dit : « N'y a-t-il vraiment aucun espoir, Votre Révérence ? »

« Pas pour le père. (La femme ancienne, dans le silence, avait abaissé son regard sur Paul.) Grave cela dans ta mémoire, mon garçon : Il y a quatre choses pour supporter un monde. (Elle avait levé quatre doigts noueux.) La connaissance du sage, la justice du grand, les prières du pieux et le courage du brave. Mais tout cela n'est rien sans... (Elle avait refermé tous ses doigts en un poing.) ... sans celui qui gouverne et connaît l'art de gouverner. Que ceci soit ta science ! »

Une semaine s'était écoulée depuis la visite de la Révérende Mère. A présent seulement, les mots qu'elle avait prononcés prenaient toute leur signification. En cet instant, assis dans la salle d'exercice aux côtés de Thufir Hawat, Paul ressentait la morsure profonde de la peur. Et comme il levait les yeux, il rencontra les sourcils froncés du Mentat.

« A quoi rêvais-tu à l'instant même ? » demanda ce dernier.

« As-tu rencontré la Révérende Mère ? »

« Cette vieille sorcière de Diseuse de Vérité ? (La curiosité fit briller le regard du Maître Assassin.) Oui, je l'ai rencontrée. »

« Elle... » Paul hésita, percevant soudain l'impossibilité qu'il y avait à évoquer devant Hawat, prenant conscience des inhibitions profondément implantées.

« Oui ? Qu'a-t-elle fait ? »

Par deux fois, très vite, il aspira. « Elle a dit une chose... (Il ferma les yeux, appela les mots à lui et, lorsqu'il parla enfin, sa voix prit sans qu'il en eût conscience certains accents de la vieille femme.) Toi, Paul Atréides, descendant de rois, fils de Duc, tu dois apprendre à gouverner. C'est là une chose que ne fit aucun de tes ancêtres. »

Paul ouvrit alors les yeux et ajouta : « Cela a éveillé ma colère. Je lui ai dit que mon père gouvernait toute une planète. Elle m'a répondu alors : *Il va la perdre.* Je lui ai dit que mon père allait recevoir une planète encore plus riche. Elle m'a dit : *Celle-là aussi, il va la perdre.* Je voulais m'enfuir et avertir mon père, mais elle m'a dit alors qu'il était déjà averti... par toi, par ma mère, par toutes sortes de gens. »

« C'est vrai. » La voix du Mentat était un murmure.

« Alors, pourquoi pars-tu ? »

« Parce que l'Empereur l'a ordonné. Et parce que, en dépit des dires de cette espionne et sorcière, il y a encore de l'espoir. Mais, dis-moi, qu'a donc encore bavé cette vieille fontaine de sagesse ? »

Le regard de Paul se posa sur sa main droite, qui, sous la table, s'était refermée en un poing. Lentement, il détendit ses muscles. Et il pensa : *Elle m'a lancé quelque sort mystérieux. Mais lequel ?*

« Elle m'a demandé de lui dire ce que signifiait : gouverner. Je lui ai répondu que cela signifiait le commandement d'un seul. Elle m'a dit alors qu'il fallait que je désapprenne certaines choses. »

Elle a marqué un point, ici, pensa Hawat. Et il inclina la tête pour inviter Paul à poursuivre.

« Elle m'a dit aussi que celui qui gouverne doit apprendre à convaincre et non à obliger. Et aussi qu'il doit construire l'âtre le plus chaud afin d'attirer auprès de lui les meilleurs hommes. »

« Et comment croit-elle donc que ton père a attiré auprès de lui des hommes tels que Duncan et Gurney ? »

Paul haussa les épaules. « Elle a dit ensuite que, pour bien gouverner, il faut apprendre le langage du monde qui est le vôtre et qui est différent sur chaque monde. J'ai cru qu'elle voulait dire par là que, sur Arrakis, on ne parlait pas le gallach, mais elle a dit que ce n'était pas cela du tout. Elle voulait parler du langage des rochers et des choses vivantes, ce langage que l'on ne peut entendre avec ses seules oreilles. Je lui ai dit alors que c'était là ce que le docteur Yueh appelait : le Mystère de la Vie. »

Hawat étouffa un rire. « Elle a pris ça comment ? »

« Je crois qu'elle est devenue furieuse. Elle m'a dit à ce moment que le mystère de la vie n'était pas un problème à résoudre mais une réalité à vivre. Je lui ai cité alors la Première Loi du Mentat : *On ne peut comprendre un processus en l'interrompant. La compréhension doit rejoindre le cheminement du processus et cheminer avec lui.* Elle a paru satisfaite alors. »

On dirait bien qu'il reprend le dessus, pensa Hawat. *Mais la vieille sorcière l'a effrayé. Pourquoi a-t-elle fait ça ?*

« Thufir, dit Paul, Arrakis est-elle aussi mauvaise qu'elle le dit ? »

« Rien ne saurait être aussi mauvais. Prenons les Fremens, par exemple. (Hawat eut un sourire forcé.) Ils forment le peuple renégat du désert. Après une première et rapide analyse, je peux te dire qu'ils sont nombreux, bien plus nombreux que ne le croit l'Imperium. Et ce peuple, mon garçon, est un très grand peuple et... (Hawat éleva un doigt noueux à hauteur de ses yeux)... et ils détestent les Harkonnens, ils leurs vouent une haine sanguinaire. Mais tu ne dois pas souffler un mot de ceci, mon garçon. C'est le confident de ton père qui te parle. »

« Aujourd'hui, dit Paul, mon père m'a parlé de Salusa Secundus. Tu ne trouves pas que cela sonne comme Arrakis ? Pas en aussi mauvais, mais presque. »

« Nous ne savons rien de Salusa Secundus actuellement. Tout ce que nous en connaissons remonte à très longtemps mais... sur ce point tu as raison. »

« Les Fremens nous aideront-ils ? »

« C'est une possibilité. (Hawat se leva.) Je pars aujourd'hui pour Arrakis. Jusqu'à ce que nous nous retrouvions, veux-tu prendre soin de toi, ne serait-ce que pour un vieil homme qui est fier de toi ? Alors, retourne-toi comme le brave garçon que tu es et fais face à la porte. Ce n'est pas que je pense qu'il y ait le moindre danger dans ce castel. Je veux simplement que tu prennes cette habitude. »

Paul se leva et fit le tour de la table. « Tu t'en vas aujourd'hui, Thufir ? »

« Aujourd'hui, oui, et tu me suivras demain. Lorsque nous nous reverrons, ce sera sur un nouveau monde. »

Il saisit le bras de Paul à hauteur du biceps. « Le bras du couteau. Garde-le toujours libre, hein ? Et que ton bouclier soit toujours chargé. »

Puis il tapota l'épaule du jeune garçon, se détourna et s'éloigna rapidement vers la porte.

« Thufir ! »

Le Maître Assassin s'immobilisa sur le seuil, se retourna.

« Ne tourne pas le dos aux portes. »

Un sourire apparut sur le vieux visage usé. « Oh, non, mon garçon ! Ma vie en dépend. » Et puis, il disparut et la porte se referma doucement sur lui.

Paul resta assis à la place qu'avait occupée le vieux Mentat. Il se mit en devoir de ranger les cartes et documents. *Encore un jour à passer ici,* songea-t-il. Il examina la pièce. *Nous allons partir, tous.* Jamais l'idée du départ ne lui avait semblé aussi nette, aussi réelle. Et il se souvint d'une autre chose que la vieille femme avait dite, qu'un monde était la somme de multiples éléments : de sa population, de sa crasse, des choses vivantes, de ses lunes, de ses marées et de ses soleils. Cette somme inconnue était appelée *nature.* Un terme vague, qui ne signifiait rien du *présent. Mais qu'est-ce que le présent ?* se demanda-t-il.

La porte à laquelle il faisait face maintenant s'ouvrit brusquement et un vilain petit homme s'avança, précédé d'une brassée d'armes diverses.

« Eh bien, Gurney Halleck, s'écria Paul, serais-tu devenu mon nouveau Maître d'Armes ? »

D'un coup de talon, Halleck referma la porte. « Je sais bien que tu aimerais mieux me voir arriver pour partager tes jeux », dit-il. Ses yeux firent le tour de la salle, remarquant tous les signes qui révélaient le passage des hommes de Hawat qui, déjà, avaient examiné la salle à fond afin qu'elle fût complètement sûre pour l'héritier du Duc. Les signes subtils de leur code étaient partout.

Sous le regard de Paul, le vilain petit homme se remit en mouvement et mit le cap sur la table avec son chargement guerrier et la balisette à neuf cordes qui ne quittait pas son épaule, le multipic glissé entre les cordes, près de la tête de touche.

Halleck laissa tomber le fagot d'armes sur la table d'exercice et les aligna soigneusement — rapières, lancettes, kindjals, tétaniseurs à charge lente, ceintures-boucliers.

Il se retourna, sourit, et la cicatrice lie-de-vin se plissa sur sa joue.

« Ainsi, petit démon, on ne me souhaite même pas le bonjour, dit-il. Et je me demande bien quelle flèche tu as encore pu décocher à ce vieil Hawat. Lorsque je l'ai croisé dans le hall, il semblait se rendre en courant aux funérailles de son ennemi juré. »

Paul sourit. C'était bien Gurney Halleck qu'il préférait entre tous les hommes de son père. Il connaissait bien ses changements d'humeur, sa rudesse, ses fausses colères. Plutôt qu'un mercenaire, Gurney Halleck était pour lui un ami.

Halleck laissa glisser la balisette de son épaule et entreprit de l'accorder. « Si t' veux pas, t' parles pas », dit-il.

Paul se leva. « Dis-moi, Gurney, se prépare-t-on à la musique quand il est l'heure de combattre ? »

« Nous en avons après nos aînés, aujourd'hui », dit Halleck, et il pinça une corde de son instrument en hochant la tête.

« Où est Duncan Idaho ? N'est-il point censé m'enseigner le maniement des armes ? »

« Duncan est parti à la tête de la seconde vague pour Arrakis, dit Halleck. Et il ne reste que ce pauvre Gurney, qui vient tout juste de cesser le combat et qui n'aspire qu'à la musique. (Il pinça une autre corde, prêta l'oreille à la note et sourit.) Nous avons tenu conseil et décidé qu'il valait mieux apprendre la musique au piètre combattant que tu fais afin que tu ne perdes point ton existence tout entière. »

« En ce cas, tu ferais bien de me chanter quelques vers, afin que je sois bien certain de ce qu'il ne faut pas faire. »

« Ah ! Aaah ! » Gurney éclata de rire puis entonna *Les Galaciennes* tandis que son multipic semblait voler soudain entre les cordes.

« Les Galaciennes, oh, oh, oh !
T'aimeront pour des joyaux,
Et les filles d'Arrakis pour un peu d'eau !
Mais celles de Caladan
Te feront perdre l'âme ! »

« Pas mal pour quelqu'un qui ne s'y retrouve pas dans ses accords, dit Paul. Mais si ma mère t'entendait chanter ce genre de chose dans le castel, elle décorerait les murailles avec tes oreilles. »

Gurney tira sur son oreille gauche. « Bien pauvre décoration ! Elles ont été rudement malmenées par certain jeune homme de ma connaissance qui tire de bien étranges notes de sa balisette ! »

« Ainsi tu as oublié ce que cela fait de trouver du sable dans son lit ! s'exclama Paul. (Il s'empara d'une ceinture-bouclier et la noua rapidement à sa taille.) En ce cas, battons-nous ! »

Les yeux d'Halleck s'agrandirent en une expression de surprise feinte. « Ah ! C'était donc ton œuvre, jeune scélérat ! En garde, donc ! En garde ! (Il saisit une rapière dont il fouetta l'air.) Je brûle de me venger ! »

Paul leva son arme, ploya la lame entre ses mains et se tint en position d'*aguile*, un pied en avant, imitant l'attitude solennelle du docteur Yueh.

« Voyez l'idiot que m'a envoyé mon père pour m'enseigner la science des armes, dit-il. Ce pauvre Gurney Halleck ne connaît même pas sa première leçon ! »

Il appuya sur le bouton d'activation du champ de forces, sur la ceinture et sentit le picotement de l'énergie sur son front, dans son dos. Les sons, filtrés par le bouclier, lui parvinrent moins nettement.

« Dans le combat au bouclier, dit-il, on se doit d'être lent à l'attaque et rapide à la défense. L'attaque n'a pour but que de désorienter l'adversaire afin de l'obliger à se découvrir pour une attaque en senestre. Si le bouclier pare le coup trop vif, il se laisse pénétrer par le lent kindjal ! » Paul pointa sa rapière, feinta rapidement et fouetta avec une lenteur calculée pour triompher des défenses du bouclier.

Halleck observait son action. A l'ultime seconde, il effaça sa poitrine. « La vitesse était bonne, dit-il, mais tu étais complètement ouvert à une riposte au dard. »

Paul fit un pas en arrière, dépité.

« Pour cette étourderie, je devrais te taper sur le derrière », reprit Halleck. Il saisit un kindjal à la lame nue et le brandit. « Dans la main d'un ennemi, ceci pourrait bien répandre ton sang ! Tu es un élève doué, rien de plus. Mais je t'ai toujours averti de ne jamais laisser un homme pénétrer ta garde avec une arme mortelle en main, même pour un jeu. »

« Je crois que je n'ai pas le cœur à ça, aujourd'hui », dit Paul.

« Pas le cœur à ça ? (Même au travers du bouclier, Paul perçut la fureur outragée qui vibrait dans la voix de Gurney Halleck.) Qu'est-ce que le cœur vient faire ici ? On se bat quand il le faut, et pas lorsqu'on en a le cœur ! Garde donc ton cœur pour l'amour ou pour jouer de la balisette. Ne le mêle pas au combat ! »

« Je suis désolé, Gurney. »

« Tu ne l'es pas encore assez ! »

Et Gurney réactiva son propre bouclier et se ramassa, le kindjal nu dans sa main gauche, brandissant haut sa rapière de la main droite. « Et maintenant, garde-toi vraiment ! » Et il fit un bond de côté, puis un autre en avant, attaquant furieusement. Paul battit en retraite tout en parant. Les deux boucliers vinrent en contact dans un craquement d'énergie et Paul sentit la morsure de l'électricité sur sa peau. *Qu'arrive-t-il à Gurney ? Il ne joue plus !* Il fit un geste de la main et la lancette fixée à son poignet gauche glissa hors de son fourreau jusque dans sa paume.

« Tu as besoin d'une lame de secours, hein ? » gronda Halleck.

Une trahison ? se demanda Paul, alarmé. *Non, pas Gurney !*

Et ils poursuivirent leur combat par toute la salle,

attaquant et parant, feintant et contre-feintant. L'air, à l'intérieur des bulles délimitées par les boucliers, devint lourd tandis qu'à chaque nouveau contact l'odeur d'ozone se faisait plus dense.

Paul continuait de reculer mais, à présent, il essayait de revenir vers la table. *Si je peux l'amener là,* songeait-il, *je lui montrerai un de mes tours. Allez, Gurney, encore un pas.*

Halleck fit ce pas. Paul para un nouveau coup vers le bas, pivota et vit que l'arme d'Halleck venait buter contre le bord de la table. Alors il se jeta sur le côté, porta une attaque à la tête et, dans le même instant, darda la lancette vers le cou du baladin. La lame s'arrêta à moins de cinq centimètres de la jugulaire.

« Est-ce cela que tu désirais ? » souffla Paul.

« Baisse les yeux, mon garçon », haleta Gurney.

Paul obéit et il vit le kindjal pointé droit sur son ventre, sous la table.

« Nous nous serions rejoints dans la mort, dit Halleck. Mais je dois admettre que tu te bats bien mieux lorsque tu y es acculé. On dirait que tu as le cœur à ça, maintenant. » Et il fit un sourire de loup tandis que la cicatrice se plissait sur sa joue.

« Tu m'as attaqué de telle façon..., dit Paul. Aurais-tu vraiment répandu mon sang ? »

Halleck abaissa son kindjal et se redressa. « Si tu t'étais battu un degré en dessous de tes capacités, mon garçon, je t'aurais fait une bonne estafilade qui t'aurait laissé une cicatrice en guise de souvenir. Je ne veux pas que mon élève favori succombe devant la première canaille Harkonnen qu'il viendra à rencontrer. »

Paul désactiva son bouclier et s'appuya sur la table pour reprendre son souffle. « Je méritais cette leçon, Gurney. Mais mon père aurait été furieux si tu m'avais blessé. Il t'aurait puni à cause de mon échec. »

« C'était tout aussi bien mon échec. Et une ou deux cicatrices à l'entraînement n'auraient rien de tragique, sais-tu ? Tu as eu de la chance jusqu'à présent. Quant à ton père... Le Duc me punirait seulement si je ne parvenais pas à faire de toi un combattant hors pair. Et j'aurais commis une erreur en ne te démontrant pas la fausseté de cette idée de *cœur* qui t'est venue. »

Paul se redressa et remit sa lancette dans son étui de poignet.

« Ce n'est pas exactement un jeu », dit Halleck.

Paul acquiesça. La gravité inhabituelle d'Halleck, son impressionnante détermination le surprenaient. Ses yeux se posèrent sur la cicatrice rougeâtre qui marquait la joue du baladin et il se souvint de ce que l'on racontait à son propos, qu'elle avait été faite par Rabban la Bête, dans un puits d'esclaves Harkonnens, sur Giedi Prime. Et tout à coup il se sentit honteux d'avoir pu douter de Gurney pendant un seul instant. Et il prit conscience que cette cicatrice sur la joue d'Halleck avait dû correspondre à une souffrance intense, aussi intense, peut-être, que celle que lui avait infligée la Révérende Mère. Puis il repoussa cette idée : elle semblait glacer l'univers tout entier.

« Je crois que j'avais envie de jouer, aujourd'hui, dit-il. Les choses sont devenues si sérieuses, ici, tous ces temps. »

Halleck se détourna pour ne pas montrer son émotion. Quelque chose lui brûlait soudain les yeux. Et, en lui, il y avait de la douleur. Une douleur qui était comme une vieille cicatrice intérieure, tout ce qui restait d'une ancienne blessure guérie par le Temps.

Il est encore bien tôt pour que cet enfant assume sa condition d'homme, songea-t-il. *Bien tôt pour qu'il lise ce qui est apparu dans son esprit, pour qu'il explique cette brutale appréhension qui signifie : Méfie-toi de tes proches.*

Sans se retourner encore, il dit : « J'ai perçu cette envie de jouer qu'il y avait en toi, mon garçon, et je n'aurais rien demandé de mieux que de la satisfaire. Mais nous ne pouvons plus jouer. Demain, nous gagnons Arrakis. Arrakis est bien réelle. Et les Harkonnens aussi. »

De la lame de sa rapière, Paul toucha son front.

Halleck, se retournant alors, acquiesça devant ce salut. Puis il désigna un mannequin d'exercice. « A présent, travaillons ta vitesse. Montre-moi donc comment tu attaques cette chose. Je contrôlerai d'ici, où je puis parfaitement surveiller tes actions. Et je t'avertis qu'aujourd'hui je vais essayer de nouvelles parades Un véritable ennemi ne t'avertira pas, lui. »

Paul se dressa sur la pointe des pieds pour détendre ses muscles. Il comprenait soudain que son existence était maintenant soumise à de brusques changements et cela le rendait grave. Il marcha jusqu'au mannequin, pressa le contact du bout de sa rapière et, immédiatement, il sentit l'effet de répulsion du bouclier sur son arme.

« En garde ! » lança Halleck, et le mannequin attaqua.

Paul activa son bouclier, para le premier coup et contre-attaqua.

Halleck le surveillait tandis qu'il manipulait les contrôles. Son esprit était divisé en deux parties égales : l'une était pleinement attentive à l'exercice alors que l'autre dérivait librement.

Je suis l'arbre fruitier bien soigné, disait cette partie libre. *Je suis chargé de sentiments bien formés et de capacités. Et, comme des fruits, on peut cueillir sur moi chacun de ces sentiments, chacune de ces capacités.*

Et, pour quelque raison, il se souvint de sa jeune sœur. Son jeune visage d'elfe était parfaitement clair dans son esprit. Elle était morte. Dans une maison de plaisir pour soldats Harkonnens. Elle aimait les pensées... A moins que ce ne fût les marguerites... Il ne parvenait pas à se rappeler. Et cela le troublait..

Paul contra une attaque lente du mannequin et, de la main gauche, porta un *entretisser.*

Petit démon rusé ! songea Halleck en observant avec attention les passes complexes de Paul. *Il a étudié et s'est entraîné de son côté. Ça n'est pas là le style de Duncan et je ne lui ai certainement rien appris de semblable !*

Cette pensée ne fit qu'ajouter à sa tristesse. *Moi non*

plus, je n'ai plus le cœur à rien, se dit-il. Ses pensées revinrent à Paul et il se demanda soudain si, certaines nuits, le garçon ne guettait pas avec angoisse les bruits de son oreiller.

« Si les vœux étaient des poissons, murmura-t-il, nous lancerions tous des filets. »

C'était une expression de sa mère qu'il se répétait lorsqu'il sentait sur lui la noirceur des lendemains. En cet instant, il se prit à songer qu'elle était bien étrange à propos d'une planète qui jamais n'avait connu la moindre mer ni le moindre poisson.

YUEH (yü'-e), Wellington (wèl'ing-tùn) strd 10 082-10 191 ; docteur en médecine de l'Ecole Suk (grd strd 10 112) ; md · Wanna Marcus, B. G (strd 10 092-10 186 ?) ; surtout connu pour avoir trahi le duc Leto Atréides. (Cf. Bibliographie, appendice VII [Conditionnement Impérial] et Trahison, La.)

Extrait du Dictionnaire de Muad'Dib,
par la Princesse Irulan.

BIEN qu'il eût entendu le docteur Yueh pénétrer dans la salle et noté la lenteur calculée de sa démarche, Paul ne fit pas un mouvement et demeura étendu le visage contre la table, dans la position où l'avait laissé la masseuse. Il se sentait délicieusement épuisé après ce combat contre Gurney Halleck.

« Vous semblez en bonne forme », dit Yueh de sa voix tranquille et aiguë.

Paul leva enfin la tête. La raide silhouette du docteur n'était qu'à quelques pas de la table. Habit noir plissé, tête massive, carrée, aux lèvres rouges, à la moustache tombante, tatouage en diamant du Conditionnement Impérial sur le front. La longue chevelure noire retombait sur l'épaule gauche, prise dans l'anneau d'argent de l'Ecole Suk.

« Sans doute serez-vous heureux d'apprendre qu'il ne

nous reste plus assez de temps pour nos leçons, aujourd'hui, dit Yueh, votre père arrive. »

Paul s'assit.

« Cependant, reprit le docteur, je me suis arrangé pour que vous disposiez d'une visionneuse et de plusieurs leçons enregistrées durant le voyage vers Arrakis. »

« Oh ! »

Paul commença de se rhabiller. Il se sentait soudain très excité à l'idée de la visite de son père. Ils avaient passé si peu de temps ensemble depuis qu'était arrivé l'ordre de l'Empereur de reprendre le fief d'Arrakis.

Yueh s'approcha de la table tout en songeant : *Comme il a mûri ces derniers mois ! Quel gâchis ! Quel triste gâchis !* Puis il se souvint : *Je ne dois pas faillir. Ce que je fais, je le fais afin d'être sûr que ma Wanna n'aura plus à souffrir des monstres d'Harkonnen.*

Paul le rejoignit près de la table, tout en boutonnant son pourpoint. « Qu'aurai-je à étudier pendant le voyage ? »

« Ahhh... les formes de vie terranoïdes d'Arrakis. Il semble que certaines se soient adaptées à la planète. Comment, on ne le sait pas encore clairement. Lorsque nous serons arrivés, il faudra que je contacte le Dr Kynes, l'écologiste planétaire, afin de l'aider dans ses recherches.

Que suis-je en train de dire ? pensa Yueh. *Je suis hypocrite avec moi-même, à présent.*

« Aurai-je quelque chose à apprendre sur les Fremens ? » demanda Paul.

« Les Fremens ? » Yueh se mit à tambouriner des doigts sur la table puis, devant le regard de Paul, retira sa main.

« Peut-être pouvez-vous me parler de toute la population d'Arrakis ? » dit Paul.

« Oui, bien sûr. Il y a deux groupes principaux. Les Fremens forment le premier. Quant au second, il est constitué du peuple des creux et des sillons. Mais l'on m'a dit que les mariages étaient possibles entre les deux.

Les femmes du peuple des creux préfèrent les maris Fremens alors que les hommes recherchent des épouses Fremens. Ils ont un adage : Le vernis vient des cités, la sagesse du désert. »

« Avez-vous des photos ? »

« Je vais voir ce que je peux vous trouver. Les yeux sont leur trait caractéristique le plus intéressant. Ils sont bleus, complètement bleus, sans le moindre blanc. »

« Une mutation ? »

« Non. Cela tient au Mélange, dont leur sang est saturé. »

« Les Fremens doivent être braves pour vivre à la limite du désert. »

« Chacun le dit. Ils composent des poèmes pour leurs couteaux. Et leurs femmes sont aussi redoutables que leurs hommes. Même leurs enfants sont dangereux, violents. Je pense que l'on ne vous autorisera pas à vous mêler à eux. »

Le regard de Paul se fixa sur Yueh. Ces quelques mots sur les Fremens avaient totalement captivé son attention. *Quels alliés ne feraient-ils pas !* songeait-il.

« Et les vers ? »

« Quoi ? »

« J'aimerais en connaître plus à propos des vers de sable. »

« Ah, mais bien sûr. J'ai justement une bobine sur un petit spécimen. Il ne dépassait guère cent dix mètres de long sur vingt-deux de diamètre. Elle a été faite dans le nord d'Arrakis. Mais, selon certains témoins dignes de foi, il existerait des vers de sable dépassant quatre cents mètres. On peut même penser qu'il y en a de plus grands encore sur la planète. »

Le regard de Paul se posa sur une carte des régions septentrionales d'Arrakis, déployée sur la table. « La ceinture désertique et les régions avoisinant le pôle boréal sont qualifiées d'inhabitables. Est-ce à cause des vers ? »

« Et à cause des tempêtes. »

« Mais je croyais que l'on pouvait rendre n'importe quel territoire habitable ? »

« Oui, si toutefois cela est possible économiquement. Et les périls d'Arra sont nombreux et coûteux. (Yueh lissa sa moustache tombante et reprit :) Votre père sera bientôt là. Avant de vous quitter, je dois vous donner un présent que j'ai là, quelque chose que j'ai trouvé en faisant mes bagages. » Et il posa devant Paul un objet noir, rectangulaire, guère plus large que l'extrémité du pouce de Paul.

Paul le regarda sans esquisser un geste. Et Yueh pensa : *Comme il est méfiant !*

« C'est une très vieille Bible Catholique Orange à l'usage des voyageurs de l'espace, dit-il. Non pas une bobine mais un vrai livre, imprimé sur du papier filament. Il possède sa propre charge électrostatique et une loupe incorporée. (Il prit le livre.) C'est la charge qui le maintient fermé, en appuyant sur les ressorts qui maintiennent la couverture. En pressant sur le bord, comme cela, les pages que l'on a choisies se repoussent mutuellement et le livre s'ouvre. »

« C'est très petit. »

« Pourtant, il y a dix-huit cents pages. En pressant sur le bord, de cette façon... la charge se déplace au fur et à mesure, page après page, tandis que vous lisez. Mais ne touchez surtout pas les pages avec vos doigts. La feuille de filament est si fragile... (Yueh referma le livre et le tendit à Paul.) Essayez. »

Puis il l'observa tout en songeant : *Je sauve ma propre conscience. Je lui offre le secours de la religion avant de le trahir. Ainsi pourrai-je me dire qu'il est allé où moi je ne puis aller.*

« Cela doit dater d'avant les bobines », dit Paul.

« C'est très ancien, en effet. Mais il faut que cela reste un secret entre nous, n'est-ce pas ? Vos parents pourraient penser que ce présent a trop de valeur pour quelqu'un d'aussi jeune que vous. »

Sa mère s'interrogerait certainement sur mes motifs, pensa-t-il.

« Eh bien... (Paul referma le livre et le tint dans sa main.) Si cela a autant de valeur... »

« Soyez indulgent pour le caprice d'un vieil homme, dit Yueh. On m'a offert cette Bible alors que j'étais très jeune. » Et il pensa : *Il me faut séduire son esprit tout comme sa cupidité.*

« Ouvrez-le à la Kalima quatre cent soixante-sept, là où il est dit : De l'eau naît toute vie. Une légère entaille sur la couverture marque l'emplacement de la page. »

Les doigts de Paul coururent sur la couverture et décelèrent deux entailles. Il appuya sur la moins profonde et le livre s'ouvrit tandis que la loupe de lecture se mettait en place.

« Lisez à haute voix », dit Yueh.

Paul s'humecta les lèvres et lut : « Pense à l'homme sourd qui ne peut entendre. Ne lui sommes-nous point semblables ? Ne nous manque-t-il pas un sens qui nous permette de voir et d'entendre cet autre monde qui est tout autour de nous ? Et qu'y a-t-il donc autour de nous que nous ne pouvons... »

« Assez ! » aboya Yueh.

Paul s'interrompit net et le regarda. Le docteur avait fermé les yeux et il tentait de se recomposer une attitude normale. *Par quelle perversion ce livre s'est-il ouvert au passage favori de Wanna ?* se demandait-il. Il rouvrit les yeux et rencontra le regard de Paul.

« Quelque chose ne va pas ? »

« Je suis désolé. C'était... c'était le passage favori de mon épouse défunte. Ce n'est pas celui que je voulais vous faire lire. Il m'évoque des souvenirs... douloureux. »

« Il y a deux marques », dit Paul.

Mais bien sûr, se dit Yueh. *Wanna avait marqué son passage à elle. Les doigts du garçon sont plus sensibles que les miens et ils ont trouvé l'entaille. Ce n'était qu'un accident, rien de plus.*

« Vous devriez trouver ce livre intéressant, reprit-il. Il recèle autant de vérité historique que de bonne philosophie pratique. »

Paul contemplait le livre, si minuscule au creux de sa main. Pourtant, se disait-il, il possédait un mystère. Quelque chose s'était produit tandis qu'il lisait. Quelque chose qui avait éveillé cette idée d'un but terrible.

« Votre père sera là d'un instant à l'autre. Posez le livre. Vous le lirez lorsque vous en aurez envie. »

Paul toucha la couverture comme le docteur lui avait appris à le faire et le livre se referma. Il le glissa dans sa tunique. L'espace d'un instant, quand Yueh avait crié, il avait craint qu'il ne reprenne son cadeau.

« Je vous remercie de ce présent, docteur Yueh, dit-il avec solennité. Ce sera un secret entre nous. S'il est un cadeau ou une faveur qui puisse vous faire plaisir, n'hésitez pas à me le demander. »

« Je... je ne désire rien », dit Yueh. Il pensa : *Pourquoi suis-je là à me torturer moi-même ? Et à torturer ce malheureux enfant ?... Bien qu'il n'en ait pas conscience. Oh ! maudits soient ces monstres d'Harkonnens ! Pourquoi m'ont-ils choisi moi pour cette abomination ?*

Comment aborder l'étude du père de Muad'Dib, le Duc Leto Atréides ? Cet homme qui alliait une insurpassable bonté à une surprenante froideur ? De nombreux faits dans son existence, pourtant, nous ouvrent la voie : son amour exclusif pour sa Dame Bene Gesserit, les rêves qu'il fit pour son fils et le dévouement de ses gens. Le Duc y est contenu tout entier ; personnage solitaire en proie au Destin et dont le rayonnement fut estompé par la gloire de son fils. Mais ne dit-on point que le fils n'est jamais que l'extension du père ?

Extrait de
Muad'Dib, commentaires de famille,
par la Princesse Irulan.

PAUL observa son père tandis qu'il faisait son entrée dans la salle d'entraînement. Il vit les gardes le saluer, à l'extérieur, puis l'un d'eux ferma la porte et, comme chaque fois, Paul perçut la *présence* de son père, une présence *totale.*

Le Duc était de haute taille, sa peau avait un teint olivâtre. Les angles durs de son visage n'étaient adoucis que par le regard profond de ses yeux gris. Il portait une tenue de travail noire sur laquelle la rouge crête de faucon des armoiries ducales ressortait nettement. Une ceinture-bouclier d'argent patinée par l'usage ceignait sa taille étroite.

« On travaille, mon fils ? » demanda-t-il.

Il s'approcha de la table et son regard se posa sur les papiers épars avant de courir par toute la salle et de revenir à son fils. Il se sentait las, soudain, lourd de l'effort qu'il faisait pour ne pas montrer sa fatigue. *Il faudra que je profite du moindre instant pour me reposer durant le voyage*, pensa-t-il. *Sur Arrakis, il ne sera plus question de repos.*

« Pas beaucoup, Père, dit Paul. Tout est tellement... » Il eut un haussement d'épaules.

« Oui. Mais demain nous partons. Ce sera bon de s'installer là-bas en laissant tous ces tourments derrière nous. »

Paul acquiesça et les mots de la Révérende Mère resurgirent soudain dans son esprit : ... *Quant à ton père... Il n'y a rien à faire pour lui...*

« Père, Arrakis est-il aussi dangereux que chacun le dit ? »

Le Duc fit un effort pour esquisser un geste désinvolte. Puis il s'assit sur un coin de table et sourit. Tout un discours se dessina dans son esprit, formé de phrases telles que l'on pouvait en dire à des hommes, afin de dissiper les ultimes brumes, avant la bataille. Mais le discours parut se geler dans sa bouche et il n'eut plus qu'une seule pensée : *C'est mon fils.*

« Il y aura des dangers », dit-il enfin.

« Hawat m'a dit que nous avions un plan à l'égard des Fremens », dit Paul. Et il pensa : *Mais pourquoi ne lui dis-je rien à propos de la vieille femme ? Comment a-t-elle pu sceller ainsi ma langue ?*

Le Duc s'aperçut du désarroi de son fils. « Comme à son habitude, Hawat discerne très bien notre principal avantage. Mais il y a bien plus en jeu. Le Combinat des Honnêtes Ober Marchands. La Compagnie CHOM. En nous donnant Arrakis, sa Majesté est obligée de nous donner également un des directorats de la CHOM... subtil avantage. »

« La CHOM contrôle l'épice », dit Paul.

« Et Arrakis et l'épice nous ouvrent toutes grandes

les portes de la CHOM, acheva le Duc. Mais la CHOM représente bien plus que le Mélange, mon fils. »

« La Révérende Mère vous a-t-elle averti ? » lança Paul tout à coup. Puis, immédiatement, il serra les poings, ses paumes devinrent moites. Pour poser une telle question, il avait accompli un terrible effort.

« Hawat m'a rapporté qu'elle t'avait effrayé avec ses mises en garde à propos d'Arrakis, dit le Duc. Ne laisse jamais les craintes d'une femme obscurcir ton esprit. Sache qu'il n'est pas de femme qui accepte de risquer l'existence de ceux qu'elle aime. La main de ta mère était derrière ces avertissements. Considère-les simplement comme une preuve de l'amour qu'elle nous porte. »

« Sait-elle qui sont les Fremens ? »

« Oui, et elle sait bien d'autres choses encore. »

« Lesquelles ? »

La vérité, songea le Duc, *pourrait bien être pire que tout ce qu'il imagine. Mais les dangers n'acquièrent une valeur que lorsqu'on a appris à les affronter. Et pour ce qui est des dangers, rien n'aura été épargné à mon fils. Pourtant, il faut encore attendre. Il est jeune...*

« Il est peu de biens qui échappent à la CHOM, reprit le Duc. Le bois, les chevaux, les mulets, le bétail, l'engrais, les peaux de baleine, les requins... Tout, du plus prosaïque au plus exotique... Même notre pauvre riz pundi de Caladan. La Guilde assure le transport de toutes les denrées, des œuvres d'art d'Ecaz aux machines de Richesse et d'Ix. Mais tout cela n'est rien à côté du Mélange. Une seule poignée du Mélange suffit à s'acheter une demeure sur Tupile. On ne peut le produire. Il faut l'extraire du sol d'Arrakis. Il est unique en son genre et ses propriétés gériatriques sont reconnues. »

« Et désormais c'est nous qui le possédons ? »

« Jusqu'à un certain degré. Mais il convient avant tout de bien se représenter toutes les Maisons qui dépendent des profits de la CHOM. Et dis-toi bien que la plus grande part de ces profits provient d'une seule denrée : le Mélange. Songe alors à ce qui se passerait si quelque événement venait à en ralentir l'extraction. »

« Quiconque aurait entassé le Mélange dans ses greniers pourrait faire un malheur, dit Paul. Et les autres ne pourraient rien y faire. »

Le Duc ne put réprimer un sourire d'amère satisfaction. Tout en regardant son fils, il songeait à quel point son intelligence était aiguë et combien cette dernière réflexion témoignait de l'éducation qui lui avait été donnée.

« Les Harkonnens n'ont cessé de stocker pendant plus de vingt années. »

« Et ils souhaiteraient voir décroître la production du Mélange afin que vous en soyez rendu responsable. »

« Ils désirent que le nom des Atréides devienne impopulaire, dit le Duc. Songe que toutes les Maisons du Landsraad me considèrent en quelque sorte comme leur chef, leur porte-parole officieux. Comment crois-tu qu'elles réagiraient si j'étais jugé responsable d'une diminution sérieuse de leurs bénéfices ? C'est le profit qui compte avant tout, et au diable la Grande Convention ! Nul ne peut laisser autrui l'acculer à la misère ! (Un dur sourire apparut sur les lèvres du Duc.) Ils se tourneraient alors tous vers l'autre bord, quoi que l'on ait pu nous faire. »

« Même si l'on nous attaquait avec des atomiques ? »

« Non, rien d'aussi évident. Il ne faut pas défier *ouvertement* la Convention. Mais en dehors de cela, presque tout est permis, y compris la poussière ou la contamination du sol. »

« Alors pourquoi acceptons-nous cela ? »

« Paul ! (Le Duc fronçait les sourcils.) Le fait de savoir que le piège existe équivaut au premier pas pour lui échapper. C'est comme un combat singulier, mon fils, mais sur une vaste échelle. Feinte après feinte, sans issue visible. Notre but est de démêler l'écheveau de l'intrigue. Nous savons que les Harkonnens stockent le Mélange et nous pouvons nous demander qui fait de même. C'est ainsi que nous dresserons la liste de nos ennemis. »

« Qui sont-ils ? »

« Certaines Maisons de notre connaissance qui se sont révélées hostiles, et d'autres que nous croyons amicales. Mais en l'occurrence nous n'avons pas à en tenir compte car il y a bien plus important : notre bien-aimé Empereur Padishah. »

Soudain, Paul eut la gorge sèche. « Ne pourriez-vous convaincre le Landsraad en expliquant... »

« Et en révélant à notre ennemi que nous savons quelle main tient le couteau ? Ah, Paul, mais ce couteau, nous le *voyons* à présent ! Qui peut savoir où il sera pointé demain ? En avertissant le Landsraad, nous ne ferions que répandre un vaste nuage de confusion. Et l'Empereur nierait. Qui pourrait répliquer ? Nous ne ferions que gagner un peu de temps tout en risquant le chaos. Et d'où pourrait bien venir la prochaine attaque ? »

« Toutes les Maisons pourraient entreprendre de stocker l'épice. »

« Nos ennemis ont de l'avance. Beaucoup trop pour que nous puissions espérer les rattraper. »

« Mais l'Empereur, dit Paul, cela signifie les Sardaukars. »

« Déguisés en hommes d'Harkonnen, dit le Duc. Mais ils n'en resteraient pas moins des soldats fanatiques. »

« Comment les Fremens pourraient-ils nous aider contre les Sardaukars ? »

« Haxat t'a-t-il parlé de Salusa Secundus ? »

« La planète-prison de l'Empereur ? Non. »

« Et si c'était plus qu'une planète-prison, Paul ? Il y a une question que jamais tu n'as posée à propos du Corps Impérial des Sardaukars : D'où viennent-ils ? »

« De la planète-prison ? »

« Ils viennent de quelque part. »

« Mais les levées d'hommes que l'Empereur demande... »

« C'est ce que l'on veut nous faire croire, qu'ils ne sont que des soldats magnifiquement entraînés dès leur jeunesse. On murmure bien parfois à propos des cadres d'entraînement de l'Empereur, mais l'équilibre de notre civilisation n'en demeure pas moins le même : les forces militaires des Grandes Maisons du Landsraad d'un côté et, de l'autre, les Sardaukars et leurs forces d'appoint levées auprès des Maisons. Et leurs forces d'appoint, Paul. Un Sardaukar reste un Sardaukar. »

« Mais tous les rapports sur Salusa Secundus disent la même chose : qu'il s'agit d'un monde infernal. »

« Sans nul doute. Mais si tu devais former des hommes durs, puissants, féroces, quel cadre choisirais-tu ? »

« Comment s'assurer la loyauté de tels hommes ? »

« Il existe des moyens qui ont fait leurs preuves : jouer sur une certaine conscience de supériorité, sur la mystique des serments secrets, sur la souffrance partagée en commun. Tous ces moyens réussissent. Cela a été prouvé bien des fois, sur bien des mondes. »

Paul acquiesça, sans quitter du regard le visage de son père. Il sentait qu'il allait déboucher sur quelque révélation.

« Si tu considères bien Arrakis, reprit le Duc. A l'exception des cités et des villages de garnison, c'est un monde aussi terrible que Salusa Secundus. »

Les yeux de Paul s'agrandirent : « Les Fremens ? »

« Nous disposons là d'une force potentielle aussi importante et dangereuse que les Sardaukars. Il nous faudra de la patience pour les former en secret et beaucoup d'argent pour les équiper de façon efficace. Mais ils sont là... et l'épice aussi, et la richesse qu'elle représente. A présent, comprends-tu pourquoi nous nous rendons sur Arrakis, même en sachant que le piège est là, grand ouvert ? »

« Les Harkonnens connaissent-ils les Fremens ? »

« Ils les détestent. Ils n'ont jamais essayé de les recenser. Ils se contentent de les chasser pour le plaisir. Nous connaissons bien la politique des Harkonnens quant aux populations locales : dépenser le moins possible. »

Le Duc fit quelques pas dans la salle. La tête de faucon scintilla sur sa poitrine. « Tu comprends ? »

« Dès maintenant, dit Paul, nous négocions avec les Fremens. »

« J'ai envoyé une mission conduite par Duncan Idaho. Duncan est orgueilleux et impitoyable, mais il aime la vérité. Je crois que les Fremens auront de l'admiration pour lui et que, si nous avons de la chance, ils pourraient bien nous juger à son image. Duncan, l'homme droit. »

« Duncan l'homme droit et Gurney l'homme brave », déclara Paul.

« Tu les as bien nommés. »

C'est à Gurney que la Révérende Mère faisait allusion, se dit Paul. *Un de ceux qui soutiennent les mondes... La valeur du brave.*

« Gurney me dit que tu excelles aux armes, aujourd'hui. »

« Ce n'est pas ce qu'il m'a dit à moi. »

Le Duc éclata de rire. « Je croyais Gurney avare de compliments. Mais selon lui (ce sont ses propres termes), tu connaîtrais merveilleusement bien la différence entre la pointe et le fil d'une lame. »

« Il dit que ce n'est pas d'un artiste que de tuer avec la pointe. Qu'il faut le faire avec le fil. »

« Gurney est un romantique », grommela le Duc. D'entendre ainsi son fils évoquer l'idée de meurtre le troublait. « J'aimerais que tu n'aies jamais à en venir là, reprit-il, mais si jamais la nécessité s'en présente, tue avec la pointe ou avec le fil, comme tu le pourras. » Et il leva les yeux vers le dôme transparent sur lequel tambourinait la pluie.

Paul, lui aussi, regardait les cieux mouillés. Et il songea à Arrakis, puis à l'espace entre les mondes.

« Les vaisseaux de la Guilde sont-ils réellement si gros ? » demanda-t-il.

Le regard de son père revint sur lui. « Ce sera ton

premier voyage hors de la planète, dit-il. Oui, les vaisseaux de la Guilde sont gros. Mais nous serons à bord d'un long-courrier car le voyage est long, et les long-courriers sont immenses. Toutes nos frégates et tous nos cargos n'en occuperont qu'un petit coin. Ils seront bien peu de chose sur le manifeste du vaisseau. »

« Et nous ne pourrons pas quitter nos frégates ? »

« C'est là une part du prix qu'exige la Sécurité de la Guilde. Si des vaisseaux Harkonnens se trouvaient à proximité, nous n'aurions rien à en craindre. Les Harkonnens ne se risqueraient pas à compromettre leurs privilèges de transport. »

« Je ne quitterai pas les écrans. J'essaierai d'apercevoir un Guildien. »

« Non. Leurs agents eux-mêmes ne voient jamais les Guildiens. La Guilde est aussi jalouse de son anonymat que de son monopole. Ne fais rien qui puisse compromettre nos privilèges, Paul. »

« Pensez-vous qu'ils se cachent parce qu'ils ont muté et que leur apparence n'est plus... plus *humaine ?* »

« Qui peut savoir ? (Le Duc haussa les épaules.) Il est peu probable que nous puissions éclaircir ce mystère. Et nous avons des problèmes plus immédiats. Toi, par exemple. »

« Moi ? »

« Ta mère désirait que ce soit moi qui te le dise, mon fils. Vois-tu, il se pourrait que tu aies des pouvoirs de Mentat. »

Paul regarda son père, incapable de parler pour un instant. Puis il s'exclama : « Moi ? Un Mentat ? Mais je... »

« Hawat le pense aussi, mon fils. C'est la vérité. »

« Mais je croyais que la formation d'un Mentat devait commencer dès son enfance et qu'on ne pouvait lui révéler ses pouvoirs sous peine d'inhiber très tôt les... »

Il s'interrompit. Tous les moments récemment vécus se rassemblaient en une seule équation. « Je vois », acheva-t-il.

« Un jour vient, dit le Duc, où le Mentat en puissance

doit savoir Il ne doit plus subir mais choisir de poursuivre son éducation ou d'abandonner. Certains peuvent poursuivre, d'autres en sont incapables Mais le Mentat seul peut décider de son choix. »

Paul se frotta le menton. Toute l'éducation spéciale que lui donnaient sa mère et Hawat (mnémonique, accroissement de la perception, de la compréhension, contrôle des muscles, étude des langages et des nuances de la voix) tout cela se fondait en une nouvelle signification.

« Tu seras duc un jour, mon fils. Un duc mentat serait assurément un être redoutable. Peux-tu décider maintenant... ou as-tu besoin de temps ? »

« Je poursuivrai. » Il n'y avait eu, dans cette réponse, aucune hésitation.

« Redoutable, assurément », murmura le Duc, et Paul vit que son père souriait avec orgueil et ce sourire le bouleversa : il dessinait, sur le visage du Duc, les traits d'un mort. Alors Paul ferma les yeux et il sentit l'idée d'un but terrible qui l'envahissait de nouveau. Et il songea : *Devenir un Mentat est peut-être un but terrible.*

Mais à l'instant même où il formait cette pensée, la compréhension nouvelle qui était sienne la repoussait.

Le procédé Bene Gesserit d'implantation de légendes par la Missionaria Protectiva porta pleinement ses fruits lorsque Dame Jessica fut sur Arrakis. L'ensemencement de l'univers par un thème prophétique destiné à protéger les Bene Gesserit constitue un système dont on a depuis longtemps apprécié l'ingéniosité. Mais jamais encore comme sur Arrakis il ne s'était présenté une aussi parfaite combinaison entre les êtres et la préparation. Sur Arrakis, les légendes prophétiques s'étaient développées jusqu'à l'adoption d'étiquettes (Révérende Mère, canto et respondu, ainsi que la plus grande part de la panoplia propheticus Shari-a). Et l'on admet généralement aujourd'hui que les pouvoirs latents de Dame Jessica furent gravement sous-estimés.

Extrait de La crise arrakeen : analyse,
par la Princesse Irulan.
(Diffusion confidentielle : B. G
classement AR-81088587.)

TOUT autour de Jessica, dans le grand hall d'Arrakeen, son existence était éparpillée en multiples colis, caisses, malles et cartons, entassés dans les coins de la vaste salle. Certains étaient partiellement ouverts et Jessica pouvait entendre, au-dehors, les manœuvres de la Guilde qui déposait un nouveau chargement sur le seuil.

Elle était immobile au centre du hall. Puis, lentement,

elle pivota et son regard courut sur les sculptures envahies d'ombres, sur les fenêtres profondément renfoncées. L'aspect anachronique de ce lieu lui rappelait le Hall des Sœurs de l'Ecole Bene Gesserit. Mais l'Ecole avait été accueillante. Ici, tout n'était que pierre dure

L'architecte qui avait conçu la salle avait dû plonger loin dans le passé pour retrouver ces arc-boutants et ces sombres draperies, se dit-elle. L'arche du plafond culminait à deux étages au-dessus d'elle et elle songea que les énormes poutres sommières avaient dû être amenées du fond de l'espace pour une somme fabuleuse. Il n'y avait aucun monde dans le système d'Arrakis qui offrît des arbres d'une telle taille. A moins que les poutres ne fussent en faux bois... Mais Jessica ne le pensait pas.

Aux jours lointains du Vieil Empire, cette résidence avait été celle du gouvernement. L'argent avait alors moins d'importance. C'était bien avant la venue des Harkonnens ; bien avant l'édification de Carthag, leur capitale clinquante et misérable qui se trouvait à quelque deux cents kilomètres au nord-est, par-delà la Terre Brisée. Le Duc Leto avait fait preuve de sagesse en choisissant cette demeure. Arrakeen. C'était un beau nom, plein de solennité. Et la cité était petite, facile à défendre, à assainir.

A nouveau, le bruit des colis que l'on déchargeait retentit dans l'entrée. Jessica eut un soupir.

A sa droite, le portrait du père du Duc était appuyé contre une caisse. Le ruban de l'emballage s'en échappait comme quelque décoration en désordre. La main gauche de Jessica était refermée sur l'extrémité de ce ruban. Près du tableau, il y avait une tête de taureau noire montée sur une plaque de bois poli. Cette tête était comme un îlot obscur au centre d'une mer de papier froissé. La plaque reposait bien à plat sur le sol et le mufle luisant du taureau se dressait vers le lointain plafond comme si la bête affrontait quelque défi dans cette pièce où résonnaient d'innombrables échos.

Jessica se demandait à quelle impulsion elle avait pu

obéir en déballant ces deux objets avant tout autre. La tête de taureau et le tableau. Certainement, il y avait quelque chose de symbolique dans l'image qu'ils composaient. Jamais, depuis que les mandataires du Duc l'avaient achetée à l'Ecole, elle ne s'était sentie à ce point effrayée, désemparée.

La tête et le tableau.

Ils accentuaient son trouble. Elle frissonna et contempla à nouveau les étroites fenêtres. C'était encore le début de l'après-midi et, sous cette latitude, le ciel apparaissait noir et froid, beaucoup plus sombre que le tranquille ciel bleu de Caladan. Et Jessica ressentit en cet instant le premier pincement du mal du pays. *Caladan est si loin*, songea-t-elle.

« Nous y voici ! » C'était la voix du Duc.

Jessica, détournant son regard des fenêtres, le vit qui pénétrait dans le grand hall par l'entrée en voûte. Son uniforme noir de travail sur lequel la crête de faucon apparaissait en rouge semblait froissé et usé.

« Je craignais que vous ne vous soyez perdue dans cet endroit hideux », dit-il.

« C'est une froide demeure », dit Dame Jessica. Comme elle contemplait cet homme, elle retrouvait sa grandeur, cette peau sombre qui lui faisait songer à des bouquets d'olivier, à l'éclat d'un soleil d'or sur des eaux bleues. Dans ses yeux gris, il y avait un peu de la fumée d'un feu de bois. Mais le visage était celui d'un prédateur : aigu, tout en angles nets, en facettes. Elle eut peur de lui, soudain, et sa poitrine se serra. Il était devenu si sauvage, si déterminé depuis qu'il avait décidé d'obéir à l'Empereur.

« Cette cité tout entière est froide », dit-elle.

« Ce n'est qu'une petite ville de garnison sale et poussiéreuse. Mais nous allons changer tout cela. (Il contempla le hall.) Cette salle est un des lieux réservés au public. Je viens de visiter quelques-uns des appartements familiaux de l'aile sud. Ils sont bien plus agréables. » Il s'approcha de Jessica et lui toucha le bras, admirant en silence sa beauté pleine de dignité. Ses pensées revinrent au mystère de sa naissance. Etait-elle née d'une Maison renégate ? De quelque lignée royale bannie ? Elle avait plus de majesté que le sang impérial lui-même n'en pouvait donner.

Sous la pression de son regard, elle se tourna à demi, révélant au Duc son profil. Il n'y avait en elle, se dit-il, rien qui mît en évidence sa beauté, rien qui l'imposât à l'attention. Son visage, sous le casque de ses cheveux couleur de bronze poli, était ovale. Ses yeux, très écartés, étaient aussi clairs, aussi verts que le ciel d'un matin de Caladan. Son nez était petit, sa bouche large et généreuse. Sa silhouette était agréable mais discrète ; elle était grande, cependant, mais ses formes étaient estompées.

En cet instant, le Duc se souvint que les Sœurs de l'Ecole l'avaient qualifiée d'*osseuse*, ainsi que les mandataires qui l'avaient achetée. Mais c'était là une description bien rudimentaire. Jessica avait apporté à la lignée des Atréides une réelle beauté. Le Duc était heureux que Paul en eût bénéficié.

« Où est Paul ? » demanda-t-il.

« Quelque part dans la demeure. Il prend ses leçons avec Yueh. »

« En ce cas, il est sans doute dans l'aile sud, dit le Duc. Je croyais effectivement avoir entendu la voix de Yueh mais je n'ai pas eu le loisir de m'en assurer. (Il regarda Jessica, hésita.) Je ne suis venu ici que pour accrocher la clé de Castel dans ce hall. »

Elle retint son souffle, réprimant l'envie qu'elle éprouvait soudain de se rapprocher de lui. Accrocher la clé de Castel Caladan... Il y avait une intention précise dans un tel geste. Mais ce n'était ni le lieu ni l'instant pour rechercher quelque consolation.

« J'ai vu votre bannière sur la demeure en arrivant », dit-elle.

Le regard du Duc s'était posé sur le portrait de son père. « Vous vous apprêtiez à accrocher cela. Mais où ? »

« Quelque part, là. »

« Non. » Le mot était net, définitif. Toute discussion ouverte lui était refusée, elle ne pouvait avoir recours qu'à la ruse. Pourtant, elle devait essayer, ne fût-ce que pour se voir confirmer qu'elle ne pouvait l'abuser.

« Mon Seigneur, si seulement vous... »

« Ma réponse reste non. Je suis d'une indulgence coupable avec vous pour bien des choses, mais pas pour celle-ci. Je viens de la salle à manger où il y a... »

« Mon Seigneur ! Je vous en prie ! »

« Il convient de choisir entre votre digestion et ma dignité ancestrale, ma chère. Ils seront accrochés dans la salle à manger. »

Elle soupira. « Oui, Mon Seigneur. »

« Vous pourrez renouer avec votre habitude de dîner dans vos appartements quand vous le désirerez. Je n'exigerai que vous soyez présente à la place qui est vôtre que lors des réceptions. »

« Je vous remercie, Mon Seigneur. »

« Et ne soyez pas si froide et si cérémonieuse ! Soyez reconnaissante que je ne vous aie point épousée, ma chère. Ce serait alors votre *devoir* que d'être présente à chaque repas. »

Elle acquiesça, le visage impassible.

« Hawat a déjà placé votre goûte-poison personnel sur la table, reprit le Duc. Mais il y en a un portatif dans votre chambre. »

« Vous aviez prévu ce... désagrément », dit-elle.

« Ma chère, je pense aussi à votre bien-être. J'ai engagé des servantes. Elles sont d'origine locale mais Hawat les a sélectionnées. Toutes sont Fremens. Elles vous serviront jusqu'à ce que nos gens en aient terminé avec les tâches qui sont les leurs actuellement. »

« Peut-il se trouver ici quelqu'un de sûr ? »

« Tous ceux qui haïssent les Harkonnens le sont. Il se pourrait même que vous désiriez garder la gouvernante : la Shadout Mapes. »

« Shadout ? Est-ce là un titre Fremen ? »

« On m'a dit que cela signifiait « qui creuse les puits ». Un tel nom est plein d'implications, ici. Il se peut qu'elle ne corresponde pas à votre idée d'une servante, toutefois, et en dépit de ce qu'en dit Hawat, sur la foi du rapport de Duncan. Tous deux sont convaincus qu'elle désire servir, et qu'elle désire plus particulièrement vous servir, *vous.* »

« Moi ? »

« Les Fremens ont appris que vous étiez Bene Gesserit. Et des légendes courent à propos des Bene Gesserit. »

La Missionaria Protectiva, pensa Jessica. *Il n'est pas de monde qui lui échappe.*

« Cela signifie-t-il que Duncan a réussi ? Les Fremens seront-ils nos alliés ? »

« Il n'y a rien de bien précis encore, dit le Duc. Selon Duncan, ils souhaitent pouvoir nous observer pendant quelque temps. Cependant, ils ont promis d'observer une trêve et de ne pas attaquer nos villages de la frontière. C'est là un gain plus important qu'il peut sembler. Hawat m'a dit que, pour les Harkonnens, les Fremens ont été une douloureuse épine dans le flanc et que l'on garde soigneusement secrète la vérité sur l'étendue de leurs ravages. Il eût été utile pour l'Empereur de connaître l'incurie des gens d'Harkonnen. »

« Une gouvernante Fremen, dit Jessica en revenant à la Shadout Mapes. Elle aura donc les yeux tout bleus. »

« Ne vous laissez pas abuser par l'apparence de ces gens. Ils ont en eux une force et une vitalité réelles. Je pense qu'ils représentent tout ce dont nous avons besoin. »

« C'est un jeu dangereux. »

« Ne revenons pas sur cette question », dit le Duc.

Jessica s'efforça de sourire. « Nous sommes bel et bien engagés, cela ne fait aucun doute », dit-elle. Puis, rapidement, elle pratiqua l'exercice de retour au calme : deux aspirations, la pensée rituelle. Elle demanda ensuite : « Je vais assigner les différents appartements. Avez-vous quelque désir particulier ? »

« Un de ces jours, il faudra que vous m'appreniez comment vous faites cela, dit le Duc. Comment vous repoussez vos soucis pour revenir à des questions pratiques. Cela doit être Bene Gesserit. »

« C'est une chose femelle », dit Jessica.

Il sourit. « Bien, revenons-en aux appartements. Assurez-vous que je dispose d'un vaste espace pour mon bureau, à proximité de la chambre. Je devrai affronter plus de paperasse ici que sur Caladan. Et il faudra également une chambre des gardes, bien sûr. Cela devrait suffire. Ne vous préoccupez pas de la sécurité de la demeure. Les hommes d'Hawat l'ont examinée en profondeur. »

« J'en suis bien certaine. »

Le Duc regarda sa montre. « Veillez à ce que nous soyons bien à l'heure locale d'Arrakeen. J'ai désigné un technicien pour s'occuper de cette question. Il ne devrait guère tarder à arriver. (Le Duc repoussa une mèche de cheveux qui tombait sur son front.) Il me faut maintenant regagner l'aire de débarquement. Le second transbordement devrait s'opérer d'un instant à l'autre. »

« Hawat ne pourrait-il s'en charger, Mon Seigneur ? Vous semblez tellement las. »

« Le bon Thufir est encore plus occupé que moi. Vous savez que cette planète est complètement infestée par les intrigues des Harkonnens. De plus, il me faut tenter de retenir certains des chasseurs d'épice. Le changement de fief leur laisse le libre choix et il m'est impossible d'acheter ce planétologiste que l'Empereur et le Landsraad ont désigné comme Arbitre du Changement. Il a accordé le libre choix. Près de huit cents spécialistes s'apprêtent à embarquer dans la navette de l'épice et un cargo de la Guilde les attend. »

« Mon Seigneur... » Jessica s'interrompit, hésitante.

« Oui ? »

Nul ne pourra l'empêcher d'essayer de rendre ce monde habitable pour nous, songea-t-elle. *Et je ne puis user de mes tours contre lui.*

« A quelle heure désireriez-vous dîner ? » demanda-t-elle enfin.

Ce n'est point là ce qu'elle s'apprêtait à dire, pensa le

Duc. *Ah, ma Jessica, si seulement nous pouvions être ailleurs en cet instant, n'importe où, loin de ce monde terrible, seuls, tous les deux, et sans soucis.*

« Je mangerai sur le terrain, au mess des officiers. Ne m'attendez pas avant une heure avancée. Et... Oui, j'enverrai un garde-car prendre Paul. Je désire qu'il assiste à notre conférence stratégique. »

Il s'éclaircit la gorge comme s'il s'apprêtait à poursuivre, puis, soudain, il se détourna et sortit. Au-dehors, Jessica entendit le fracas d'un nouveau chargement de caisses que l'on déposait sur le seuil. Puis la voix du Duc s'éleva, autoritaire, hautaine, impérative. C'était toujours ainsi qu'il s'adresait à ses gens. « Dame Jessica est dans le Grand Hall. Veuillez la rejoindre immédiatement. »

La porte claqua.

Jessica se retourna et ses yeux se posèrent sur le portrait du Vieux Duc. Il avait été peint par un artiste renommé, Albe, alors que le père du Duc avait encore à vivre la moitié de son existence. Le tableau le représentait en costume de matador, une cape magenta jetée sur son bras gauche. Ses traits étaient jeunes, presque aussi jeunes que ceux du duc Leto. Il avait le même regard gris, la même apparence d'oiseau de proie. Sans quitter des yeux le portrait, Jessica serra les poings.

« Soyez maudit ! Maudit ! Maudit ! » murmura-t-elle.

« Quels sont vos ordres, Noble Née ? »

C'était une voix de femme, chantante, ténue.

Jessica se retourna et découvrit une femme noueuse, à la chevelure grise, vêtue de l'informe tenue brunâtre des serfs. Elle était aussi ridée, aussi desséchée que tous ceux qui, ce même matin, avaient accueilli Jessica, tout au long du chemin depuis l'aire d'atterrissage. Tous semblaient rabougris et faméliques. Pourtant, songeait Jessica, Leto lui avait dit qu'ils étaient forts et sains. Les yeux... Oui, il y avait ces yeux, bien sûr, ces yeux d'un bleu profond et sombre, secrets, mystérieux. Jessica s'efforça d'éviter le regard de la femme.

Celle-ci inclina brièvement la tête. « On me nomme la Shadout Mapes, Noble Née. Quels sont vos ordres ? »

« Tu peux m'appeler « Ma Dame », dit Jessica. Je ne suis pas de noble naissance. Je suis la concubine en titre du duc Leto. »

A nouveau, la femme eut cet étrange mouvement de tête, puis elle leva les yeux vers Jessica, cherchant son regard et demanda abruptement : « Il y a donc une femme ? »

« Non, il n'y en a pas et il n'y en a jamais eu. Je suis la seule... compagne du Duc, la mère de l'héritier du nom. »

En disant ces mots, Jessica ne pouvait s'empêcher de rire tout au fond d'elle de l'orgueil qu'elle laissait ainsi percer. *Qu'a donc dit saint Augustin ? Que lorsque l'esprit commande au corps il est obéi, mais que lorsqu'il commande à lui-même il rencontre de la résistance ? Oui... Depuis quelque temps, je rencontre plus de résistance. Je devrais me retirer tranquillement en moi-même.*

Un cri étrange s'éleva sur la route, au-dehors. Un cri qui se répéta : « Soo-soo-sook ! Soo-soo-Sook ! » Puis : « Ikut-eigh ! Ikhut-eigh ! » Et, de nouveau : « Soo-soo-Sook ! »

« Qu'est-ce donc là ? demanda Jessica. J'ai déjà entendu ce cri plusieurs fois ce matin, tandis que nous parcourions les rues. »

« Ce n'est qu'un marchand d'eau, Ma Dame. Mais il n'est point utile pour vous de lui prêter intérêt. Les citernes de cette demeure sont toujours pleines et elles contiennent cinquante mille litres d'eau. (La femme baissa les yeux sur sa robe brune.) Voyez-vous, Ma Dame, je n'ai même pas besoin de porter mon distille ici ! (Elle rit.) Et je n'en meurs pas ! »

Jessica hésita. Elle voulait poser des questions à cette Fremen, elle avait besoin d'être informée. Mais il était plus urgent de ramener l'ordre dans le château où régnait la confusion. Pourtant, la pensée de cette richesse que représentait l'eau en ce monde la troublait toujours.

« Mon époux m'a appris ton titre. Shadout. Je connais ce mot. Il est très ancien. »

« Vous connaissez donc les anciens langages ? » demanda la femme avec une étrange intensité dans la voix.

« Les langages constituent le premier enseignement Bene Gesserit. Je connais le Bhotani Jib et le Chakobsa. tous les langages de chasse. »

Mapes hocha la tête. « Exactement ce que dit la légende. »

Pourquoi me livrer à cette comédie ? se demanda Jessica. Mais les voies Bene Gesserit étaient détournées et l'on ne pouvait s'en écarter.

« Je connais les Choses Sombres et les dits de la Grande Mère », fit-elle. Dans l'apparence de la femme, dans chacun de ses gestes, elle découvrait des signes révélateurs, évidents. Elle reprit : « Miseces prejia. Andral t' re pera ! Trada cik buscakri miseces perakri ! » Elle avait parlé en langage Chakobsa, et Mapes fit un pas en arrière comme si elle se préparait à fuir.

« Je connais bien des choses. Je sais que tu as donné le jour à des enfants, que tu as perdu ceux que tu aimais, que tu t'es cachée dans la crainte, que tu as pratiqué la violence et que tu la pratiqueras encore. Je connais bien des choses. »

A voix basse, Mapes répondit : « Je ne voulais pas vous offenser, Ma Dame. »

« Tu parles de la légende et tu cherches des réponses. Prends garde à celles que tu pourrais trouver. Je sais que tu es venue dans un but de violence avec une arme dans ton corsage. »

« Ma Dame, je... »

« Il existe une faible chance pour que tu parviennes à répandre mon sang, mais ce faisant tu amènerais plus de malheur que tu n'en peux concevoir dans tes plus folles craintes. Il est des choses pires que la mort, sais-tu. Même pour un peuple tout entier. »

« Ma Dame ! s'exclama Mapes qui semblait près de

s'agenouiller. Cette arme était un présent pour vous si vous vous révéliez être Elle. »

« Et l'instrument de ma mort si je ne l'étais pas ». acheva Jessica. Et elle attendit dans le calme apparent qui faisait des Bene Gesserit de terrifiants adversaires dans le combat. Et elle pensa : *Maintenant, nous pouvons voir de quel côté penche la décision.*

Lentement, Mapes porta la main à son col et en sortit un sombre fourreau. Une noire poignée en émergeait, gravée de creux profonds pour la prise. D'une main, Mapes prit le fourreau et, de l'autre, elle brandit une lame d'une blancheur laiteuse qui semblait briller d'une lueur propre. Elle était à double tranchant, comme un kindjal, longue d'environ vingt centimètres.

« Connaissez-vous cela, Ma Dame ? »

Ce ne pouvait être qu'une chose, pour Jessica. Le fabuleux krys d'Arrakis que nul n'avait jamais vu en dehors de ce monde et que l'on ne connaissait guère que par de vagues rumeurs.

« Un krys », dit-elle.

« Ne prononcez pas ce nom avec légèreté. En connaissez-vous le sens ? »

Cette question, songea Jessica, *c'est la raison même de la présence de cette femme fremen auprès de moi. Elle devait me la poser et ma réponse peut précipiter la violence ou... ou quoi ? Elle veut une réponse. Elle l'attend de moi. Ce que signifie ce couteau. On la nomme la Shadout en langage chakobsa. En chakobsa, le couteau est le « faiseur de mort ». Elle s'impatiente. Il me faut répondre maintenant. Tout retard serait aussi dangereux qu'une réponse fausse.*

« C'est un faiseur... », dit-elle.

« Aïiïi ! » cria la Fremen et c'était comme si elle exprimait autant de chagrin que de soulagement. Elle tremblait si violemment que la lame du couteau projetait des reflets par toute la salle.

Jessica attendait, immobile. Elle avait été sur le point de dire que le couteau était un *faiseur de mort* et d'ajouter ensuite l'ancien mot, mais maintenant tous ses sens l'avertissaient, aiguisés par un entraînement qui révélait la signification du moindre frémissement musculaire.

Le mot clé était... *Faiseur.*

Faiseur ? Faiseur.

Pourtant, Mapes brandissait toujours le couteau comme si elle s'apprêtait à s'en servir.

« Crois-tu donc, dit Jessica, que connaissant les mystères de la Grande Mère, je pourrais ignorer le Faiseur ? »

Mapes abaissa le couteau. « Ma Dame, lorsque l'on a vécu pendant si longtemps avec la prophétie, l'instant de la révélation crée un choc. »

La prophétie... Le Shari-a et toute la panoplia propheticus. Une Bene Gesserit de la Missionaria Protectiva envoyée sur ce monde combien de siècles auparavant, morte depuis longtemps, sans aucun doute, mais ayant atteint son but : les légendes protectrices étaient maintenant fermement implantées dans ce peuple dans l'attente du jour où une Bene Gesserit en aurait besoin.

Et ce jour était venu.

Mapes remit le couteau dans son étui et dit : « Cette lame n'est pas fixée, Ma Dame. Gardez-la sur vous. Si elle venait à être éloignée de la chair pendant plus d'une semaine, elle commencerait à se désintégrer. Elle est à vous, aussi longtemps que vous vivrez. C'est une dent de shai-hulud. »

Jessica tendit la main droite et déclara, prenant un risque : « Mapes, tu as remis cette lame dans son étui sans qu'elle fût marquée par le sang. »

Avec une exclamation étouffée, Mapes ressortit le couteau, le posa dans la main de Jessica et déchira son corsage brun en implorant : « Prenez l'eau de ma vie ! »

Jessica brandit la lame (comme elle scintillait !) et la pointa vers la femme. Et elle put lire dans ses yeux quelque chose de plus fort que la peur de la mort. *Du poison au bout de la lame ?* D'un geste rapide, elle traça une infime égratignure dans le sein gauche de Mapes.

Un filet de sang apparut puis, très vite, se tarit. *Coagulation ultra-rapide,* se dit Jessica. *Une mutation pour la préservation de l'humidité ?*

Elle remit le couteau dans son étui. « Boutonne-toi, Mapes. »

La Fremen obéit en tremblant. Ses yeux entièrement bleus se fixèrent sur Jessica. « Vous êtes des nôtres, murmura-t-elle. Vous êtes Elle. »

A nouveau s'éleva le bruit d'un nouveau déchargement de colis sur le seuil. D'un geste rapide, Mapes s'empara de l'arme dans son étui et la glissa dans le corsage de Jessica. « Celui qui voit cette lame, dit-elle, doit être purifié ou tué ! Vous savez cela, Ma Dame, n'est-ce pas ? »

Maintenant, je le sais, songea Jessica.

Les manœuvres, au-dehors, s'éloignèrent.

Mapes reprit son calme et déclara : « Mais celui qui n'est point purifié et qui a vu le couteau ne peut quitter vivant Arrakis. N'oubliez jamais cela, Ma Dame. Vous avez le krys, désormais. (Elle prit une profonde aspiration.) A présent, cela doit suivre son cours. On ne peut rien hâter. Et (son regard courut sur les colis empilés autour d'elle) il y a en cet instant beaucoup de travail pour nous. »

Jessica hésita. *Cela doit suivre son cours.* Une phrase typique qui provenait des incantations de la Missionaria Protectiva. *La venue de la Révérende Mère qui vous libérera... Mais je ne suis pas une Révérende Mère,* pensa Jessica. Puis la révélation lui vint : *Grande Mère ! Ce monde doit être atroce pour qu'ils aient implanté ÇA !*

« Que voulez-vous que je fasse tout d'abord, Ma Dame ? » Le ton de Mapes était placide. Et son instinct avertit Jessica de calquer son attitude sur celle de la servante. « Ce portrait du Vieux Duc, là, dit-elle. Il faudrait l'accrocher dans la salle à manger. Et la tête de taureau est à placer sur la paroi opposée. »

Mapes s'approcha du trophée. « Ce devait être un grand animal pour avoir une pareille tête, dit-elle. (Elle se pencha et ajouta :) Il faut que je la nettoie, d'abord, Ma Dame ? »

« Non. »

« Mais la saleté s'est agglomérée sur les cornes. »

« Ce n'est pas de la saleté, Mapes. C'est le sang du père de notre Duc. Ces cornes ont été enduites d'un fixatif transparent quelques heures à peine après que cette bête eut tué le Vieux Duc. »

La Fremen se redressa. « Quoi ? »

« Ce n'est que du sang, Mapes. Et du sang ancien. Aide-moi à accrocher tout cela. Ces satanés objets sont lourds. »

« Croyez-vous que le sang m'effraie ? demanda Mapes. Je suis du désert et j'en ai déjà vu beaucoup. »

« Je... le pense », dit Jessica.

« Et parfois ce sang était le mien. Plus de sang que n'en a répandu votre petite égratignure. »

« Tu aurais aimé que je te coupe plus profondément ? »

« Oh, non ! L'eau du corps est trop précieuse pour que l'on en répande. Vous avez justement agi. »

Au travers des mots, de l'attitude de Mapes, Jessica perçut les implications plus profondes de la phrase. *L'eau du corps.* A nouveau, elle ressentit une sorte d'oppression. L'eau était si importante sur Arrakis.

« Sur quel mur de la salle devrai-je accrocher ces jolies choses, Ma Dame ? »

« Fie-toi à ton idée, Mapes. Cela n'a pas d'importance. » Et elle pensa : *Toujours pratique, cette Mapes.*

« Comme vous le désirez, Ma Dame. (Mapes se pencha sur le trophée.) Ainsi on a tué un vieux duc ? » dit-elle doucement.

« Dois-je appeler un des manœuvres pour t'aider ? » demanda Jessica.

« J'y arriverai seule, Ma Dame. »

Oh oui, elle y arrivera, pensa Jessica. *C'est ce qui caractérise cette Fremen : la volonté de réussir.*

Dans son corsage, elle ressentait le contact froid de l'arme et elle songea à la longue chaîne d'intrigues Bene

Gesserit qui avait conduit à forger ce nouveau maillon, sur ce monde. Et qui l'avait sauvée d'une crise qui aurait pu être fatale. *On ne peut rien hâter*, avait dit Mapes. Pourtant, la hâte dominait les lieux en cette heure, une hâte qui emplissait Jessica d'appréhension. Et toutes les précautions de la Missionaria Protectiva, toutes les inspections minutieuses auxquelles s'était livré Hawat dans ce grand amoncellement de blocs de pierre ne pouvaient effacer cette sensation.

« Lorsque tu auras fini, défais les colis, dit-elle à Mapes. L'un des hommes qui déchargent au-dehors a toutes les clés et il connaît l'emplacement des choses. Demande-lui la liste ainsi que les clés. Si quelque problème se pose, je serai dans l'aile sud. »

« Il en sera selon votre désir, Ma Dame. »

Jessica s'éloigna. Elle songeait : *Sans doute les hommes d'Hawat ont-ils jugé que cette demeure est sûre, mais je sens quelque chose de menaçant.*

Et soudain, elle eut envie de voir son fils. Elle se dirigea vers l'entrée voûtée qui accédait au passage conduisant à la salle à manger et aux appartements familiaux. Elle marchait vite. De plus en plus vite. Elle courait presque.

Derrière elle, Mapes cessa un instant de délivrer la tête de taureau de son emballage et leva les yeux sur la silhouette qui disparaissait. « C'est Elle, murmura-t-elle. C'est bien Elle. La pauvre. »

« Yueh ! Yueh ! Yueh ! dit le refrain. Un million de morts, ce n'est pas assez pour Yueh ! »

Extrait de Histoire de Muad'Dib enfant.
par la princesse Irulan.

LA porte était entrebâillée. Jessica pénétra dans une pièce dont les murs étaient jaunes. A sa gauche, elle découvrit une banquette basse de cuir noir et deux bibliothèques vides. Une gourde à eau pendait là, ses flancs rebondis couverts de poussière. A droite, de part et d'autre d'une nouvelle porte, apparaissaient d'autres bibliothèques vides, ainsi qu'un bureau de Caladan et trois chaises. Au fond de la pièce, en face de Jessica, le docteur Yueh se tenait immobile devant la fenêtre. Il lui tournait le dos et toute son attention semblait en cet instant concentrée sur le monde extérieur.

Silencieuse, Jessica avança d'un pas. Elle remarqua que le manteau du docteur était froissé et qu'une trace blanche était visible à hauteur de son coude gauche, comme s'il s'était récemment appuyé contre de la craie. Vue ainsi de derrière, sa silhouette raide et désincarnée en habit noir évoquait quelque marionnette prête à se mouvoir selon la volonté d'un invisible montreur. Seule la tête paraissait vivante, légèrement penchée pour mieux suivre quelque mouvement au-dehors, les cheveux d'un noir d'ébène enserrés dans l'anneau d'argent de l'Ecole Suk et rejetés sur l'épaule.

De nouveau, le regard de Jessica fouilla la pièce et elle ne décela aucun signe de la présence de son fils. Mais cette porte fermée, sur la droite, ouvrait, elle le savait, sur une petite chambre pour laquelle Paul avait semblé marquer quelque penchant.

« Bonsoir, docteur Yueh, dit-elle. Où est Paul ? »

Il hocha la tête comme s'il répondait à quelque signe de l'extérieur et parla d'une voix absente, sans se retourner : « Votre fils était fatigué, Jessica. Je l'ai envoyé se reposer dans la chambre voisine. »

Puis, brusquement, il se raidit et se retourna. Sa moustache retombait sur ses lèvres très rouges. « Pardonnez-moi, Ma Dame ! Mes pensées n'étaient point là... Je... je ne voulais pas me montrer aussi familier. »

Elle sourit et leva la main droite. Pendant un instant, elle craignit qu'il ne s'agenouille et dit : « Wellington, je vous en prie. »

« Mais d'avoir ainsi prononcé votre nom... Je... »

« Nous nous connaissons depuis six ans. Cela devrait suffire pour que nous oubliions les formalités... en privé. »

Yueh risqua un pâle sourire. *Je pense que cela a marché*, pensa-t-il. *A présent, elle croira que toute attitude étrange de ma part peut s'expliquer par mon embarras. Pendant qu'elle détient la réponse, elle ne cherchera pas plus loin d'autres raisons.*

« Je crains que vous ne m'ayez surpris en train de rêvasser, dit-il. Lorsque je suis... très inquiet à votre sujet, j'ai bien peur de ne penser à vous que comme... Eh bien, comme à Jessica. »

« Inquiet à mon sujet ? Et pourquoi ? »

Yueh haussa les épaules. Depuis longtemps il avait compris que Jessica ne possédait pas tout le Dire de Vérité au contraire de sa Wanna. Pourtant, chaque fois que cela lui était possible, il lui disait la vérité. C'était plus sûr.

« Vous avez vu ces lieux, Ma... Jessica. (Il avait

hésité sur le nom et poursuivit :) Tout y est si nu après Caladan. Et ces gens ! Toutes ces femmes au long de notre chemin qui gémissaient derrière leurs voiles. Et leur regard ! »

Jessica referma ses bras sur sa poitrine et elle sentit le contact du couteau, de la lame faite d'une dent de ver des sables, si la rumeur disait vrai

« Nous leur paraissons étranges, c'est tout, dit-elle. Nous sommes différents et nos coutumes le sont aussi. Ils n'ont jamais connu que les Harkonnens. (Elle tourna son regard vers la fenêtre et demanda :) Mais que regardiez-vous au-dehors ? »

« Les gens », dit Yueh.

Elle vint à ses côtés et suivit son regard. Il contemplait le devant de la demeure, sur la gauche. Là se dressaient vingt palmiers. Le sol, autour d'eux, était propre, nu. Une barrière-écran protégeait les arbres des gens en robes qui passaient sur la route proche. Jessica perçut l'infime frémissement de l'air tandis qu'elle observait ceux qui passaient là-bas et se demandait pourquoi ce spectacle absorbait à ce point le docteur.

Puis elle comprit et porta instinctivement une main à sa joue. Les gens regardaient les palmiers ! Et elle décelait de l'envie sur leurs visages, de la haine... et un peu d'espoir. Tous ceux qui passaient là-bas pillaient les arbres, un à un, de l'intensité de leur regard fixe.

« Savez-vous ce qu'ils pensent ? » demanda Yueh.

« Prétendez-vous lire dans les esprits ? »

« Dans ceux-là, oui. Ces gens regardent ces arbres et ils pensent : Voici cent d'entre nous. Voilà ce qu'ils pensent. »

Elle le regarda, fronçant les sourcils d'un air intrigué « Pourquoi ? »

« Ces arbres sont des dattiers. Chacun d'eux requiert une quarantaine de litres d'eau chaque jour. Un homme n'a besoin que de huit litres. Ainsi, chacun de ces palmiers équivaut à cinq hommes. Vingt palmiers. Cent hommes. »

« Mais certaines gens les regardent avec une sorte d'espoir. »

« Ils espèrent seulement que quelques dattes tomberont. Mais ce n'est pas la saison. »

« Nous considérons cet endroit d'un œil trop critique, dit-elle. Il y a ici autant d'espoir que de danger. L'épice pourrait nous rendre riches. Et avec un important trésor devant nous, nous pourrions façonner ce monde selon nos désirs. »

Au fond d'elle-même, elle eut un rire silencieux. *Qui suis-je en train de chercher à convaincre ?* Et son rire éclata à travers toutes ses contraintes. Un rire sec, sans joie. « Mais bien sûr on ne peut pas acheter la sécurité », dit-elle.

Yueh détourna son visage. *Si seulement,* songea-t-il, *il était possible de les haïr plutôt que de les aimer, tous !* Par ses manières, et de bien des façons, Jessica ressemblait à sa Wanna. Cette pensée, pourtant, contenait ses propres implications qui ne faisaient que renforcer sa détermination. La cruauté des Harkonnens était déconcertante et Wanna pouvait aussi bien être encore en vie. Il devait en être certain.

« Ne vous inquiétez pas pour nous, Wellington, dit Jessica. Ce sont là nos problèmes, non les vôtres. »

Elle pense que je m'inquiète pour elle ! Il refoula ses larmes. *Et je m'inquiète, oui. Mais je dois affronter ce noir Baron lorsque son forfait sera accompli et saisir une chance de le frapper alors, quand il sera faible, à l'instant de son triomphe !*

Il eut un soupir.

« Risquerai-je de déranger Paul en allant jeter un regard sur lui ? » demanda Jessica.

« Nullement. Je lui ai donné un sédatif. »

« Il supporte bien le changement ? »

« Il est seulement un peu plus fatigué qu'à l'accoutumée, et excité, aussi, mais quel jeune garçon de quinze ans ne le serait pas en de telles circonstances ? » Il marcha jusqu'à la porte et l'entrouvrit. Jessica le suivit et plongea son regard dans la pénombre de la chambre.

Paul reposait sur un lit étroit. Il avait glissé un bras sous la couverture légère et ramené l'autre sur sa tête Le jour, à travers les persiennes, venait poser une trame d'ombre et de lumière sur le lit et sur le visage de Paul. Un visage ovale comme celui de sa mère, songea Jessica. Mais les cheveux étaient ceux du Duc. Une tignasse d'un noir charbonneux. Le regard de Jessica glissa sur les paupières closes de son fils, sur ses longs cils, et elle sentit ses craintes s'estomper. Ce qu'elle lisait sur le visage de Paul, c'était aussi bien un reflet d'elle-même que les traces plus marquées du père, de plus en plus marquées, comme si l'homme mûr transparaissait sous l'enfant.

Et elle pouvait concevoir en cet instant les traits de son fils comme le produit raffiné de cheminements hasardeux, suites d'événements innombrables qui convergeaient vers ce nexus. Elle eut envie de s'agenouiller auprès du lit et de prendre son fils entre ses bras. Mais la présence de Yueh l'en empêcha. Elle fit un pas en arrière et referma doucement la porte. Yueh avait repris sa faction devant la fenêtre. Il n'avait pu supporter le regard de Jessica devant son fils. *Pourquoi Wanna ne m'a-t-elle point apporté d'enfant ?* se demanda-t-il. *Je suis docteur, je sais qu'aucune raison physique ne s'y opposait. A moins qu'il n'y ait eu quelque explication Bene Gesserit ? Etait-il possible qu'on l'eût destinée à autre chose ? Mais à quoi ? Elle m'aimait, j'en suis certain.*

Pour la première fois lui vint la pensée qu'il pouvait faire partie d'un plan plus vaste et plus complexe que son esprit ne pouvait le concevoir.

Jessica était revenue à ses côtés. « Le sommeil de l'enfant est un abandon si complet », dit-elle.

Yueh répondit mécaniquement : « Si seulement les adultes pouvaient se reposer de la sorte. »

« Oui. »

« Où avons-nous perdu cela ? » murmura-t-il.

Elle le regarda. Elle avait perçu l'étrangeté de sa voix mais elle pensait encore à Paul, aux nouvelles obligations de son éducation, à toutes les différences qui allaient se manifester dans son existence sur ce monde, une existence qui ne ressemblerait pas à celle qu'elle avait un jour rêvée pour lui.

« Bien sûr, nous perdons quelque chose », dit-elle.

Sur la droite, elle regarda le frissonnement gris-bleu des buissons agités par le vent au long de la pente, feuilles poussiéreuses et branches griffues.

Le ciel trop sombre semblait se refermer au-dessus de la pente et la clarté laiteuse du soleil arrakeen donnait au paysage un reflet argenté — comme celui de la lame du krys qu'elle dissimulait dans son corsage.

« Le ciel est si sombre », dit-elle.

« C'est dû en partie au manque d'humidité. »

« L'eau ! L'eau ! Où que l'on se tourne ici, on entend parler du manque d'eau ! »

« C'est là le précieux mystère d'Arrakis », dit Yueh.

« Mais pourquoi y en a-t-il si peu ? La roche, ici, est volcanique. Et je pourrais vous citer une dizaine d'autres sources d'énergie. Il y a aussi la glace polaire On dit qu'il est impossible de forer dans le désert, que les tempêtes et les marées de sable détruisent le matériel plus vite qu'on ne peut l'installer, quand les vers de sable ne vous attrapent pas avant. De toute manière, nul n'a jamais trouvé la moindre trace d'eau. Mais le mystère, Wellington, le grand mystère ce sont les puits qui ont été creusés ici même En avez-vous entendu parler ? »

« D'abord un filet d'eau, dit-il, puis, plus rien. »

« Le mystère est là, Wellington. Il y a de l'eau. Elle se tarit. Et elle ne revient plus jamais. Un autre puits creusé à proximité donnera le même résultat : un filet d'eau qui disparaît ensuite. Et personne ne s'est inquiété de cela ? »

« J'admets que c'est curieux. Mais vous pensez à la présence de quelque agent vivant ? Les échantillons de terrain l'auraient mis en évidence. »

« Qu'auraient-ils mis en évidence ? Une plante étrangère ? Un animal ? Comment pourrait-on l'identifier ?

(Le regard de Jessica revint à la pente gris-bleu.) L'eau est arrêtée Quelque chose l'absorbe Voilà ce que je crois. »

« Peut-être l'explication est-elle déjà connue, dit Yueh. Les Harkonnens ont censuré bien des sources d'information sur Arrakis. Ils avaient sans doute une raison pour garder l'explication secrète »

« Quelle raison ? Et puis, il y a aussi l'humidité atmosphérique Elle est assez faible, bien sûr, mais elle existe. Et elle fournit même la majeure partie de l'eau, ici, grâce aux précipitateurs et aux pièges à vent D'où provient-elle ? »

« Des calottes polaires ? »

« L'air froid ne recèle que peu d'humidité, Wellington Non, il y a ici, derrière le voile des Harkonnens, des choses qui résistent à toute investigation et qui ne sont pas toutes liées directement à la question de l'épice »

« Nous sommes certainement derrière le voile des Harkonnens, commença Yueh. Peut-être. » Il s'interrompit Jessica fixait soudain sur lui un regard particulièrement intense. Il demanda : « Qu'y a-t-il ? »

« Cette façon dont vous avez dit *Harkonnens*, dit-elle Même la voix du Duc, lorsqu'il prononce ce nom haï, ne se gonfle point d'autant de venin. J'ignorais que vous aviez des raisons personnelles de les haïr, Wellington. »

Grande Mère ! songea-t-il. *Je viens d'éveiller ses soupçons ! A présent, je devrai jouer de toutes les ruses que Wanna m'a enseignées. Il n'y a qu'une solution : dire la vérité aussi longtemps que je le pourrai.*

« Vous ignoriez que ma femme, ma Wanna... », dit-il. Puis il haussa les épaules. Sa gorge s'était serrée, tout à coup. Il tenta de reprendre : « Je... » Mais les mots ne venaient pas. La panique l'envahit. Il ferma les yeux. Dans sa poitrine, il ressentit comme une douleur et même un peu plus jusqu'à ce qu'une main vînt toucher doucement son bras.

« Pardonnez-moi, dit Jessica. Je n'avais pas l'intention de rouvrir quelque blessure ancienne. » Et elle songea : *Animaux qu'ils sont ! Sa femme était Bene*

Gesserit. Il en porte tous les signes. Et il est évident que les Harkonnens l'ont tuée. Il n'est qu'une autre victime, attachée aux Atréides par la haine commune.

« Je suis navré, reprit Yueh. Je suis incapable d'en parler. » Il rouvrit les yeux, s'abandonnant à cette souffrance qu'il ressentait en lui. Et, en fait, ce n'était que la vérité.

Le regard de Jessica étudiait son visage, ses pommettes aiguës, les reflets d'or sombre dans ses yeux amande, sa peau jaune et cette fine moustache qui pendait de part et d'autre des lèvres si rouges et du fin menton. Les rides qui marquaient les joues et le front, nota-t-elle, provenaient du chagrin aussi bien que de l'âge. Et elle ressentit une affection profonde pour cet homme.

« Wellington, je suis désolée que nous vous ayons amené en des lieux aussi dangereux », dit-elle.

« Je suis venu de mon plein gré », répondit-il. Et cela, également, n'était que vérité.

« Mais ce monde tout entier n'est qu'un piège des Harkonnens, vous devez savoir cela. »

« Il faudrait plus d'un piège pour attraper le Duc Leto », dit encore Yueh. Et cela, encore, n'était que vérité.

« Peut-être devrais-je avoir plus confiance en lui, dit Jessica. C'est un brillant tacticien. »

« Nous avons été déracinés. C'est pour cela que nous ne sommes pas à notre aise. »

« Et combien il est facile de tuer un plante déracinée. Surtout lorsqu'on la replante en un sol hostile. »

« Sommes-nous certains que ce sol soit hostile ? »

« On s'est battu pour l'eau lorsque l'on a appris combien de gens la venue du duc Leto ajouterait à la population, dit Jessica. Les combats n'ont cessé que lorsque les gens ont vu que nous installions de nouveaux condenseurs et pièges à vent afin d'absorber cette surcharge. »

« Il y a juste assez d'eau pour entretenir la vie humaine ici, dit Yueh. Les gens savent très bien que si de nouveaux éléments arrivent qui boiront une certaine quantité d'eau, les prix monteront et les pauvres périront. Mais le Duc a résolu cela. Ces troubles n'indiquent nullement une hostilité permanente à son égard. »

« Et les gardes, dit alors Jessica. Des gardes partout. Et des écrans. Ils troublent votre regard où que vous portiez vos yeux. Nous ne vivions pas ainsi sur Caladan. »

« Laissez une chance à cette planète », dit Yueh.

Mais l'éclat des yeux de Jessica était toujours aussi dur tandis qu'elle semblait regarder au-delà de la fenêtre. « Je sens la mort en ces lieux, dit-elle. Hawat a envoyé ici un bataillon de ses agents en avant-garde. Ces gardes, là-dehors, sont à lui. Et les hommes de manœuvre au débarquement également. Il y a eu récemment des prélèvements importants et inexpliqués dans le trésor. Ils ne peuvent signifier qu'une chose : la corruption aux échelons élevés. (Elle secoua la tête.) Là où va Hawat, la mort et la trahison le suivent. »

« Vous le noircissez. »

« Le noircir ? J'exalte ses mérites, plutôt. La mort et la trahision sont nos seuls espoirs désormais. Simplement, je ne me fais pas d'illusions sur ses méthodes. »

« Vous devriez... trouver quelque occupation. Ne pas vous accorder le moindre instant pour d'aussi morbides... »

« M'occuper ! Mais qu'est-ce donc qui me prend la plus grande partie de mon temps, Wellington ? Je suis la secrétaire du Duc. Et je suis à tel point occupée que chaque jour j'apprends à redouter de nouvelles choses... des choses qu'il ne me soupçonne même pas de connaître. (Elle serra les lèvres et sa voix se fit ténue.) Parfois, je me demande en quelle façon mon éducation Bene Gesserit s'intègre dans mon choix. »

« Que voulez-vous dire ? » Yueh était fasciné par le ton cynique de Jessica, par cette amertume que jamais encore elle ne lui avait révélée

« Wellington, ne pensez-vous pas qu'une secrétaire attachée par l'amour soit infiniment plus sûre ? »

« Cette pensée n'est pas juste, Jessica », dit-il.

Les mots étaient venus spontanément à ses lèvres. Nul ne pouvait avoir le moindre doute quant au sentiment que le Duc nourrissait à l'égard de sa concubine ; il suffisait de l'observer lorsqu'il la suivait des yeux.

Jessica soupira. « Vous avez raison. Ce n'est pas juste. »

Et, à nouveau, elle referma les bras sur sa poitrine, sentit le contact du krys dans son étui contre sa chair et songea à l'œuvre inachevée qu'il représentait.

« Bientôt, dit-elle, le sang sera répandu. Les Harkonnens n'auront point de repos jusqu'à ce que mon Duc soit détruit ou qu'ils aient trouvé la mort. Le Baron ne saurait oublier que Leto est un cousin de la lignée royale — peu importe à quelle distance — alors que les titres des Harkonnens ne proviennent que de leurs intérêts dans la CHOM. Mais le véritable poison, celui qui est instillé profondément dans son esprit, c'est de savoir qu'un Atréide fit bannir un Harkonnen pour couardise après la Bataille de Corrin. »

« La vieille canaille », murmura Yueh. Et, durant un instant, il sentit l'aiguillon acide de la haine. La vieille canaille l'avait pris dans sa toile, elle avait tué sa Wanna — ou pis — l'avait livrée aux tortures harkonnens jusqu'à ce que son époux eût rempli sa tâche. La vieille canaille l'avait pris au piège et tous ces gens, autour de lui, faisaient partie du piège. Il était ironique que tout ce drame fatal dût se dérouler ici, sur Arrakis, source unique, dans l'univers connu, du Mélange, le prolongateur de vie, la drogue de santé.

« A quoi pensez-vous ? »

« Je pense que l'épice rapporte six cent vingt solaris par décagramme sur le marché, actuellement. Ce qui représente une richesse susceptible d'acheter bien des choses. »

« La cupidité vous toucherait-elle vous aussi, Wellington ? »

« Non. Pas la cupidité. »

« Quoi, alors ? »

Il haussa les épaules. « La futilité. (Il la regarda.) Vous souvenez-vous du goût de l'épice, la première fois ? »

« C'était comme de la cannelle. »

« Mais le goût n'est jamais le même. C'est comme la vie. Chaque fois un visage différent. Certains prétendent que l'épice engendre une réaction induite. Le corps, apprenant qu'une chose est bonne pour lui, interprète favorablement le parfum. Et cette chose, tout comme la vie, ne peut être vraiment synthétisée. »

« Je pense qu'il eût été plus sage pour nous de devenir des renégats, de fuir loin de l'Empire », dit Jessica.

Il comprit qu'elle ne l'avait pas écouté et il réfléchit à ce qu'elle venait de dire. *Oui, pourquoi ne l'a-t-elle pas conduit à cela ? Elle pourrait l'obliger à n'importe quoi.*

Il parla rapidement, parce qu'il changeait de sujet et parce que c'était encore la vérité. « Me jugeriez-vous audacieux, Jessica... si je vous posais une question personnelle ? »

Prise d'un sentiment d'inquiétude inexplicable, elle s'appuya contre les montants de la fenêtre et dit : « Non, bien sûr. Vous... vous êtes mon ami. »

« Pourquoi ne vous êtes-vous pas fait épouser par le Duc ? »

Elle se retourna soudain, le regard flamboyant. « Me faire épouser ? Mais... »

« Je n'aurais pas dû poser cette question », dit Yueh.

« Non. (Elle haussa les épaules.) Il y a à cela une bonne raison politique. Aussi longtemps que mon Duc reste célibataire, certaines Grandes Maisons peuvent encore espérer une alliance. Et... (Elle soupira.)... motiver les gens, les obliger à embrasser votre volonté tend à vous amener à une attitude cynique envers l'humanité. Tout ce qui est touché par cela s'en trouve dégradé. Si je l'amenais à... cet acte, ce ne serait pas de son fait. »

« C'est là une chose que ma Wanna aurait pu dire », murmura Yueh. Et ceci aussi n'était que vérité. Et il porta une main à sa bouche et avala convulsivement.

Jamais encore il n'avait été aussi près de parler, de révéler son rôle clandestin.

Mais Jessica reprit la parole et le moment fut brisé. « De plus, Wellington, il y a réellement deux hommes dans le Duc. J'aime profondément l'un de ces hommes. Il est plaisant, tendre, spirituel, prévenant... Tout ce qu'une femme peut désirer. Mais l'autre homme est... froid, dur, égoïste, exigeant, cruel comme le vent d'hiver. Cet homme a été façonné par le père. (Le visage de Jessica se durcit.) Si seulement le vieil homme était mort à la naissance du Duc ! »

Dans le silence retombé, ils purent entendre le cliquetis des lamelles des stores dans la brise d'un ventilateur. Jessica prit une inspiration profonde. « Leto a raison. Ces appartements sont bien plus agréables que ceux des autres secteurs. (Elle se détourna et son regard courut par toute la pièce.) Si vous voulez bien m'excuser, Wellington, j'aimerais visiter à nouveau cette aile avant d'attribuer les différents appartements. »

Il acquiesça. « Bien sûr. » Et il pensa : *Si seulement il existait un moyen de ne pas accomplir ma tâche.*

Jessica laissa retomber ses bras au long de son corps. Puis elle gagna la porte donnant sur le hall et s'immobilisa un instant sur le seuil, hésitant à quitter la pièce. *Tout au long de notre conversation*, songeait-elle, *il n'a cessé de cacher quelque chose. Sans doute pour épargner mes sentiments. Il est bon.* Elle hésita encore. Elle était sur le point de retourner auprès de Yueh pour tenter de lui arracher son secret. *Mais cela ne pourrait que faire naître la honte en lui. Il s'effraierait d'avoir été si aisément deviné. Je devrais accorder un peu plus de confiance à mes amis.*

> On a bien souvent évoqué la rapidité avec laquelle Muad'Dib apprit les nécessités d'Arrakis. Les Bene Gesserit, bien sûr, en connaissent la raison. A l'intention des autres, nous pouvons dire ici que Muad'Dib apprit aussi rapidement parce que le premier enseignement qu'il eût reçu était de savoir apprendre. Et la leçon première de cet enseignement était la certitude qu'il pouvait apprendre. Il est troublant de découvrir combien de gens pensent qu'ils ne peuvent apprendre et combien plus encore croient que c'est là chose difficile Muad'Dib savait que chaque expérience porte en elle sa leçon.
>
> *Extrait de* L'humanité de Muad'Dib, *par la Princesse Irulan.*

DANS son lit, Paul feignait de dormir. Il lui avait été facile d'escamoter le somnifère du docteur Yueh et de faire semblant de l'avaler. Il avait envie de rire, en cet instant. Sa mère elle-même l'avait cru endormi. Il avait été sur le point de se lever et de lui demander la permission d'explorer la maison, puis il avait songé qu'elle ne la lui aurait pas accordée. Tout était encore trop incertain. Non. Il avait une meilleure idée.

Si je me glisse dehors sans l'avoir demandé, je n'aurai désobéi à aucun ordre. Et je serai en sécurité dans la maison.

Il entendait sa mère et Yueh qui parlaient dans la

pièce voisine. Leurs paroles ne lui parvenaient qu'indistinctement. Il était question de l'épice.. des Harkonnens. Par instant, il y avait des silences.

Paul reporta son attention sur les sculptures qui ornaient la tête de son lit. Tête fausse, d'ailleurs, puisqu'elle était fixée au mur et dissimulait les différents contrôles de la chambre. Un poisson sautant hors de l'eau avait été gravé dans le bois. Il y avait de petites vagues brunes et profondes sous lui. Paul savait qu'en appuyant sur un des yeux du poisson, il pouvait éclairer les lampes à suspenseurs et qu'en faisant pivoter l'une des vagues, il pouvait régler la ventilation. Une autre commandait la température de la chambre.

Doucement, Paul s'assit. A sa gauche, une haute bibliothèque se dressait contre la paroi. Elle pouvait pivoter sur le côté. Derrière, il y avait un placard avec des tiroirs sur un côté. La poignée de la porte qui ouvrait sur le hall avait la forme d'une barre de commande d'ornithoptère.

La chambre semblait avoir été conçue pour le séduire.

La chambre et la planète tout entière.

Il repensa à la bobine que lui avait montrée Yueh : « Arrakis, Station Expérimentale de Botanique du Désert de Sa Majesté Impériale. » Une ancienne bobine qui datait d'avant la découverte de l'épice. Des noms vinrent flotter dans son esprit et chacun d'eux recelait l'image qui avait été imprimée par l'impulsion mémorielle du film : *saguaro, buisson-baudet, palmier-dattier, verveine des sables, primevère du soir, cactus-tonneau, buisson d'encens, arbre-fumée, buisson créosote.. renard à poche, faucon du désert, souris-kangourou...*

Des noms et des images, surgis du passé terrestre de l'homme. Des noms et des images que l'on ne pouvait désormais trouver que sur Arrakis.

Et tant de choses nouvelles à apprendre sur... l'épice.

Et les vers des sables.

Une porte se ferma dans l'autre pièce. Paul entendit les pas de sa mère qui s'éloignaient vers le hall. Il savait que le docteur Yueh, resté seul, allait trouver quelque chose à lire et qu'il ne quitterait pas la pièce.

Le moment était venu de partir en exploration.

Paul se glissa hors du lit et se dirigea vers la bibliothèque qui dissimulait la porte accédant au hall. Il y eut un bruit derrière lui et il s'arrêta. La tête sculptée du lit se rabattait en avant. Paul s'était figé sur place et ce fut son immobilité qui le sauva.

De la tête du lit maintenant rabattue surgit un minuscule tueur-chercheur qui ne faisait pas plus de cinq centimètres. Paul l'identifia immédiatement. C'était là un instrument de mort que tout enfant de sang royal apprenait à connaître dès son plus jeune âge. Une dangereuse aiguille de métal guidée à distance qui se fichait dans la chair vivante et remontait ensuite le réseau nerveux jusqu'au plus proche organe vital.

Le chercheur s'éleva en l'air et se mit à osciller.

Les limitations du tueur-chercheur. La connaissance jaillit dans l'esprit de Paul. Le champ réduit de suspension troublait la vision de l'œil-émetteur du tueur-chercheur. Sans autre source de clarté que la lumière ambiante, l'opérateur devrait se fier entièrement au mouvement et attaquer tout ce qui se déplaçait. Un bouclier pouvait ralentir un tueur-chercheur et l'on pouvait ainsi trouver le temps de le détruire. Mais Paul avait laissé le sien sur le lit. Les lasers pouvaient abattre un tueur-chercheur, mais ils étaient coûteux et fragiles et si leur rayon venait à rencontrer un bouclier activé, il existait un risque d'explosion. Les Atréides ne se fiaient qu'à leurs boucliers corporels et à leur habileté.

L'habileté. En cet instant, figé dans une immobilité cataleptique, Paul comprit qu'il ne lui restait que son habileté pour affronter cette menace.

Le tueur-chercheur s'éleva de cinquante centimètres. Il continuait d'osciller dans la trame d'ombre et de clarté des stores, sondant la pièce. *Il faut que je m'en empare*, songea Paul. *Mais le champ de suspension doit le rendre glissant. Il faudra que je le serre très fort.*

La chose redescendit de quelque vingt centimètres,

pivota sur la gauche et tourna autour du lit. Il en émanait un bourdonnement ténu.

Qui le dirige ? se demanda Paul. *Il faut que l'opérateur soit tout près. Je pourrais appeler Yueh mais il serait touché à l'instant même où il ouvrirait la porte.*

Derrière lui, la porte du hall fit entendre un craquement. Puis il y eut un coup léger et la porte s'ouvrit.

Le tueur-chercheur frôla Paul et fila dans cette direction.

Il lança sa main droite et ses doigts se refermèrent sur le mortel engin. Il le sentit vibrer et bourdonner mais tous ses muscles étaient tendus en un effort désespéré. D'un geste violent, il frappa le métal de la porte avec la pointe du tueur. Il le sentit craquer entre ses doigts, s'immobiliser, se taire. Mais il ne le lâcha pas.

Il leva les yeux et rencontra le regard bleu, impavide, de la Shadout Mapes.

« Votre père m'a envoyé vous chercher, dit-elle. Les hommes qui attendent dans le hall vont vous escorter. »

Il acquiesça. Ses yeux et toute sa conscience ne se détachaient pas de cette vieille femme revêtue de l'informe robe brune des servantes. Elle regardait maintenant l'objet qu'il tenait dans sa main.

« J'ai entendu parler de ces choses, dit-elle. Celle-ci m'aurait tuée, n'est-ce pas ? »

Il lui fallut déglutir avant de pouvoir parler. « Je... c'était moi la cible », dit-il.

« Mais elle venait sur moi. »

« Parce que vous bougiez. »

Qui est cette créature ? se demanda-t-il.

« En ce cas, vous m'avez sauvé la vie. »

« J'ai sauvé nos deux vies. »

« Il semble que vous auriez pu me laisser frapper et en profiter pour vous enfuir », dit-elle.

« Qui êtes-vous ? »

« La gouvernante, la Shadout Mapes. »

« Comment saviez-vous où me trouver ? »

« Votre mère me l'a dit. Je l'ai rencontrée dans le hall, près de l'escalier menant à la chambre étrange.

(Elle tendit la main.) Mais les hommes de votre père vous attendent. »

Des hommes d'Hawat, pensa Paul. *Il faut que nous trouvions l'opérateur de cette chose.*

« Va les rejoindre, dit-il. Rapporte-leur que j'ai attrapé un tueur-chercheur dans la maison et qu'ils doivent trouver l'opérateur. Dis-leur qu'il faut immédiatement fermer toutes les issues. Ils sauront ce qu'il convient de faire. L'opérateur est certainement un étranger parmi nous. »

Cela ne pourrait-il être cette créature ? se demanda-t-il. Mais il savait que ce n'était pas possible. Lorsqu'elle était entrée dans la chambre, le tueur était encore sous contrôle.

« Avant de faire de la sorte, petit homme, dit Mapes, il convient que j'éclaire la route qui est entre nous. Je ne suis pas certaine de pouvoir supporter cette eau que tu as placée sur mes épaules. Mais nous autres Fremen payons nos dettes, qu'elles soient noires ou blanches. Nous savons qu'il existe un traître entre les tiens. Qui est-il, nous ne pouvons te le dire, mais nous sommes certains de son existence. Il se pourrait que ses mains aient guidé ce perceur de chair. »

Paul avait admis cela en silence : *un traître.* Avant qu'il pût parler, l'étrange femme avait rebroussé chemin.

Il faillit la rappeler, mais quelque chose dans son attitude lui laissait à penser qu'elle n'aimerait pas cela. Elle lui avait dit ce qu'elle savait et, maintenant, elle accomplissait ce qu'il lui avait demandé. Avant une minute, les hommes d'Hawat se seraient répandus dans la demeure.

Des bribes de la conversation lui revinrent en esprit : ... *la chambre étrange...* Il regarda vers la gauche, dans la direction qu'elle avait indiquée. *Nous autres Fremen.* Ainsi c'était une Fremen. Il attendit que le cliché se fixe dans sa mémoire : visage brun sombre, ridé, yeux bleu sur bleu, sans le moindre blanc. Et il apposa l'étiquette : *La Shadout Mapes.*

Sans lâcher le tueur détruit, Paul revint près du lit. De la main gauche, il prit sa ceinture-bouclier, la ceignit et ajusta la boucle en descendant vers le hall

La Shadout Mapes avait dit que sa mère était là-bas... des escaliers... *la chambre étrange.*

Qu'avait Dame Jessica pour la soutenir à l'instant de son procès ? Réfléchissez sur ce proverbe Bene Gesserit et peut-être verrez-vous « Chaque route que l'on suit exactement jusqu'au bout ne conduit exactement à rien. Escaladez la montagne pour voir si c'est bien une montagne. Quand vous serez au sommet de la montagne, vous ne pourrez plus voir la montagne »

Extrait de
Muad'Dib, commentaires de famille,
par la Princesse Irulan.

A l'extrémité de l'aile sud, Jessica découvrit un escalier métallique en spirale qui accédait à une porte ovale. Son regard revint au hall puis, de nouveau, à la porte. *Ovale ?* se dit-elle. *Quelle forme bizarre dans une demeure !*

Immobile au pied de l'escalier, elle apercevait au-delà des fenêtres, en levant les yeux, le grand soleil blanc d'Arrakis qui glissait vers le soir. Les ombres s'allongeaient dans le hall. Le regard de Jessica interrogea de nouveau l'escalier. Sur chacune des marches de métal, la lumière éclatante qui venait des fenêtres révélait des parcelles de terre desséchée. Elle posa une main sur la rampe et commença de monter. La rampe était froide sous sa paume. Elle atteignit la porte, s'arrêta et vit qu'il n'y avait là aucune poignée mais seulement un creux dans le métal à l'endroit où aurait dû se trouver une poignée.

Ce n'est certainement pas une serrure à main, songea-t-elle. *Il faudrait qu'elle soit adaptée à une certaine forme de main, à un certain dessin des lignes.* Pourtant, cela ressemblait beaucoup à une serrure à main. Et il existait des moyens (qu'on lui avait enseignés à l'Ecole) pour venir à bout de n'importe quelle serrure à main.

Elle regarda derrière elle afin de s'assurer que personne ne l'observait, puis elle plaça sa paume sur le creux. La plus douce des pressions pour déformer les lignes, un mouvement du poignet, un autre, un faible pivotement de la paume sur la surface de métal... Elle perçut le cliquetis.

Mais elle perçut aussi des pas rapides dans le hall, derrière elle. Elle leva la main, se retourna et vit Mapes qui arrivait au bas de l'escalier.

« Des hommes sont dans le grand hall. Ils disent avoir été envoyés par le Duc pour escorter le jeune maître Paul, dit Mapes. Ils ont le sceau ducal et le garde les a identifiés. » Elle regarda la porte ovale puis, de nouveau, Jessica.

Prudente, cette Mapes, pensa Jessica. *C'est bon signe.*

« Il se trouve dans la cinquième pièce de ce côté du hall, la petite chambre, dit-elle. Si tu ne parviens pas à l'éveiller, appelle le docteur Yueh qui se trouve dans la pièce voisine. Paul pourrait avoir besoin d'une injection tonique. »

A nouveau, le regard perçant de Mapes se porta sur la porte ovale et Jessica eut l'impression de déceler de l'avidité dans ses yeux. Mais avant qu'elle ait pu poser la moindre question sur la porte et sur ce qu'elle pouvait dissimuler, Mapes était repartie et se hâtait dans le hall.

Hawat a visité toute la demeure, songea-t-elle. *Il ne peut rien y avoir de bien redoutable ici.*

Et elle poussa la porte. Elle découvrit une petite pièce et, en face, une seconde porte, également ovale. Une porte avec un volant d'ouverture.

Un sas ! songea Jessica. Elle baissa les yeux et vit sur

le sol de la petite pièce une cale qui portait la marque personnelle d'Hawat. *Elle servait à maintenir la porte ouverte*, songea-t-elle. *Quelqu'un a dû la faire tomber accidentellement et la porte extérieure a été fermée par la serrure à main.*

Elle franchit le seuil et s'avança dans la pièce. *Pourquoi un sas à l'intérieur d'une maison ?* Elle songea soudain à des créatures exotiques... *Un climat spécial !* Cela semblait possible sur ce monde où les plantes étrangères les plus sobres devaient être irriguées.

Elle se retourna et vit que la porte, derrière elle, commençait à se refermer. Elle l'arrêta et la bloqua avec la cale laissée par Hawat. Puis elle se tourna de nouveau vers le volant d'ouverture du sas. Elle distinguait à présent une minuscule inscription dans le métal. Les mots étaient galach et elle lut :

« O Homme ! Voici une adorable part de la Création de Dieu. Alors, regarde et apprend à aimer la perfection de Ton Suprême Ami. »

Jessica pesa sur le volant et la porte s'ouvrit. Une brise légère lui effleura la joue, lui caressa les cheveux. Elle huma un air nouveau, plus riche. Ouvrant la porte en grand, elle découvrit une masse de verdure baignant dans une lumière dorée.

Un soleil jaune ? Non. Un toit filtrant !

Elle s'avança. La porte se referma derrière elle.

« Une serre humide », murmura-t-elle dans un souffle.

Elle était entourée de plantes en pots et d'arbustes. Elle identifia un mimosa, un cognassier en fleur, un sondagi, un pleniscenta à fleurs vertes, un akarso strié de vert et de blanc... des roses... *Même des roses !*

Elle se pencha vers l'une des grandes fleurs et en huma l'arôme avant de se redresser pour examiner la serre. Et de tous ses sens, elle perçut un rythme. Elle écarta un rideau de feuilles et plongea son regard dans le cœur de la pièce. Là, elle découvrit une petite fontaine basse dont la vasque était cannelée. Un filet d'eau s'en élevait en arc pour retomber en tambourinant sur le fond métallique.

Elle se plongea en état de perception accrue et inspecta méthodiquement la serre. C'était une pièce carrée de dix mètres de côté. En tenant compte de sa situation à l'extrémité du hall et de certaines différences de construction, elle déduisit qu'elle avait dû être ajoutée à cette aile bien après la construction de la demeure elle-même.

Sur le côté sud, elle s'arrêta devant la vaste surface de verre filtrant, se retourna et regarda tout autour d'elle. Et, tout autour d'elle, le moindre espace était occupé par des plantes exotiques nées sous des climats humides. Et dans tout ce vert, quelque chose bruissa. Un instant, Jessica se tendit, puis elle vit l'appareil, un simple servok à mouvement d'horlogerie, avec un tuyau et un bras d'arrosage qui projetait une fine buée sur ses joues. Puis le bras se retira et elle aperçut alors ce qu'il arrosait : une fougère arborescente.

Il y avait de l'eau dans toute cette pièce. De l'eau, sur un monde où l'eau était le jus précieux de la vie. Tant d'eau dépensée... Elle sentit que quelque chose se figeait tout au fond d'elle. Elle leva les yeux vers la clarté jaune du soleil. Il s'abaissait vers un horizon tourmenté de collines qui faisaient partie de l'immense chaîne connue sous le nom de Bouclier.

Un verre filtrant, pensa-t-elle. *Un verre filtrant pour rendre ce soleil blanc plus doux, plus familier. Qui a pu concevoir un tel endroit ? Leto ? Ce serait bien de lui que de me surprendre avec un tel présent, mais il n'en a pas eu le temps. Il lui a fallu affronter des problèmes plus graves.*

Elle se souvint alors de ce rapport qui disait que nombre de demeures arrakeens possédaient des sas aux portes et aux fenêtres afin de préserver l'humidité intérieure. Et Leto avait alors déclaré que, pour affirmer sa puissance et sa richesse, il lui fallait ignorer de telles précautions et se contenter de portes et de fenêtres à l'épreuve de la poussière omniprésente.

Mais l'existence de cette pièce était plus éloquente

que l'absence de sas à toutes les portes de la demeure. Jessica avait idée que ce lieu réservé au plaisir recelait assez d'eau pour faire vivre mille personnes... sinon plus.

Elle se déplaça au long de la paroi de verre, son regard continuant d'explorer la serre. Et une surface métallique lui apparut auprès de la fontaine, une table sur laquelle reposaient un bloc-notes et un stylet partiellement dissimulés par une feuille. Comme elle s'en approchait, elle vit les signes laissés par Hawat, puis se pencha sur le message :

« A DAME JESSICA,

Que ce lieu vous donne autant de plaisir qu'il m'en a donné. Permettez que cette pièce vous ramène en mémoire une leçon que nous tenons des mêmes maîtres : La proximité d'un objet désiré incline à trop d'indulgence. Là réside le danger.

Mes meilleurs vœux.

MARGOT DAME FENRING »

Jessica hocha la tête. Le Duc avait prononcé le nom du comte Fenring. Elle s'en souvenait. Le comte Fenring avait été mandataire de l'Empereur sur Arrakis. Mais ce message, libellé de telle façon qu'elle sût que son auteur était également Bene Gesserit, requérait en cet instant toute son attention. Pourtant, une pensée amère vint l'effleurer : *Le Comte a épousé sa Dame.* Mais, dans la même seconde, elle cherchait déjà le message caché. Il devait y en avoir un. Les lignes qu'elle venait de lire comportaient la phrase que toute Bene Gesserit, à moins d'être inhibée par une Injonction de l'Ecole, devait transmettre à une autre Bene Gesserit lorsque les conditions l'imposaient : « Là réside le danger. »

Les doigts de Jessica glissèrent à la surface du bloc, en quête de perforations codées. Rien. Puis sur le côté. Rien. Et... *une impression...* Quelque chose dans la position du bloc ? Mais Hawat avait sondé la pièce et il avait dû déplacer le bloc-notes pour l'examiner. Levant les yeux, elle vit alors la feuille qui pendait au-dessus de la table. La feuille ! D'un doigt, elle en caressa la face interne, puis le bord, la tige... Là ! C'était là ! D'un seul geste, elle décela et lut le message des points infimes.

« Votre fils et le Duc courent un danger immédiat. Une chambre a été aménagée afin d'attirer votre fils. Les H l'ont pourvue de pièges mortels destinés à être découverts afin qu'un seul échappe aux recherches. » Elle lutta contre le désir soudain de courir vers Paul. Il lui fallait d'abord connaître le message tout entier. Ses doigts coururent sur les marques. « J'ignore la nature exacte de la menace mais elle a trait à un lit. Votre Duc, quant à lui, est menacé par la trahison d'un compagnon ou d'un lieutenant qui avait sa confiance. Les H ont fait le projet de vous offrir à un de leurs mignons. Pour autant que je sache, cet endroit est sûr. Pardonnez-moi de ne pouvoir vous en dire plus. Mes sources ne sont guère nombreuses car le Comte n'est pas des H. En hâte, M. F. »

Jessica repoussa la feuille et se retourna pour courir vers son fils. Dans le même instant, la porte du sas fut violemment ouverte et Paul surgit dans la pièce. Il tenait quelque chose dans la main droite. Il repoussa la porte derrière lui, aperçut sa mère et s'avança vers elle en écartant les feuilles. Il vit alors la fontaine et plaça sa main droite sous le jet d'eau.

« Paul ! (Jessica le saisit par l'épaule.) Qu'est-ce que cela ? »

« Un tueur-chercheur. Je l'ai attrapé dans ma chambre et je lui ai écrasé le nez, mais il vaut mieux être sûr. L'eau devrait le court-circuiter. » Il parlait d'un ton désinvolte mais Jessica perçut la tension qui l'habitait.

« Immerge-le ! » lança-t-elle.

Il obéit.

« Maintenant, lâche-le. Laisse-le dans l'eau. »

Il leva la main, secoua l'eau et contempla l'objet de métal immobile dans la fontaine. Jessica coupa une tige et s'en servit pour toucher la mortelle écharde. Inerte.

Elle laissa tomber la tige dans l'eau et regarda son fils. Paul examinait la pièce avec une acuité qu'elle connaissait bien... Selon la Manière Bene Gesserit.

« Cet endroit pourrait dissimuler n'importe quoi », dit-il.

« J'ai toute raison de penser qu'il est sûr. »

« Ma chambre était censée l'être également. Hawat avait dit que... »

« C'était un tueur-chercheur, lui rappela-t-elle. Cela signifie qu'il fallait quelqu'un dans la demeure pour le diriger. Les rayons de support ont une portée limitée. Cette chose a fort bien pu être introduite ici après l'inspection d'Hawat. »

Mais, dans le même temps, elle songeait au message gravé dans la feuille : « *... la trahison d'un compagnon ou d'un lieutenant...* » *Non, certainement pas Hawat. Certainement pas.*

« Les hommes d'Hawat fouillent la demeure en ce moment, dit Paul. Le tueur a failli atteindre la vieille femme qui est venue m'éveiller. »

« La Shadout Mapes, dit Jessica. (Elle se souvint de leur rencontre au bas des marches.) Ton père devait te voir pour... »

« Cela peut attendre. Mais pourquoi pensez-vous que cet endroit est sûr ? »

Elle lui montra le bloc et lui rapporta le message. Il se détendit quelque peu. Mais pas Jessica, qui songeait : *Un tueur-chercheur ! Mère Miséricordieuse !* Elle devait faire appel à toute son éducation pour réprimer un tremblement hystérique.

Paul dit calmement : « Bien sûr, ce sont les Harkonnens. Nous devrons les détruire. »

Puis on frappa à la porte du sas selon le code des hommes d'Hawat.

« Entrez », dit Paul.

La porte s'ouvrit et un homme de haute taille arborant l'uniforme des Atréides et l'insigne d'Hawat sur sa casquette pénétra dans la pièce.

« Ah, vous voici, monsieur, dit-il. La gouvernante

nous avait dit que nous vous trouverions là. (Son regard parcourut la pièce.) Nous avons trouvé un cairn dans les caves. Il y avait un homme à l'intérieur, avec un pupitre de contrôle de tueur. »

« Je veux assister à son interrogatoire », dit Jessica, aussitôt.

« Je suis désolé, Ma Dame. Nous n'avons pas réussi à le prendre vivant. »

« Il n'y a rien qui puisse permettre de l'identifier ? »

« Encore rien que nous ayons trouvé, Ma Dame. »

« Est-ce un natif d'Arrakeen ? » demanda Paul, et Jessica hocha la tête : la question était habile.

« Il en a l'aspect, dit l'homme de Hawat. A première vue, il a dû être placé là, dans ce cairn, il y a plus d'un mois. Il attendait notre arrivée. Nous avions inspecté cet endroit hier et la pierre et le mortier étaient intacts. Je suis prêt à jouer ma réputation sur ce point. »

« Personne ne met votre conscience en doute », dit Jessica.

« Personne sauf moi, Ma Dame. Nous aurions dû utiliser des sondes soniques. »

« Je présume, dit Paul, que c'est ce que vous faites maintenant. »

« Oui, monsieur. »

« Faites savoir à mon père que je serai en retard. »

« Immédiatement, monsieur. (L'homme tourna son regard vers Jessica.) Les ordres de Hawat sont qu'en de telles circonstances le jeune maître soit placé en un endroit sûr. Qu'en est-il de celui-ci ? » A nouveau, ses yeux fouillèrent la pièce.

« J'ai mes raisons de le croire sûr, dit Jessica. Hawat aussi bien que moi l'a inspecté. »

« Alors je monterai la garde à l'extérieur, Ma Dame, jusqu'à ce que nous ayons une fois de plus inspecté toute la demeure. » Il s'inclina, porta la main à sa casquette à l'intention de Paul, puis se retira et referma derrière lui.

Paul, le premier, rompit le silence. « Peut-être aurions-nous dû visiter la maison par nous-mêmes ? Nos yeux pourraient voir des choses qui ont échappé à d'autres. »

« Il n'y a que cette aile que je n'avais pas examinée, dit Jessica. Je l'avais réservée pour la fin parce que... »

« Parce que Hawat s'en était personnellement occupé. »

Elle regarda vivement son fils. Ses yeux étaient interrogateurs.

« N'aurais-tu point confiance en lui ? »

« Si... Mais il devient vieux... Il a trop de travail. Nous devrions l'en décharger quelque peu. »

« Cela l'outragerait et diminuerait son efficience. Lorsqu'il aura entendu parler de tout ceci, pas même un insecte ne pourra pénétrer dans cette aile. Il aura honte que.. »

« Nous devons prendre nos propres mesures », dit Paul.

« Hawat a servi trois générations d'Atréides avec honneur. Il mérite tout notre respect et notre confiance... »

« Lorsque l'un de vos gestes irrite mon père, il dit : *Bene Gesserit !* comme s'il jurait. »

« Et qu'y a-t-il en moi qui puisse irriter ton père ? »

« Vous lui apportez la contradiction, parfois. »

« Tu n'es pas ton père, Paul. »

Cela va lui faire du chagrin, songea-t-il, *pourtant il faut que je lui rapporte ce que m'a dit cette Mapes à propos d'un traître qui se serait glissé parmi nous.*

« Que me caches-tu, Paul ? demanda Jessica. Cela ne te ressemble guère. »

Il haussa les épaules puis rapporta sa conversation avec Mapes.

Et Jessica songea au message sur la feuille. Elle prit soudain une décision et montra la feuille à Paul en lui traduisant le message.

« Il faut immédiatement que mon père soit averti, dit-il. Je vais radiographier ceci en code et l'emporter. »

« Non. Tu attendras jusqu'à ce que nous puissions le

voir seul. Aussi peu de gens que possible doivent connaître tout cela. »

« Voulez-vous dire que nous ne devons faire confiance à personne ? »

« Il existe une autre possibilité. Ce message pourrait avoir été conçu afin de nous frapper. Ceux qui nous l'ont transmis ont pu croire qu'il était vrai mais il se peut que son seul but ait été de nous atteindre. »

L'expression de Paul restait sombre et décidée.

« Afin de jeter la méfiance et le soupçon dans nos rangs et, ainsi, de nous affaiblir », dit-il.

« Tu dois voir ton père en privé et le mettre en garde contre cette hypothèse », dit Jessica.

« Je comprends. »

Elle se détourna vers la vaste surface de verre filtrant et son regard se porta vers le sud-ouest, là où s'engloutissait le soleil d'Arrakis, sphère d'or entre les collines.

« Je ne crois pourtant pas que ce soit Hawat, dit Paul, derrière elle. Est-il possible que ce soit Yueh ? »

« Il n'est ni un compagnon ni un lieutenant. Et je puis t'assurer qu'il hait les Harkonnens avec autant de passion que nous. »

Paul porta son regard sur les collines. *Et ce ne peut être Gurney... ou même Duncan*, pensa-t-il. *L'un des sous-lieutenants ? Impossible. Ils appartiennent tous à des familles qui nous sont loyales depuis des générations... pour d'excellentes raisons.*

Jessica porta la main à son front et prit conscience de sa lassitude. *Tant de périls ici !* Elle contempla le paysage, jaune au-delà de la baie. Un parc à marchandises s'étendait à quelque distance, entouré d'une haute barrière. Les tours de guet se dressaient au-dessus des silos à épice comme de grandes araignées sur le qui-vive. Jessica pouvait compter au moins vingt parcs semblables entre la demeure et les collines du Bouclier, silo après silo, sur toute l'étendue du bassin. Lentement, le soleil disparut sous l'horizon. Les étoiles vinrent. L'une d'elles, très basse sur l'horizon, était brillante, scintillante. Elle émettait comme un signal...

Dans l'ombre de la pièce, elle entendit Paul bouger. Mais elle ne quitta pas l'étoile des yeux. Elle était trop basse ; Elle était dans les collines du Bouclier.

Un signal !

Elle essaya aussitôt de le déchiffrer, mais il était émis dans un code qui lui était inconnu. Puis d'autres lumières apparurent dans la plaine, sous les collines, des étincelles jaunes sur l'ombre bleue, profonde. Et une autre étoile brillante, plus loin à gauche, qui répondit à la première, sur un rythme très rapide... Puis qui s'éteignit.

La première étoile, quelque part dans les collines, disparut aussitôt.

Des signaux... Un pressentiment envahit Jessica.

Pourquoi utiliser des signaux lumineux d'un bord à l'autre de la cuvette ? se demanda-t-elle. *Pourquoi, alors qu'il existe un réseau de communication ?*

La réponse était évidente : toute communication pouvait être interceptée par les agents du Duc. Ces signaux lumineux ne pouvaient avoir été émis que par des ennemis, des agents harkonnens.

On frappa à la porte, puis Jessica reconnut la voix de l'homme de Hawat. « Tout va bien, monsieur... Ma Dame. Il est temps de conduire le jeune maître auprès de son père. »

On a coutume de dire que le Duc Leto ferma les yeux devant les périls d'Arrakis et qu'il se laissa prendre au piège sans aucune méfiance. Mais ne serait-il pas plus juste de penser qu'il avait si longtemps vécu dans le plus extrême danger qu'il en était venu à ne plus pouvoir déceler un quelconque changement dans l'intensité de ce danger ? A moins qu'il n'ait choisi de se sacrifier délibérément afin d'assurer une existence meilleure à son fils ? Il apparaît à l'évidence que le Duc n'était pas homme à se laisser abuser si facilement.

Extrait de
Muad'Dib, commentaires de famille,
par la Princesse Irulan.

LE duc Leto Atréides était appuyé à un parapet dans la tour de contrôle du terrain de débarquement, à l'extérieur d'Arrakeen. A l'horizon du sud, la première lune brillait comme une pièce d'argent. Juste au-dessous, les collines du Bouclier scintillaient comme autant d'éclats de glace dans la poussière. A gauche, le Duc distinguait les lumières d'Arrakeen qui perçaient la brume, étincelles jaunes... bleues... blanches...

Il songea à tous les avis portant sa signature qui avaient été apposés dans tous les lieux populeux de la planète : « Notre Sublime Empereur Padishah m'a chargé de prendre possession de ce monde et d'y mettre fin à toute querelle. »

C'était là une chose formelle, rituelle qui l'emplissait d'un sentiment de solitude. *Qui peut se laisser abuser par cette pompeuse déclaration ? Certainement pas les Fremens. Ni les Maisons Mineures qui contrôlent le commerce intérieur d'Arrakis... et qui appartenaient presque toutes aux Harkonnens.*

Ils ont tenté de s'emparer de la vie de mon fils !

Il lui était difficile de lutter contre sa fureur.

Il distingua les feux d'un véhicule qui traversait le terrain, venant d'Arrakeen. Il espéra que Paul se trouvait à bord. Cette attente commençait à l'inquiéter bien qu'il sût qu'elle s'expliquait par les précautions du lieutenant d'Hawat.

Ils ont tenté de s'emparer de la vie de mon fils !

Il secoua la tête, essayant de repousser sa colère et contempla de nouveau le terrain autour duquel cinq de ses frégates se dressaient comme des sentinelles monolithiques.

Mieux vaut un retard dû à la prudence que...

Le lieutenant était un bon élément. D'une loyauté totale, tout désigné pour un prochain avancement.

« *Notre Sublime Empereur Padishah...* »

Si seulement la population de cette ville de garnison décadente avait pu prendre connaissance de la note privée de l'Empereur à son « Noble Duc » et de ses allusions pleines de mépris aux hommes et aux femmes qui portaient le voile. « ... mais qu'attendre d'autre de ces barbares dont le rêve le plus cher est de vivre à l'écart de la sécurité policée des faufreluches ? »

En cet instant, le Duc songeait que son rêve le plus cher, à lui, était justement de mettre fin à toute distinction de classe et d'en finir avec cet ordre maudit. Levant les yeux vers les étoiles qui brillaient au sein de la poussière, il se dit : *Caladan tourne quelque part autour d'une de ces petites lumières... mais jamais plus je ne reverrai ma demeure.* L'idée de Caladan éveillait soudain comme une douleur dans sa poitrine. Une douleur qui ne semblait pas prendre naissance en lui mais qui lui venait plutôt de Caladan. Il ne parvenait pas à considérer Arrakis, ce monde désertique, comme sa demeure. Et il doutait de jamais pouvoir y parvenir.

Je dois cacher mes sentiments. Pour mon fils. Si jamais il doit avoir une demeure, ce sera celle-ci. Si je peux penser à Arrakis comme à un enfer qui m'est infligé avant ma mort, il faut, lui, qu'il y découvre ce qui l'inspirera. Il doit y avoir quelque chose.

Une vague de pitié envers lui-même le submergea. Il la rejeta aussitôt avec mépris et, d'étrange façon, il se souvint tout à coup de deux vers d'un poème que Gurney Halleck se plaisait à répéter souvent :

« Mes poumons goûtent l'air du Temps
Qui souffle dans les sables amoncelés... »

Gurney ne manquerait certainement pas de sable ici, songea le Duc. Les terres centrales, qui s'étendaient au-delà de ces collines givrées de lune n'étaient que rocs, dunes, poussière soufflant en tempête. Un territoire inconnu, sauvage et desséché où ne vivaient guère que quelques poignées de Fremens, dispersées sur la bordure ou peut-être à l'intérieur. Les Fremens... S'il se trouvait un élément pour assurer l'avenir de la lignée des Atréides, c'était les Fremens. A la condition que les Harkonnens ne les aient point déjà infestés de leurs stratagèmes.

Ils ont tenté de s'emparer de la vie de mon fils !

Un vacarme métallique s'éleva dans la tour et le Duc sentit le parapet vibrer sous lui. Des écrans de protection s'abaissèrent devant lui et le paysage disparut. *Une navette arrive,* se dit-il. *Il est temps de redescendre travailler.* Il s'engagea dans l'escalier qui accédait à la vaste salle de rassemblement, essayant de se contraindre au calme et de se composer une expression en vue de la rencontre qui l'attendait.

Ils ont tenté de s'emparer de la vie de mon fils !

Déjà les hommes revenaient du terrain quand il fit son entrée sous le grand dôme jaune. Ils ôtaient les sacs spatiaux de leurs épaules tout en chahutant et en vociférant comme des étudiants revenant de vacances.

« Eh ! Tu sens ça ? La gravité, vieux ! »

« Ça tire combien de G là-dedans ? On se sent lourd ! »

« Le bouquin dit neuf dixièmes ! »

Les mots jaillissaient de tous côtés.

« Tu as jeté un coup d'œil sur ce trou ? Où est toute la camelote qu'on doit trouver ici, hein ? »

« Les Harkonnens l'ont ramassée ! »

« Une bonne douche chaude et un bon lit bien doux ! »

« T'as pas entendu, crétin ? Pas de douches ici. Tu n'as qu'à te laver le cul avec du sable ! »

« Vos gueules ! Le Duc ! »

Il s'avança dans la salle subitement silencieuse.

Gurney Halleck vint à sa rencontre, un sac sur une épaule, tenant le manche de sa balisette à neuf cordes dans une main. Ses pouces étaient épais mais ses doigts étaient longs et ils tiraient de l'instrument une musique délicate.

Le Duc observait Halleck, plein d'admiration pour ce vilain petit homme dont les yeux luisaient comme des cristaux d'une intelligence sauvage. Un homme qui vivait hors des faufreluches tout en obéissant au moindre de leurs préceptes. Comment Paul l'avait-il appelé ? *Gurney l'homme brave.* Ses cheveux d'un blond délavé recouvraient à peine les zones dénudées de son crâne. Sa large bouche dessinait une grimace de satisfaction et la cicatrice de vinencre, sur sa mâçhoire, bougeait, comme animée d'une vie propre. Tout en lui dénotait l'homme solide, efficace. Il s'inclina devant le Duc.

« Gurney », dit Leto.

« Mon Seigneur, ce sont les derniers. (D'un mouvement de sa balisette, il désigna les hommes qui les entouraient.) J'aurais préféré arriver avec la première vague, mais... »

« Il reste encore quelques Harkonnens pour toi, dit le Duc. Viens par ici, il faut que nous parlions. »

« A vos ordres, Mon Seigneur. »

Ils se retirèrent dans une alcôve, non loin d'un distributeur d'eau, tandis que les hommes arpentaient la grande salle de long en large. Halleck posa son sac dans un coin, mais ne lâcha pas sa balisette.

« Combien d'hommes peux-tu fournir à Hawat ? » demanda le Duc.

« Thufir est-il en difficulté ? »

« Il n'a perdu que deux agents mais les hommes qu'il avait envoyés en reconnaissance nous ont rapporté une image assez précise du dispositif harkonnen. En agissant rapidement, nous pouvons gagner un surcroît de sécurité, l'espace nécessaire pour respirer. Hawat a besoin d'autant d'hommes que tu peux en disposer, des hommes qui ne rechigneraient pas devant un couteau. »

« Je peux lui en fournir trois cents des meilleurs, dit Halleck. Où dois-je les envoyer ? »

« A la porte principale. Un agent de Hawat les y attendra. »

« Dois-je m'en occuper immédiatement, Mon Seigneur ? »

« Dans un instant. Nous avons auparavant un autre problème. Sous un prétexte ou un autre, le commandant du terrain fera attendre la navette ici jusqu'à l'aube. Le long-courrier de la Guilde qui nous a amenés reprend son service et la navette est censée entrer en contact avec un cargo chargé d'épice. »

« Notre épice, Mon Seigneur ? »

« Notre épice, oui. Mais à bord de la navette se trouveront aussi certains chasseurs d'épice de l'ancien régime. Ils ont choisi de partir lors du changement de Fief et l'Arbitre du Changement le leur a permis. Ce sont des travailleurs de valeur, Gurney. Ils sont environ huit cents. Avant le départ de la navette, il faut que nous persuadions certains d'entre eux de s'engager à notre service. »

« Faut-il que nous soyons très persuasifs, Mon Seigneur ? »

« Je désire qu'ils coopèrent de leur plein gré, Gurney.

Ces hommes possèdent le métier et l'expérience dont nous avons besoin. Le fait qu'ils aient choisi de partir laisse à penser qu'ils ne sont pas liés aux machinations des Harkonnens. Bien sûr, Hawat pense que certains mauvais éléments ont pu s'infiltrer dans le groupe mais il voit des assassins dans le moindre recoin d'ombre. »

« Il fut un temps où Thufir a découvert certains recoins particulièrement peuplés, Mon Seigneur. »

« Et il en a de même oublié certains autres. Mais je pense que les Harkonnens auraient fait preuve de trop d'imagination en glissant des agents dans le groupe des émigrants. »

« C'est possible, Mon Seigneur. Où sont ces gens ? »

« Au niveau inférieur, dans la salle d'attente. Je te suggère d'y descendre et de leur jouer quelques notes afin de leur adoucir l'esprit. Ensuite, tu pourras te mettre au travail. Offre des postes à ceux qui sont particulièrement qualifiés. Et vingt pour cent de plus que ce qu'ils recevaient des Harkonnens. »

« Pas plus, Mon Seigneur ? Je connais l'échelle des salaires harkonnens. Ces hommes ont leur dernière paye en poche et ils ont envie de voir du pays... Non, Mon Seigneur, je ne pense pas que vingt pour cent d'augmentation suffisent à les retenir ici. »

« Alors agis selon ta propre idée pour les cas particuliers, dit le Duc d'un ton impatient. Mais rappelle-toi que le trésor n'est pas inépuisable. Dans la mesure du possible, tiens-t'en à vingt pour cent. Nous avons plus spécialement besoin de conducteurs, de météorologistes, d'hommes des dunes, avec une longue expérience du sable. »

« Je comprends, Mon Seigneur. *Ils viendront à l'appel de la violence : leurs visages s'offriront au vent d'est et ils recueilleront le sable captif.* »

« Une citation très émouvante, dit le Duc. Confie ton équipe à un lieutenant. Veille à ce qu'il serre un peu la vis pour l'eau. Les hommes passeront la nuit dans le casernement, près du terrain. Le personnel du terrain s'occupera d'eux. Et n'oublie pas les hommes pour Hawat. »

« Trois cents des meilleurs, Mon Seigneur. (Halleck reprit son sac spatial.) Où devrai-je me présenter pour vous faire mon rapport lorsque j'en aurai fini avec mes tâches ? »

« J'ai fait aménager une salle en haut. Nous nous y réunirons. Je désire que nous mettions au point un nouvel ordre de dispersion planétaire, les escouades blindées venant en premier. »

Halleck, qui était sur le point de s'éloigner, s'arrêta net et ses yeux rencontrèrent ceux du Duc. « Vous prévoyez ce genre de difficulté, Mon Seigneur ? Je croyais que l'on avait désigné un Arbitre du Changement. »

« Combat ouvert, combat clandestin, dit le Duc. Il y aura beaucoup de sang répandu ici avant que nous en ayons terminé. »

« *Et l'eau de la rivière se changera en sang sur la terre sèche.* »

Le Duc soupira. « Hâte-toi, Gurney. »

« Très bien, Mon Seigneur. (La cicatrice de vinencre se plissa comme il souriait.) Voici l'âne sauvage du désert qui se rue vers son labeur ! » Et il s'éloigna rapidement vers ses hommes rassemblés au centre de la salle pour distribuer ses ordres.

Resté seul, Leto hocha la tête Halleck ne cessait de l'étonner. Son esprit était plein de chansons, de citations et de phrases fleuries... mais son cœur était celui d'un assassin lorsque l'on prononçait le nom d'Harkonnen.

Sans hâte, Leto se dirigea vers l'ascenseur, traversant la salle en diagonale tout en répondant d'un geste distrait aux saluts. Reconnaissant un des hommes du groupe de propagande, il s'arrêta pour lui faire part d'un message qui serait ensuite transmis aux autres. Ceux qui avaient amené leurs femmes étaient certainement anxieux et il fallait qu'ils sachent si elles étaient saines et sauves et où ils pouvaient les retrouver. Quant aux célibataires, ils seraient certainement heureux d'apprendre que la population locale semblait compter plus de femmes que d'hommes.

Le Duc tapa sur le bras de l'homme de la propagande, ce qui signifiait que le message avait la priorité absolue et qu'il devait être transmis immédiatement. Puis il s'éloigna, répondant aux hommes d'un signe de tête, souriant, échangeant une plaisanterie avec l'un ou l'autre. *Celui qui commande*, songeait-il, *doit toujours paraître confiant. Cette foi est comme un fardeau sur mes épaules. Je suis devant le danger et je ne dois pas le montrer.*

Il ne put réprimer un soupir de soulagement quand il se fut engouffré dans l'ascenseur et que son regard ne rencontra plus que la surface neutre des portes.

Ils ont tenté de s'emparer de la vie de mon fils !

A proximité de l'entrée du terrain d'Arrakeen. grossièrement gravée à l'aide de quelque instrument rudimentaire. on pouvait lire une inscription que Muad'Dib devait se répéter bien souvent Il la découvrit durant sa première nuit sur Arrakis. alors qu'il se rendait au poste de commande ducal pour assister à la première réunion d'état-major L'inscription était une supplique adressée à ceux qui quittaient Arrakis mais, pour l'enfant qui venait d'échapper de peu à la mort. le sens en était plus sombre encore. L'inscription disait · « O toi qui sais ce que nous endurons ici. ne nous oublie pas dans tes prières. »

Extrait du Manuel de Muad'Dib.
par la Princesse Irulan

« TOUTE la théorie du combat repose sur le risque calculé. dit le Duc. Mais lorsqu'on en arrive à risquer sa propre famille. les éléments de *calcul* sont noyés dans... autre chose. »

Il se rendait compte qu'il ne retenait pas sa fureur autant qu'il l'aurait dû et, se détournant, il se mit à marcher de long en large devant la grande table.

Il se trouvait seul avec Paul dans la salle de conférences du terrain de débarquement, une pièce pleine d'échos, dont le seul mobilier était constitué par la table. des chaises anciennes à trois pieds, un tableau cartographique et un projecteur installé à une extrémité Paul avait pris place devant la table, près du tableau cartographique. Il venait de rapporter à son père l'agression du tueur-chercheur. Il lui avait dit aussi qu'un traître les menaçait.

Le Duc s'arrêta en face de son fils et son poing frappa la table. « Hawat m'a dit que la maison était sûre ! »

La voix de Paul était hésitante. « Moi aussi, j'ai été... furieux, tout d'abord. Et j'ai maudit Hawat. Mais la menace venait de l'extérieur. Elle était simple, habile, directe. Et cela aurait réussi sans l'entraînement que vous m'avez donné... ainsi que bien d'autres, dont Hawat. »

« Tu le défends ? »

« Oui. »

« Il devient vieux. Oui, c'est cela. Il devrait... »

« Il est sage et il a de l'expérience, dit Paul. Combien de ses fautes pouvez-vous vous rappeler ? »

« C'est moi qui devrais le défendre, et non pas toi. »

Paul sourit.

Le Duc s'assit devant la table et posa la main sur l'épaule de son fils. « Tu as... mûri, ces derniers temps, Fils, dit-il, et cela me réjouit. (Il répondit au sourire de Paul.) Hawat se punira lui-même. La colère qu'il concevra à son égard dépassera de loin la nôtre. »

Par-delà le tableau cartographique, le regard de Paul se posa sur les fenêtres obscures, sur la nuit. Au-dehors, quelque balustrade reflétait la lumière de la pièce. Il décela un mouvement, reconnut la silhouette d'un garde. Puis ses yeux glissèrent sur la surface blanche du mur, derrière son père, sur la surface brillante de la table, sur ses mains croisées.

La porte à laquelle le Duc faisait face fut ouverte avec violence. Thufir Hawat surgit. Il semblait plus ancien et plus usé que jamais. Il parcourut toute la longueur de la table et vint s'arrêter au garde-à-vous devant le Duc.

« Mon Seigneur, dit-il en levant les yeux au-dessus de la tête de Leto, je viens seulement d'apprendre la faute que j'ai commise. Il m'apparaît nécessaire de vous présenter ma dé... »

« Oh, assieds-toi et cesse de faire le pitre », dit le Duc. Il tendit la main vers une chaise. « Si tu as commis une faute, ce fut en *surestimant* les Harkonnens. Leurs esprits simples ont conçu un stratagème simple. Et nous n'avions pas prévu des stratagèmes simples. Mon fils s'est donné beaucoup de peine pour me faire admettre que, s'il s'en était sorti sain et sauf, c'était en grande partie grâce à tes leçons. Et là, tu n'as en rien échoué ! (Il tapota la chaise.) Allons, assieds-toi ! »

Hawat obéit. « Mais... »

« Je ne veux plus en entendre parler, dit le Duc. L'incident est clos. Nous avons un travail plus urgent qui nous attend. Où sont les autres ? »

« Je leur ai demandé d'attendre au-dehors pendant que... »

« Appelle-les. »

Le regard de Hawat rencontra celui du Duc. « Sire, je... »

« Je connais mes vrais amis, Thufir. Appelle ces hommes. »

« Tout de suite, Mon Seigneur », dit Hawat, la gorge serrée. (Il se tourna vers la porte.) « Gurney, fais-les entrer ! »

Et Halleck entra, précédant les hommes, les officiers d'état-major au visage tendu, suivis des seconds plus jeunes et des spécialistes qui, tous, avaient un air décidé. Et tous prirent place autour de la table dans le bruit des chaises tandis que le parfum subtil du rachag se répandait autour d'eux.

« Il y a du café pour ceux qui en désirent », dit le Duc. Puis il les contempla tous en songeant : *Une bonne équipe. Un homme pourrait disposer de bien pis pour ce genre de guerre.* Il attendit, pendant que l'on servait le café. Il lisait la fatigue sur certains des visages qui l'entouraient

Puis il abandonna le masque de la tranquillité et de l'efficience, se leva et frappa du poing sur la table pour attirer l'attention.

« Messieurs, commença-t-il, il semble que notre civilisation se soit si profondément accoutumée aux invasions que nous ne puissions obéir à l'ordre le plus simple de l'Imperium sans que resurgissent les anciennes manières. »

Des rires discrets se firent entendre et Paul comprit soudain que son père venait de dire exactement ce qu'il fallait dire avec le ton qui convenait pour dégeler l'ambiance. La lassitude même qui avait percé dans sa voix s'imposait.

« Je pense tout d'abord que nous ferions mieux d'entendre Thufir afin de savoir s'il a quelque chose à ajouter à son rapport sur les Fremens. Thufir ? »

Hawat leva les yeux. « A la suite de mon rapport général, Sire, il me faut entrer dans divers détails économiques, mais je puis d'ores et déjà vous dire que les Fremens apparaissent de plus en plus comme les alliés dont nous avons besoin. Ils attendent encore avant de nous accorder vraiment leur confiance, mais ils semblent agir avec franchise. Ils nous ont envoyé un cadeau : des distilles qu'ils ont confectionnés eux-mêmes... ainsi que des cartes de certaines régions du désert proches des points d'appui harkonnens. (Hawat baissa les yeux sur la table.) Leurs renseignements se sont révélés exacts et ils nous ont considérablement aidés dans nos tractations avec l'Arbitre du Changement. Ils ont aussi envoyé divers autres présents : des bijoux pour Dame Jessica, de la liqueur d'épice, des friandises et des plantes médicinales. Mes hommes s'emploient à tout examiner en ce moment, mais aucun piège ne semble à redouter. »

« Tu aimes ces gens, Thufir ? » demanda l'un des hommes présents.

Hawat lui fit face. « Duncan Idaho pense que l'on doit les admirer. »

Paul regarda son père, puis Hawat, avant de risquer une question : « As-tu quelque nouvelle information concernant leur nombre ? »

« A en juger d'après la nourriture et divers autres éléments, Idaho pense que le complexe souterrain qu'il a visité devait abriter environ dix mille personnes. Le chef lui a déclaré qu'il commandait à un sietch d'à peu près deux mille âtres. Nous avons toutes raisons de croire que ces communautés sietch sont particulièrement nombreuses. Toutes semblent obéir à un certain Liet. »

« Voilà quelque chose de nouveau », dit le Duc.

« Il se peut que ce soit une erreur de ma part, Sire. Certains éléments semblent indiquer que ce Liet pourrait être une divinité locale. »

Un autre des assistants s'éclaircit la gorge avant de demander : « Est-il bien certain qu'ils soient de connivence avec les contrebandiers ? »

« Une caravane de contrebande a quitté le sietch où se trouvait Idaho pour un voyage de dix-huit jours. Les bêtes de somme étaient lourdement chargées d'épice. »

« Il semble, dit le Duc, que, durant cette période agitée, les contrebandiers aient redoublé d'activité. Et ceci appelle quelque réflexion. Il ne convient pas de trop nous soucier des frégates sans licence qui opèrent au large de la planète. Mais il en est qui échappent complètement à notre contrôle... et ceci n'est pas bon. »

« Vous avez un plan, Sire ? » demanda Hawat.

Le regard du Duc se porta sur Halleck. « Gurney, je désire que tu prennes la tête d'une délégation et que tu entres en contact avec ces romanesques commerçants. Tu seras un ambassadeur, en quelque sorte. Dis-leur que je ne me préoccuperai pas de leurs opérations aussi longtemps qu'ils me verseront la dîme ducale. Hawat estime que les mercenaires et les spadassins qu'ils ont employés jusque-là pour leurs opérations leur ont coûté quatre fois plus. »

« Et si l'Empereur a vent de cela ? demanda Halleck. Il tient jalousement à ses profits dans la CHOM, Mon Seigneur. »

Leto sourit. « Au vu de tous, nous verserons l'intégralité de la dîme au profit de Shaddam IV et nous déduirons légalement cette somme de ce que nous coûte l'entretien de nos forces d'appoint. Que les Harkonnens répondent donc à cela ! Ainsi, nous réussirons bien à ruiner encore quelques-uns de ceux qui se sont engraissés sous leur fief ! Plus de rapine ! »

Halleck grimaça un sourire. « Ah, Mon Seigneur, quelle magnifique feinte ! J'aimerais voir la tête du Baron quand il apprendra cela ! »

Le Duc se tourna vers Hawat. « Thufir, as-tu ces livres de comptes que tu me disais pouvoir acheter ? »

« Oui, Mon Seigneur. On les examine en détail actuellement. Mais je les ai déjà parcourus et je peux vous donner une première estimation. »

« Donne donc. »

« En trois cent trente journées standard, les Harkonnens réalisaient ici un bénéfice de dix milliards de solaris. »

Des exclamations étouffées se firent entendre autour de la table. Même les plus jeunes, qui avaient laissé jusque-là percer quelque ennui, se redressaient à présent en échangeant des regards stupéfaits.

« Car ils boiront la provende des mers et des trésors enfouis dans les sables », murmura Halleck.

« Alors, messieurs, dit Leto, en est-il un seul parmi vous qui soit assez naïf pour croire que les Harkonnens ont sagement vidé les lieux simplement parce que l'Empereur le leur a ordonné ? »

Toutes les têtes s'inclinèrent dans un concert de murmures approbateurs.

« Il nous faudra gagner à la pointe de l'épée, reprit le Duc. (Il se tourna vers Hawat.) Mais peut-être le moment est-il venu de parler de l'équipement. Combien de chenilles de sable, de moissonneuses et de matériel d'appoint nous ont-ils laissés ? »

« La totalité, ainsi qu'il est dit dans l'inventaire impérial présenté à l'Arbitre du Changement, Mon Seigneur », déclara Hawat.

Sur un geste, un jeune aide lui tendit un dossier qu'il ouvrit devant lui.

« Ils ont négligé de préciser que moins de la moitié des chenilles étaient en état et qu'un tiers seulement disposent de portants pour les emmener jusqu'aux sables à épice... Tout ce que nous ont laissé les Harkonnens est prêt à s'effondrer. Nous aurons de la chance si nous parvenons à remettre en état la moitié du matériel, et encore plus si le quart fonctionne encore dans six mois. »

« C'est exactement à quoi nous nous attendions, dit Leto. Que donne la première estimation quant au matériel de base ? »

Hawat consulta son dossier. « Environ neuf cent trente usines-moissonneuses pourront sortir à d'ici quelques jours. Environ six mille deux cent cinquante ornithoptères de surveillance, d'exploration et d'observation... Et un peu moins de mille portants. »

« Est-ce qu'il ne reviendrait pas moins cher de reprendre les négociations avec la Guilde afin d'obtenir l'autorisation de mettre une frégate en orbite pour surveiller le temps ? » demanda Halleck.

Le Duc regarda Hawat. « Rien de nouveau de ce côté, Thufir ? »

« Pour l'heure, il nous faut essayer d'autres solutions, dit Hawat. L'agent de la Guilde n'a pas vraiment négocié avec nous. Il m'a simplement fait comprendre clairement, en tant que Mentat s'adressant à un autre Mentat, que le prix dépassait de loin nos possibilités et qu'il continuerait de les dépasser, quelles qu'elles soient. Il nous faut savoir pourquoi avant d'approcher de nouveau cet agent. »

L'un des aides d'Halleck s'agita dans son siège et lança : « C'est injuste ! »

« Injuste ? (Le Duc regarda l'homme.) Qui parle de justice ? Nous sommes là pour faire notre propre justice. Et nous y réussirons sur Arrakis. Nous gagnerons ou nous mourrons. Regrettez-vous de vous joindre à notre sort, monsieur ? »

L'homme le regarda et répondit : « Non, Sire. Vous ne pouvez laisser échapper la plus riche source de revenus de notre univers... et je ne puis que vous suivre.

Pardonnez cette intervention mais.. (Il haussa les épaules.) Nous sommes tous amers, parfois. »

« Je comprends cette amertume, dit le Duc. Mais ne nous en prenons pas à la justice quand nous avons nos bras et toute liberté de nous en servir. Y en a-t-il d'autres parmi vous qui ressentent de l'amertume ? En ce cas, qu'ils parlent. Ceci est une assemblée amicale et chacun peut y exprimer ses sentiments. »

« Je crois que ce qui nous irrite, dit Halleck, c'est qu'aucun volontaire des Grandes Maisons ne se présente. On vous donne le titre de « Leto le Juste » et l'on vous promet une amitié éternelle... pour autant qu'il n'en coûte rien à personne. »

« Ils ignorent encore qui doit sortir vainqueur de ce changement, dit le Duc. La plupart des Maisons se sont enrichies en prenant un minimum de risques. Nul ne peut vraiment leur en vouloir. On ne peut que les mépriser. (Il regarda Hawat.) Mais nous parlions du matériel. Veux-tu nous projeter quelques exemples afin de familiariser un peu les hommes avec cet équipement ? »

Hawat acquiesça et fit un geste à l'adresse d'un de ses jeunes assistants qui se trouvait près d'un projecteur. Une image-solido à trois dimensions se matérialisa sur la table. Certains des hommes présents se levèrent afin de mieux voir.

Paul se pencha en avant ; il examinait la machine qui venait d'apparaître. Elle avait environ cent vingt mètres de long sur quarante de large. Derrière elle apparaissaient de minuscules silhouettes humaines. Elle ressemblait à quelque énorme insecte se déplaçant sur de larges trains indépendants de chenilles

« Une usine-moissonneuse, dit Hawat. Nous en avons sélectionné une bien réparée pour cette projection. La première équipe d'écologistes impériaux était accompagnée d'un matériel de ce type et qui fonctionne encore actuellement... bien que j'ignore comment.. et pourquoi. »

« S'il s'agit de celle qu'ils appellent *La Vieille Marie*,

elle est bonne pour le musée, dit quelqu'un. Je crois que les Harkonnens s'en servent comme d'une punition et qu'ils en menacent leurs travailleurs. S'ils ne se montrent pas dociles, ils sont bons pour *La Vieille Marie.* »

Autour de la table, des rires s'élevèrent.

Paul leur demeura étranger. Toute son attention était concentrée sur la projection et sur les questions qui défilaient dans son esprit. Il tendit la main et dit : « Thufir, existe-t-il des vers de sable assez énormes pour avaler cette machine ? »

Un silence tomba sur la table. Le Duc jura en lui-même puis songea : *Non... Il faut qu'ils affrontent les réalités de ce monde.*

« Il y a dans le désert des vers de sable assez grands pour ne faire qu'une bouchée de cette usine, dit Hawat. Ici même, à proximité du Bouclier, là où l'on extrait la plus grande partie de l'épice, il existe des vers qui pourraient broyer cette usine et la dévorer comme un rien. »

« Pourquoi n'utilise-t-on pas les Boucliers ? » demanda Paul.

« Selon les rapports d'Idaho, dit Hawat, ils seraient dangereux dans le désert. Un simple bouclier individuel suffirait à attirer le moindre ver à des centaines de mètres à la ronde. Il semble que cela crée en eux une frénésie meurtrière. A ce sujet, nous n'avons aucune raison de ne pas en croire la parole des Fremens. Idaho n'a trouvé aucune trace d'un équipement de bouclier dans le sietch où il se trouvait. »

« Aucune ? » demanda Paul.

« Il serait très difficile de dissimuler ce genre de matériel au milieu d'une population de mille personnes, dit Hawat. Idaho avait librement accès à tous les secteurs du sietch. Il n'a pas aperçu un seul bouclier ni décelé le moindre indice. »

« C'est une énigme », dit le Duc.

« Il est certain, reprit Hawat, que les Harkonnens ont largement employé les boucliers. Ils disposaient d'ateliers-dépôts dans chaque village de garnison et leur comptabilité fait apparaître de lourdes dépenses consacrées à l'achat de boucliers ou de pièces détachées. »

« Est-ce que les Fremens ne pourraient pas détenir un moyen d'annuler les boucliers ? » demanda Paul.

« Ça paraît improbable. Bien sûr, en théorie, c'est possible. Une contre-charge statique pourrait venir à bout d'un bouclier, à condition qu'elle ait les dimensions d'un territoire. Mais personne n'a jamais pu tenter l'expérience. »

« Nous en avions déjà entendu parler, dit Halleck. Les contrebandiers ont toujours été en contact étroit avec les Fremens et si un tel dispositif avait été disponible, ils l'auraient acheté. Ils n'auraient aucun scrupule à l'exporter. »

« Je n'aime pas que des questions de cette importance restent en suspens, dit le Duc. Thufir, je veux que tu accordes la priorité absolue à la solution de ce problème. »

« Nous y travaillons déjà, Mon Seigneur. (Hawat s'éclaircit la gorge.) Mais Idaho a dit une chose intéressante, que l'on ne pouvait se tromper sur l'attitude des Fremens envers les boucliers. Il a dit qu'ils s'en amusaient avant tout. »

Mais le Duc fronça les sourcils. « L'objet de cette assemblée est l'équipement d'épiçage. »

Hawat fit un geste à l'intention de l'homme au projecteur.

L'image-solido de l'usine-moissonneuse fut remplacée par celle d'un appareil ailé qui semblait gigantesque auprès des minuscules silhouettes humaines qui l'entouraient. « Voici un portant, commenta Hawat. Pour l'essentiel, c'est un ornothoptère de grande taille dont l'unique fonction est de déposer les usines dans les sables riches en épice et de les reprendre lorsque apparaît un ver des sables. Et il en apparaît toujours un. Le moissonnage de l'épice consiste à en récolter et à en rentrer autant que possible. »

« Ce qui convient admirablement à la morale harkonnen », dit le Duc.

Les rires éclatèrent brusquement, trop forts.

L'image d'un ornithoptère remplaça celle du portant.

« Ces ornis sont très conventionnels, expliqua Hawat. Leurs possibilités sont accrues par des modifications majeures. On a pris grand soin de protéger les parties essentielles contre le sable et la poussière. Un sur trente seulement est équipé d'un bouclier. Le poids du générateur ainsi gagné permet d'accroître le rayon d'action. »

« Ce semi-abandon des boucliers ne me plaît guère », murmura le Duc. Et il songea : *Est-ce donc là le secret des Harkonnens ? Cela signifie-t-il que nous n'aurions même pas la possibilité de fuir à bord de nos frégates à boucliers si tout venait à se retourner contre nous ?* Il secoua violemment la tête pour chasser ces pensées et reprit : « Passons à l'estimation du rendement. Quel devrait être notre bénéfice ? »

Hawat tourna deux pages de son carnet. « Après avoir évalué le matériel en état et le coût des diverses réparations, nous obtenons un premier chiffre pour nos frais d'exploitation. Bien entendu, nous l'avons encore diminué afin de nous ménager une marge de sécurité. (Il ferma les paupières, dans un état de semi-transe mentat et poursuivit :) Sous les Harkonnens, les salaires et les frais d'entretien ne dépassaient pas quatorze pour cent. Avec de la chance, nous les limiterons à trente pour cent durant les premiers temps. En tenant compte des réinvestissements et des facteurs de développement et sans omettre les frais militaires et le pourcentage de la CHOM, notre marge de bénéfice devrait se trouver réduite à six ou sept pour cent jusqu'à ce que nous ayons remplacé le matériel hors d'état. Ensuite, nous devrions être en mesure de relever cette marge jusqu'à douze ou quinze pour cent, ce qui est la norme. (Il rouvrit les yeux.) A moins que Mon Seigneur désire adopter les méthodes harkonnens. »

« Nous sommes ici pour établir une base planétaire permanente et solide, dit le Duc. Pour cela, il faut qu'une majorité de la population soit satisfaite, et spécialement les Fremens. »

« Tout spécialement les Fremens », dit Hawat.

« Sur Caladan, notre suprématie dépendait de notre pouvoir sur les mers et dans les airs. Ici, nous devrons développer ce que j'appellerai *le pouvoir du désert.* Nous pouvons tout aussi bien lui adjoindre ou non le pouvoir aérien. Mais j'attire votre attention sur la pénurie en boucliers pour les ornithoptères. (Le Duc secoua la tête.) Les Harkonnens comptaient sur les apports extraplanétaires pour leur personnel de base. Nous ne pouvons nous le permettre. Chaque nouvelle vague d'arrivants nous amènerait son lot de provocateurs. »

« Alors nous devrons nous contenter de bénéfices moindres et de récoltes mineures, dit Hawat. La production de nos deux premières saisons ne devrait pas atteindre le tiers de la moyenne harkonnen. »

« C'est exactement ce que nous avions prévu, dit le Duc. Il nous faut faite vite avec les Fremens. J'aimerais disposer de cinq bataillons complets de troupes Fremens avant notre première réunion avec la CHOM. »

« Cela nous laisse peu de temps, Sire. »

« Nous n'en avons guère, tu le sais bien. A la première occasion, ils seront là, accompagnés par des Sardaukars portant la livrée des Harkonnens. Selon toi, Thufir, combien en débarqueront-ils ? »

« Quatre ou cinq bataillons tout au plus, si l'on tient compte du coût des transports de troupes de la Guilde. »

« En ce cas, cinq bataillons de Fremens en plus de nos propres forces feraient l'affaire. Attendez seulement que nous amenions quelques prisonniers sardaukars devant le Conseil du Landsraad et vous verrez si les choses ne changeront pas — bénéfices ou non. »

« Nous ferons de notre mieux, Sire. »

Le regard de Paul se porta sur son père, puis revint à Hawat. Il prit soudain conscience du grand âge du Mentat. Hawat avait servi trois générations d'Atréides. *L'âge.* Il se lisait dans l'éclat terni de ses yeux bruns, dans ses joues craquelées et recuites par les climats exotiques, dans la courbe de ses épaules, dans le trait mince de ses lèvres teintes de la couleur d'airelle du jus de sapho.

Tant de choses dépendent de ce vieil homme, songea Paul.

« Nous sommes actuellement lancés dans une guerre d'assassins, disait le Duc, mais qui n'a point encore atteint toute son ampleur. Thufir, dans quelles conditions se présente le dispositif harkonnen ? »

« Nous avons éliminé deux cent cinquante-neuf de leurs hommes de confiance, Mon Seigneur. Il ne subsiste pas plus de trois cellules harkonnens, en tout une centaine de personnes. »

« Ces créatures d'Harkonnen que vous avez éliminées, appartenaient-elles à la classe possédante ? »

« La plupart étaient nettement situées, Mon Seigneur — dans la classe des entrepreneurs. »

« Je veux que tu fasses fabriquer des certificats d'allégeance comportant chacun la signature de ces hommes. Fais-en remettre des copies à l'Arbitre du Changement. Nous soutiendrons légalement que ces hommes se trouvaient ici sous une fausse allégeance Que l'on confisque leurs biens, qu'on leur prenne tout, qu'on chasse leurs familles, qu'on les dépouille totalement. Et assure-toi que la Couronne perçoive bien ses dix pour cent. Tout cela doit être légal. »

Thufir sourit, révélant ses dents rouges. « Voilà une manœuvre bien digne de Mon Seigneur. J'ai honte de ne pas y avoir songé avant. »

De l'autre côté de la table, Halleck fronça les sourcils et il surprit une expression aussi sombre sur le visage de Paul. Mais toute l'assemblée souriait et approuvait

C'est une faute, se dit Paul. *Les autres n'en seront que plus agressifs. Ils ne gagneraient rien à se rendre.*

Il savait que la rétribution ne connaissait aucune règle, aucune entrave, mais l'acte projeté pouvait les détruire quand bien même il leur donnerait la victoire

« J'étais un étranger en terre étrangère », cita Halleck. Et Paul le regarda, reconnaissant une phrase de la Bible Catholique Orange et se demandant : *Gurney, lui aussi, souhaiterait-il mettre un terme aux stratagèmes tortueux ?*

Le regard du Duc se posa sur les fenêtres et l'obscurité au-delà, puis revint à Halleck. « Gurney, combien de ces hommes des sables as-tu réussi à persuader de rester avec nous ? »

« Deux cent quatre-vingt-six en tout, Sire. Je pense que nous devons les accepter et nous estimer heureux. Ils appartiennent à des catégories qui nous seront utiles. »

« Ils ne sont pas plus nombreux ? (Le Duc se mordit les lèvres.) Bien, alors fais dire que... »

Il fut interrompu par un bruit au-dehors. Puis Duncan surgit entre les gardes, parcourut toute la longueur de la table et se pencha pour parler à l'oreille du Duc. Celui-ci tendit la main : « Parle à voix haute, Duncan. Comme tu peux le voir, ceci est une réunion stratégique. »

Paul examinait Idaho et retrouvait ces mouvements félins, cette rapidité des réflexes qui faisaient de lui un maître d'armes bien difficile à égaler. Le visage rond et sombre d'Idaho se tourna vers lui à cet instant. Les yeux habitués aux profondeurs des cavernes ne parurent pas le reconnaître, mais Paul reconnut ce masque de sérénité qu'il connaisait bien et qui recouvrait l'excitation intérieure de l'homme. Puis le regard d'Idaho se porta sur l'assemblée et il déclara : « Nous avons surpris un parti de mercenaires harkonnens déguisés en Fremen. Ce sont les Fremens eux-mêmes qui nous ont dépêché un courrier pour nous avertir du subterfuge. Au cours de l'attaque, cependant, nous avons découvert que les Harkonnens avaient retrouvé le courrier fremen et qu'ils l'avaient gravement blessé. Il est mort alors que nous l'amenions ici pour que nos médics le soignent. Quand j'ai vu qu'il était au plus mal, je me suis arrêté pour faire ce que je pouvais. A cet instant, il a tenté de se débarrasser de quelque chose. (Idaho regarda le Duc.) C'était un couteau, Mon Seigneur, un couteau dont vous n'avez jamais vu le pareil. »

« Un krys ? » demanda quelqu'un.

« Sans aucun doute, reprit Idaho. Il est d'une blancheur de lait et il semble briller d'une lueur propre. » Il plongea la main dans sa tunique et brandit une gaine d'où sortait une poignée striée de noir.

« Laissez cette lame dans son fourreau ! »

L'injonction s'était élevée du seuil, à l'autre extrémité de la salle. La voix était vibrante, pénétrante, et tous levèrent la tête et regardèrent.

Une haute silhouette en robe se tenait sur le seuil, derrière les épées croisées des gardes. La robe était de cuir fin et elle enveloppait complètement l'homme. Seuls ses yeux étaient visibles derrière un voile noir, des yeux complètement bleus.

« Laissez-le entrer », murmura Idaho.

« Qu'on laisse passer cet homme », dit le Duc.

Les gardes hésitèrent, puis abaissèrent leurs épées.

L'homme s'avança dans la salle et s'arrêta devant le Duc.

« C'est Stilgar, le chef du sietch que j'ai visité, expliqua Idaho. Il commandait ceux qui nous ont avertis. »

« Bienvenue, dit Leto. Pourquoi ne devrions-nous pas sortir cette lame de son fourreau ? »

Le regard de Stilgar était fixé sur Idaho. « Vous observez parmi nous les coutumes d'honneur et de pureté. Je vous permettrai de voir la lame de l'homme auquel vous avez montré de l'amitié. (Les yeux bleus examinèrent toute l'assemblée.) Mais je ne connais pas ces autres hommes. Leur permettriez-vous de souiller une lame honorable ? »

« Je suis le duc Leto, dit le Duc. M'autorisez-vous à voir la lame ? »

« Je vous autorise à gagner le droit de la sortir de son fourreau », dit Stilgar et, comme un mumure de protestation se faisait entendre, il leva une main fine marquée de veines sombres et ajouta : « Je vous rappelle que cette lame était à celui qui vous montra de l'amitié. »

Dans le silence revenu, Paul étudia l'homme et perçut

l'aura de puissance qui émanait de lui. C'était un chef. Un chef *fremen*.

Un homme qui se trouvait en face de Paul, de l'autre côté de la table, murmura : « Qui est-il pour nous dire quels sont nos droits sur Arrakis ? »

« Il est dit que le duc Leto gouverne avec le consentement des gouvernés, lança le Fremen. Ainsi donc je dois vous dire ce qu'il en est : une certaine responsabilité incombe à qui voit un krys. (Il décocha un regard sombre à Idaho.) Les krys sont nôtres. Ils ne peuvent quitter Arrakis sans notre consentement. »

Halleck et plusieurs autres hommes firent mine de se lever, l'air furieux. « C'est le duc Leto qui seul décide si... », commença Halleck.

« Un moment, je vous prie. » Le Duc venait d'intervenir et la douceur de sa voix les retint. *La situation ne doit pas m'échapper*, se dit-il. Puis il s'adressa au Fremen : « Monsieur, j'honore et respecte la dignité de tout homme qui respecte la mienne. J'ai bien sûr une dette envers vous. Et je paie *toujours* mes dettes. Si votre coutume veut que ce couteau reste dans son fourreau, j'ordonnerai *moi-même* qu'il en soit ainsi. Et s'il est quelque autre manière d'honorer l'homme qui est mort à notre service, vous n'avez qu'à la nommer. »

Le Fremen regarda le Duc puis, lentement, repoussa son voile, révélant son visage au nez fin, aux lèvres pleines dans une barbe d'un noir brillant. Délibérément, il se pencha vers la surface polie de la table et cracha.

A l'instant où tous les hommes présents se dressaient d'un bond, la voix d'Idaho lança : « Arrêtez ! »

Et dans le silence tendu il reprit : « Nous te remercions, Stilgar, de nous faire le présent de l'humilité de ton corps. Et nous l'acceptons avec l'esprit dans lequel il fut offert. » Et Idaho cracha sur la table devant le Duc. Il ajouta à l'intention de ce dernier : « Rappelez-vous à quel point l'eau est précieuse, ici, Sire. C'était là un gage de respect. »

Leto se renfonça dans son siège et surprit le regard de son fils, le sourire triste sur son visage avant de percevoir la détente tout autour de lui, tandis que les hommes comprenaient.

Le Fremen regarda Idaho. « Tu t'es bien défendu dans mon sietch, Duncan Idaho. Es-tu lié par l'allégeance à ton Duc ? »

« Il me demande de me mettre à son service, Sire », dit Idaho.

« Accepterait-il une double allégeance ? » demanda le Duc.

« Vous désirez que j'aille avec lui, Sire ? »

« Je désire que tu prennes ta propre décision », reprit le Duc, et il ne parvint pas à dissimuler la tension qui habitait sa voix.

Idaho dévisagea le Fremen. « M'accepterais-tu dans ces conditions, Stilgar ? A certains moments, il me faudra revenir pour servir mon Duc. »

« Tu as bien combattu et tu as fait de ton mieux pour notre ami, dit Stilgar. (Il regarda Leto.) Qu'il en soit ainsi : l'homme Idaho garde le couteau krys qu'il tient comme signe de son allégeance envers nous. Il doit être purifié, bien sûr, et les rites doivent être observés, mais ceci peut être fait. Il sera Fremen et soldat des Atréides. Il y a un précédent à cela : Liet sert deux maîtres. »

« Duncan ? » demanda Leto.

« Je comprends, Sire. »

« Alors, c'est d'accord. »

« Ton eau est nôtre, Duncan Idaho, dit Stilgar. Le corps de notre ami reste auprès de ton Duc. Son eau est l'eau des Atréides. C'est le lien entre nous. »

Leto soupira, regarda Hawat, cherchant les yeux anciens du Mentat. Hawat acquiesça avec une expression de satisfaction.

« J'attendrai en bas, reprit Stilgar, tandis qu'Idaho dira adieu à ses amis. Turok était le nom de notre ami mort. Souvenez-vous-en quand viendra le moment de libérer son esprit. Vous êtes amis de Turok. » Et il se détourna pour quitter la salle.

« Ne resterez-vous pas un instant ? » demanda Leto.

Le Fremen le regarda, ramena le voile devant son

visage d'un geste désinvolte et mit quelque chose en place. Paul entrevit une sorte de tube très fin avant que le voile retombe.

« Y a-t-il une raison pour que je demeure ? » demanda Stilgar.

« Nous serions honorés. »

« L'honneur exige que je sois ailleurs avant peu », répondit le Fremen. Il décocha un regard à Idaho puis franchit le seuil entre les gardes.

« Si les autres Fremens lui ressemblent, notre accord sera bénéfique », déclara le Duc.

« Il constitue un bon échantillon, Sire », dit Idaho d'une voix sèche.

« Tu comprends ce que tu t'apprêtes à faire, Duncan ? »

« Je suis votre ambassadeur auprès des Fremens, Sire. »

« Il dépendra beaucoup de toi, Duncan. Nous allons avoir besoin d'au moins cinq bataillons de ces gens avant l'arrivée des Sardaukars. »

« Pour cela, il faudra du travail, Sire. Les Fremens sont plutôt indépendants. (Idaho hésita puis poursuivit :) Autre chose, Sire. L'un des mercenaires que nous avons abattus essayait de prendre cette lame à notre ami fremen mort. Il nous a dit que les Harkonnens offraient un million de solaris au premier homme qui leur rapporterait un couteau krys. »

Leto se redressa, surpris. « Pourquoi donc désireraient-ils à ce point une de ces lames ? »

« Le couteau est fait dans une dent de ver des sables. C'est l'emblème des Fremens, Sire. Avec lui, un homme aux yeux bleus peut pénétrer dans n'importe quel sietch Ils m'arrêteraient si je n'étais connu. Je n'ai pas l'air d'un Fremen. Mais... »

« Piter de Vries », dit le Duc.

« Un homme d'une ruse diabolique, Mon Seigneur », dit Hawat.

Idaho glissa l'arme dans son fourreau sous sa tunique.

« Garde ce couteau », dit le Duc.

« Je sais, Mon Seigneur. (Idaho tapota sur le transmetteur placé dans sa ceinture.) Je vous contacterai dès que possible. Thufir est en possession de mon code d'appel. Utilisez le langage de bataille. » Puis il salua, pivota et suivit le Fremen.

Ses pas résonnèrent au long du couloir. Le Duc et Hawat échangèrent un regard de compréhension. Ils sourirent.

« Nous avons beaucoup à faire, Sire », dit Halleck.

« Et je te distrais de ta tâche », dit Leto.

« J'ai ici les rapports concernant les bases avancées. Dois-je attendre une prochaine fois pour vous les communiquer ? »

« Ce sera long ? »

« Pas en résumé, Sire. Parmi les Fremens, on dit que plus de deux cents de ces bases avancées ont été construites sur Arrakis durant la période où la planète constituait une Station Expérimentale de Botanique du Désert. Toutes sont censées avoir été abandonnées mais certains rapports indiquent qu'elles furent scellées auparavant. »

« Il y aurait du matériel à l'intérieur ? »

« Oui, selon les rapports de Duncan. »

« Où se trouvent-elles ? » demanda Halleck.

« La réponse à cette question est invariablement : Liet le sait. »

« Dieu le sait », murmura Leto

« Peut-être pas, Sire, dit Hawat Vous avez entendu Stilgar prononcer ce nom. N'aurait-il pu faire allusion à une personne réelle ? »

« Servir deux maîtres, dit Halleck Cela évoque une citation religieuse. »

« Tu devrais la connaître », dit le Duc. Et Halleck sourit.

« L'Arbitre du Changement, reprit Leto, l'écologiste impérial, Kynes .. Ne pourrait-il connaître l'emplacement de ces bases ? »

« Sire, fit remarquer Hawat, ce Kynes est au service de l'Empereur. »

« Et il est aussi très loin de l'Empereur. Je veux ces bases. Elles doivent être pleines de matériaux que nous pouvons récupérer et utiliser pour la réparation de notre équipement. »

« Sire ! Ces bases sont légalement le fief de Sa Majesté ! »

« Ici, le climat est assez rude pour détruire n'importe quoi, dit le Duc. Nous pourrons toujours le rendre responsable. Trouvez ce Kynes et essayez au moins de savoir si ces bases existent vraiment. »

« Il pourrait être dangereux de les réquisitionner, dit Hawat. Duncan a clairement établi une chose : ces bases ou ce qu'elles représentent ont, pour les Fremens. une signification profonde. Nous pourrions nous les aliéner en nous en emparant. »

Paul examina les visages autour de lui et vit avec quelle intensité chacun des hommes présents écoutait la moindre parole prononcée. Tous semblaient profondément troublés par l'attitude de son père.

« Ecoutez-le, Père, dit Paul à voix basse. Il dit vrai. »

« Sire, reprit Hawat, il se peut que ces bases nous donnent le matériel nécessaire pour réparer l'équipement qui nous a été laissé, mais elles peuvent aussi bien être hors de notre portée pour des raisons stratégiques Il serait téméraire d'agir sans autre information. Ce Kynes détient l'autorité d'un arbitre de l'Imperium. Nous ne devons pas l'oublier. Et les Fremens lui obéissent. »

« Dans ce cas, agissez en douceur, dit le Duc. Je désire seulement savoir si ces bases existent. »

« Comme vous voudrez, Sire. » Hawat se rassit et baissa les yeux.

« Très bien. Nous savons ce qui nous attend : du travail. Nous y avons été préparés. Nous en avons l'expérience. Nous savons quelles seront nos récompenses et les risques sont suffisamment clairs. Chacun de vous a ses attributions. (Le Duc regarda Halleck.) Gurney, occupe-toi d'abord de la question des contrebandiers. »

« Je vais donc me porter au-devant des rebelles qui vivent au pays sec », psalmodia Halleck.

« Un de ces jours, dit le Duc, je le surprendrai sans la moindre citation et ce sera comme s'il était tout nu. »

Il y eut des rires autour de la table, mais Paul y décela l'effort.

Son père se tourna vers Hawat. « Etablis un autre poste de commandement pour les communications et les renseignements à cet étage, Thufir. Je te verrai quand ce sera prêt. »

Hawat se leva et son regard fit le tour de la pièce comme s'il cherchait quelque soutien. Puis il se retourna et se dirigea vers le seuil. Tous les hommes se levèrent en hâte dans un grand bruit de chaises et le suivirent avec quelque confusion.

La confusion, songea Paul. *Cela s'achève dans la confusion.* Ses yeux ne quittaient pas les dos des hommes qui s'éloignaient. Auparavant, les réunions s'étaient toujours terminées dans une atmosphère de décision mais celle-ci semblait s'être effritée, usée par ses propres insuffisances. Et, pour la première fois, Paul se permit de songer à la possibilité d'une défaite. Et cela ne venait pas de la peur qu'il aurait pu éprouver ni des avertissements, comme celui de la Révérende Mère. Il affrontait simplement cette idée, ayant estimé de lui-même la situation.

Mon père est désespéré, se dit-il. *Les choses ne tournent pas bien du tout pour nous.*

Et Hawat. Il se souvenait soudain des réactions du vieux Mentat durant la conférence, de ses hésitations subtiles, de sa nervosité. Quelque chose troublait Hawat, profondément.

« Il serait mieux que tu restes ici pour cette nuit, mon fils, dit le Duc. L'aube viendra bientôt, de toute façon. Je vais en informer ta mère. (Lentement, il se leva, le corps roide.) Pourquoi ne rassemblerais-tu pas quelques chaises pour t'y étendre et essayer de te reposer ? »

« Je ne suis pas très fatigué, Père. »

« Comme tu voudras. »

Le Duc croisa les mains dans son dos et se mit à marcher de long en large devant la table.

Un animal en cage, songea Paul.

« Envisagez-vous de discuter de la possibilité d'une traîtrise avec Hawat ? » demanda-t-il.

Le Duc s'arrêta devant lui et leva le visage vers les fenêtres obscures. « Nous avons maintes fois évoqué cette possibilité. »

« La vieille femme semblait sûre d'elle. Et le message que Mère... »

« Des précautions ont été prises, dit le Duc. (Son regard fit le tour de la pièce et Paul découvrit un éclat sauvage dans ses yeux.) Reste ici. Je dois maintenant aller discuter des postes de commandement avec Thufir. » Il quitta la pièce en répondant d'un bref signe de tête au salut des gardes.

Paul n'avait pas bougé. Son regard n'avait pas quitté l'endroit où s'était tenu son père et il lui semblait que cet endroit était vide depuis longtemps. Et il se souvenait de l'avertissement de la vieille femme : « ... Quant à ton père... Il n'y a rien à faire pour lui »

> En ce premier jour où Muad'Dib parcourut les rues d'Arrakeen avec sa famille, il se trouva certaines gens au long du chemin pour se souvenir des légendes et des prophéties et se risquer à crier : « Madhi ! » Mais ce cri était plus une question qu'une affirmation, car ils pouvaient seulement espérer qu'il était bien celui annoncé comme le Lisanal-Gaib, la Voix du Dehors. Et l'attention de ces gens était également fixée sur la mère car ils avaient entendu dire qu'elle était Bene Gesserit et il était évident à leurs yeux qu'elle était comme l'autre Lisanal-Gaib.
>
> *Extrait du* Manuel de Muad'Dib,
> *par la Princesse Irulan.*

UN garde conduisit le duc jusqu'à la chambre d'angle où Thufir Hawat se trouvait, seul. Le lieu était tranquille. On entendait seulement les hommes qui, dans la pièce voisine, procédaient à l'installation du matériel de transmission. Le Mentat se leva de derrière une table jonchée de papiers tandis que le Duc examinait la pièce. Les murs étaient verts et l'unique mobilier, en dehors de la table, consistait en trois fauteuils à suspenseurs dont le H d'Harkonnen avait été dissimulé en hâte par une touche de couleur.

« Ils sont tout à fait sûrs, dit Hawat. Où est Paul, Sire ? »

« Je l'ai laissé dans la salle de conférences. J'espère

que cela lui permettra peut-être de prendre quelque repos. »

Hawat acquiesça. Puis il marcha jusqu'à la porte ouverte sur la pièce voisine et la ferma, faisant taire la rumeur de statique et de grésillements électriques.

« Thufir, dit le Duc, je songe aux stocks d'épice de l'Empereur et des Harkonnens. »

« Mon Seigneur ? »

Le Duc plissa les lèvres. « Des entrepôts, cela peut se détruire. (Il tendit la main pour interrompre Hawat.) Non, laissons de côté les réserves de l'Empereur. Mais lui-même se réjouirait secrètement de voir les Harkonnens dans l'embarras. Quant au Baron, comment pourrait-il se plaindre de la destruction d'un stock qu'ouvertement il ne peut posséder ? »

Hawat secoua la tête. « Nous ne pouvons risquer que bien peu d'hommes, Sire. »

« Prends-en à Idaho. Et peut-être certains Fremens apprécieraient-ils un voyage loin de cette planète. Un raid sur Giedi Prime. Une telle diversion comporterait des avantages tactiques certains, Thufir. »

« Comme vous le désirez, Mon Seigneur. » Hawat se détourna et le Duc perçut la nervosité du vieil homme et songea : *Peut-être croit-il que je ne lui fais pas confiance. Il doit savoir que l'on m'a rapporté la présence de traîtres. Eh bien, il vaut mieux calmer ses craintes immédiatement.*

« Thufir, commença-t-il, étant donné que tu es l'un des rares hommes auxquels je puisse faire totalement confiance, il est un autre sujet dont nous devons discuter. Nous savons tous deux à quel point nous devons être vigilants en permanence pour empêcher que des traîtres s'infiltrent parmi nos forces... mais j'ai reçu deux nouveaux rapports. »

Hawat se retourna et le regarda. Et Leto lui répéta ce que lui avait dit Paul.

Il s'était attendu à une concentration Mentat immédiate et intense, mais ses paroles parurent augmenter encore l'agitation d'Hawat. Il étudia le vieux Mentat et dit : « Tu m'as caché quelque chose, mon vieil ami. Ta nervosité durant la conférence aurait dû me le faire soupçonner Qu'est-ce donc de si grave que tu n'aies pu te résoudre à parler devant tous ? »

Les lèvres anciennes tachées de jus de sapho se refermèrent en une étroite ligne d'où irradiaient de minuscules rides. Et elles ne perdirent rien de leur raideur tandis qu'Hawat parlait. « Mon Seigneur, je ne sais vraiment pas comment vous rapporter cela. »

« Nous avons partagé bien des cicatrices, Thufir. Tu sais que tu peux me rapporter n'importe quoi. »

Mais Hawat continua de le regarder en silence. Il pensait : *C'est ainsi que je le préfère. Voilà bien l'homme d'honneur qui mérite toute ma loyauté et mon dévouement. Pourquoi faut-il que je le fasse souffrir ?*

« Eh bien ? » demanda le Duc.

Hawat haussa les épaules. « Il s'agit d'un fragment de note. Nous l'avons pris à un courrier harkonnen. Il était adressé à un agent du nom de Pardee. Nous avons de bonnes raisons de penser que Pardee était à la tête du dispositif harkonnen. Cette note... elle peut avoir de graves conséquences ou pas du tout. Elle est susceptible d'être interprétée de diverses façons. »

« Qu'y a-t-il de si délicat dans son contenu ? »

« Un fragment, Mon Seigneur. Incomplet. C'était un film minimic auquel était fixée, comme d'habitude, une capsule destructrice. Nous avons arrêté l'action de l'acide juste avant qu'il eût tout détruit et nous n'avons pu garder qu'un fragment. Cependant, ce fragment est particulièrement suggestif. »

« Oui ? »

Hawat porta une main à ses lèvres. « Il dit : ... *et on ne soupçonnera jamais et quand le coup lui sera porté par une main aimée, son origine même suffira à le détruire.* J'ai authentifié le sceau personnel du Baron. »

« L'identité de la personne que tu soupçonnes me paraît évidente », dit le Duc, et il y avait de la froideur dans sa voix.

« Je me trancherais le bras plutôt que de vous blesser, Mon Seigneur. Mais si... »

« Dame Jessica, dit le Duc. (Et il sentit la fureur l'envahir, l'embraser.) N'as-tu pas obtenu confirmation de ce Pardee ? »

« Malheureusement, il n'était déjà plus du monde des vivants quand nous avons intercepté ce courrier. Et ce dernier, j'en suis certain, ignorait tout du contenu du message. »

« Je vois. »

Il secoua la tête et songea : *Quelle écœurante manœuvre ! Il n'y a rien de vrai là-dedans. Je connais ma femme.*

« Mon Seigneur, si... »

« Non ! aboya le Duc. Il y a dans tout ceci une faute qui... »

« Nous ne pouvons l'ignorer, Mon Seigneur. »

« Elle est avec moi depuis seize ans ! Elle a disposé d'innombrables occasions pour... Et tu as toi-même enquêté à l'Ecole ! »

« On sait que certaines choses m'échappent », dit Hawat avec amertume.

« Mais c'est impossible, te dis-je ! Les Harkonnens visent à détruire *toute la lignée* des Atréides, Paul y compris. Ils ont déjà essayé une fois. Une femme pourrait-elle conspirer contre son propre fils ? »

« Peut-être ne conspire-t-elle pas contre lui ? La tentative d'hier pourrait n'avoir été qu'une subtile comédie. »

« Ce n'était pas une comédie. »

« Sire, elle est censée tout ignorer de son ascendance. Mais si jamais elle la connaît ? Qu'en serait-il si elle était orpheline, disons à cause des Atréides ? »

« Elle aurait agi depuis longtemps. Elle aurait glissé du poison dans mon verre... Ou elle m'aurait poignardé la nuit. Qui pourrait avoir de meilleures occasions qu'elle ? »

« C'est *vous* que les Harkonnens veulent détruire, Mon Seigneur. Leur intention n'est pas seulement de tuer. Il existe toute une gamme de moyens bien distincts dans l'art de la rétribution. Cette vendetta pourrait être un chef-d'œuvre entre toutes. »

Les épaules du Duc s'affaissèrent. Il ferma les paupières et parut ainsi très vieux et très las. *Cela ne peut être,* se dit-il. *Elle m'a ouvert son cœur.*

« Est-il meilleur moyen de me détruire qu'en semant le soupçon à l'égard de la femme que j'aime ? » demanda-t-il.

« C'est une interprétation à laquelle j'ai réfléchi, dit Hawat. Pourtant... »

Le Duc rouvrit les yeux, regarda le Mentat et pensa : *Qu'il soupçonne. Soupçonner est son métier, pas le mien. Si je parais croire cela, peut-être quelque autre personnage commettra-t-il une imprudence...*

« Que suggères-tu ? »

« Dans l'immédiat, une surveillance constante, Mon Seigneur. Il ne faut pas la perdre de vue, à aucun instant. Je veillerai à ce que ce soit fait discrètement. Pour ce travail, Idaho serait l'homme idéal. Nous pourrions peut-être le rappeler d'ici à une semaine. Nous disposons d'un jeune élément qui a été entraîné dans les troupes d'Idaho. Nous pourrions l'envoyer en remplacement auprès des Fremens. Il est très doué pour la diplomatie. »

« Nous ne pouvons courir le risque de rompre notre unique lien avec les Fremens. »

« Bien sûr que non, Sire. »

« Et Paul ? »

« Il conviendrait peut-être de prévenir le docteur Yueh. »

Le Duc lui tourna le dos. « Je m'en remets à toi. »

« Je serai discret, Mon Seigneur. »

Au moins puis-je compter sur cela, se dit le Duc. « Je vais aller faire un tour, Thufir. Si tu as besoin de moi, je serai à l'intérieur du périmètre. La garde peut... »

« Mon Seigneur, avant de partir j'aimerais que vous lisiez un clip que j'ai là. C'est une première analyse approximative de la religion fremen. Vous vous souvenez que vous m'avez demandé un rapport à ce sujet. »

Le Duc s'arrêta mais ne se retourna pas. « Cela ne peut-il attendre ? »

« Bien entendu, Mon Seigneur. Mais vous m'avez demandé ce qu'ils criaient. C'était *Madhi !* et le terme était adressé au jeune maître. Quand ils... »

« A Paul ? »

« Oui, Mon Seigneur. Une de leurs légendes, une prophétie, dit qu'il leur viendra un chef, l'enfant d'une Bene Gesserit, qui les conduira à la vraie liberté. C'est le thème habituel du messie. »

« Ils croient que Paul est ce... ce... »

« Ils l'espèrent seulement, Mon Seigneur. » Hawat lui tendit la capsule contenant le clip de bobine.

Le Duc la prit et la glissa dans une poche. « Je le regarderai plus tard. »

« Certainement, Sire. »

« Pour l'instant, il me faut... réfléchir. »

« Oui, Sire. »

Le Duc inspira profondément et se dirigea vers la porte. Il tourna sur sa droite vers le hall. Il marchait les mains croisées dans le dos, n'accordant que peu d'attention au lieu. Corridors, escaliers, balcons, salles... Et des gens qui le saluaient, qui s'écartaient sur son chemin.

Il finit par revenir à la salle de conférences, qu'il trouva dans l'obscurité. Paul s'était endormi sur la table. Le manteau d'un garde le recouvrait et sa tête reposait sur un sac à paquetage. Doucement, le Duc traversa la pièce et sortit sur le balcon qui dominait le terrain de débarquement. Un garde se trouvait là, dans l'angle. Il reconnut le Duc dans la faible clarté et se mit au garde-à-vous.

« Repos », murmura le Duc. Il s'appuya à la rambarde. Le métal était froid.

L'aube s'annonçait sur la cuvette désertique. Il leva les yeux. Loin au-dessus, les étoiles étaient déployées en une écharpe étincelante sur le bleu-noir du ciel. Juste au ras de l'horizon du sud, la seconde lune brillait dans un halo de poussière. Une lune étrange à la clarté sinistre. Et tandis que le Duc la contemplait, elle glissa derrière les collines du Bouclier, les couvrit un instant de gel. Dans l'obscurité soudain plus dense, Leto eut froid et il frissonna.

La colère jaillit en lui.

Les Harkonnens m'ont tourmenté, m'ont pourchassé, m'ont traqué pour la dernière fois. Des êtres de fiente aux âmes mesquines ! Mais je suis là, maintenant ! Et je dois gouverner avec l'œil autant qu'avec mes serres, comme un faucon règne sur des oiseaux plus faibles. La tristesse l'effleura. Inconsciemment, sa main se porta jusqu'à l'emblème qui ornait sa poitrine.

A l'est, un faisceau de lumière grise monta dans la nuit, puis ce fut une opalescence nacrée et les étoiles en furent estompées. Alors vint le long, le lent sillage de l'aube sur l'horizon brisé.

La scène était d'une telle beauté que toute l'attention du Duc fut capturée en cet instant.

Certaines choses, pensa-t-il, *mendient notre amour.*

Jamais il n'avait imaginé qu'il pût y avoir quelque chose d'aussi beau que cet horizon rouge, tourmenté, ces falaises d'ocre et de pourpre. Par-delà le terrain de débarquement, là où la rosée de la nuit avait apporté la vie aux graines hâtives d'Arrakis, il découvrait maintenant des lagunes de fleurs rouges sur lesquelles se posait une trame de violet... pas de géants invisibles.

« C'est une merveilleuse matinée, Sire », dit le garde.

« Oui. »

Il hocha la tête et pensa : *Peut-être cette planète pourra-t-elle en devenir une, véritablement. Peut-être sera-t-elle un bon foyer pour mon fils.*

Puis il aperçut les silhouettes humaines qui se déplaçaient dans les champs de fleurs et qui les balayaient de leurs étranges outils en forme de faucilles. Des ramasseurs de rosée. L'eau était si précieuse ici.

Ce monde peut aussi être hideux.

[illegible] de l'horizon du sud, [illegible] brillait dans un [illegible]
[illegible] que le Duc la contemplait, [illegible]
[illegible]
[illegible] trahison.

La colère [illegible]

Les Harkonnens [illegible]
[illegible]

[illegible] efficace. [illegible]
l'emplacement [illegible]

A [illegible] un fragment de [illegible] dans la nuit, puis [illegible]
[illegible]

[illegible]

[illegible] de l'ultra[illegible]

[illegible]

C'est une merveilleuse [illegible]

Il [illegible]

Puis il [illegible]

[illegible]

> « Il n'est probablement pas de révélation plus terrible que l'instant où vous découvrez que votre père est un homme... fait de chair. »
>
> *Extrait de* Les dits de Muad'Dib, *par la Princesse Irulan*.

« JE déteste cela, Paul, dit le Duc, mais il le faut. »

Il se tenait à côté du goûte-poison portatif que l'on avait apporté dans la salle de conférences pour leur petit déjeuner. Les bras de l'appareil qui reposaient mollement sur la table évoquaient pour Paul quelque étrange insecte mort.

Le regard du Duc était fixé, par-delà les fenêtres, sur le terrain où la poussière tourbillonnait dans le matin.

Devant lui, Paul avait une visionneuse chargée d'un clip de bobine sur les pratiques religieuses des Fremens. Les renseignements portés sur le clip avaient été recueillis par l'un des spécialistes de Hawat et Paul était troublé par les références à lui-même qu'il y découvrait.

« *Madhi !* »

« *Lisanal-Gaib !* »

En fermant les yeux, il se rappelait les cris de la foule. *Ainsi, c'est là ce qu'ils espèrent,* songea-t-il. Il se rappelait aussi ce qu'avait dit la Révérende Mère : Kwisatz Haderach. Et ce souvenir éveillait cette sensation d'un but terrible qu'il connaissait déjà, peuplait ce monde étrange d'impressions familières qu'il ne pouvait comprendre pourtant.

« Je déteste cela », répéta le Duc.

« Que voulez-vous dire, Père ? »

Leto se retourna et regarda son fils. « Les Harkonnens pensent m'abuser en me faisant perdre ma confiance à l'égard de ta mère. Ils ignorent que je perdrais encore plus facilement confiance envers moi-même. »

« Je ne comprends pas. »

A nouveau, Leto se tourna vers les fenêtres. Le soleil blanc était à présent dans son quadrant matinal. Au travers des nuages de poussière qui flottaient sur les canyons perdus du Bouclier, la lumière était laiteuse.

Lentement, à voix basse pour contenir sa colère, le Duc rapporta à son fils le contenu du mystérieux fragment de message.

« Vous pourriez tout aussi bien vous défier de moi », dit Paul.

« Il faut qu'ils croient avoir réussi. Il faut qu'ils me croient assez idiot pour cela. Cela doit paraître authentique. Même ta mère ne doit rien connaître de ce simulacre. »

« Mais pourquoi, Père ? »

« Il ne faut pas qu'elle réponde par un acte. Oh, bien sûr, elle pourrait être sublime... mais trop de choses sont en jeu. J'espère démasquer le traître. Il est nécessaire que l'on croie que j'ai été totalement dupé. Il faut qu'elle soit ainsi blessée, afin de ne point l'être plus douloureusement. »

« Pourquoi me dites-vous cela, Père ? Je pourrais le répéter. »

« Ils ne te surveilleront pas à ce sujet. Tu garderas le secret. Il le faut. (Le Duc s'approcha encore des fenêtres et reprit sans se retourner.) De cette manière, si quelque chose venait à m'arriver, tu pourrais lui dire la vérité, que je n'ai jamais douté d'elle, pas un instant. Il faut qu'elle le sache. »

Paul perçut les pensées de mort qui hantaient son

père et il dit vivement : « Il ne vous arrivera rien, Père. Le... »

« Silence, mon fils. »

Il contempla le dos de son père, décela la fatigue dans le maintien de son cou, la ligne de ses épaules, la lenteur de ses mouvements.

« Vous êtes seulement un peu fatigué, Père. »

« Je suis fatigué, oui, dit le Duc. Moralement. Sans doute la dégénérescence des Grandes Maisons a-t-elle fini par me toucher. Et puis, nous étions si puissants, à une époque. »

« Notre Maison n'a pas dégénéré, elle ! » s'écria Paul, avec colère.

« Vraiment ? »

Le Duc se retourna et affronta son fils. Il y avait des cercles sombres autour de ses yeux à l'éclat dur. Le pli de sa bouche était cynique. « J'aurais dû épouser ta mère, la faire Duchesse. Pourtant... l'espoir subsiste pour certaines Maisons de pouvoir s'allier à moi par leurs filles qui sont en âge de se marier. (Il haussa les épaules.) Aussi, j'ai... »

« Mère m'a expliqué cela. »

« Rien ne saurait acquérir autant de loyauté à un chef que son air de bravoure, dit le Duc. J'ai donc conservé un air de bravoure. »

« Vous commandez bien, vous gouvernez bien, protesta Paul. Les hommes vous suivent de plein gré et vous aiment. »

« Mon service de propagande est l'un des meilleurs qui soient, dit le Duc et, de nouveau, il reporta son attention sur le paysage. Les possibilités sont pour nous plus nombreuses ici, sur Arrakis, que ne peut le soupçonner l'Imperium. Pourtant, parfois, je me prends à penser qu'il eût été meilleur pour nous de nous échapper, de devenir une Maison renégate. A certains moments, j'aimerais plonger dans l'anonymat au sein des autres gens, devenir moins exposé à... »

« Père ! »

« Oui, je suis fatigué, dit le Duc. Sais-tu que nous

utilisons déjà les résidus d'épice comme matériau brut et que nous fabriquons nous-mêmes notre support de films ? »

« Oui ? »

« Nous ne pouvons nous permettre d'en manquer. Autrement, comment pourrions-nous inonder villes et villages de nos informations ? Il faut que le peuple sache que je gouverne bien. Et comment le saurait-il si nous ne lui disions pas ? »

« Vous devriez vous reposer », dit Paul.

A nouveau, son père le regarda. « Il est un autre avantage d'Arrakis que j'allais oublier de mentionner. L'épice, ici, est partout. On le mange, on le respire dans toute chose. Et j'ai découvert que cela crée une immunité naturelle à certains des poisons les plus communs du Guide des Assassins. Toute la production alimentaire — graisses, hydroponiques, nourritures chimiques — est strictement surveillée afin que la moindre goutte d'eau ne soit pas gaspillée. Il nous est impossible de tuer une fraction de la population en nous servant de poison, et il est également impossible de nous attaquer de cette manière. Arrakis nous donne l'honnêteté et la moralité. »

Paul voulut intervenir, mais le Duc reprit : « Il faut que je puisse dire ces choses à quelqu'un, mon fils. (Il soupira et son regard revint au paysage desséché d'où les fleurs avaient à présent disparu, piétinées par les ramasseurs de rosée, flétries par les premiers rayons du soleil.) Sur Caladan, nous régnions par la mer et par les airs. Ici, il nous faut rechercher le pouvoir sur le désert. Ce sera ton héritage, Paul. Si quelque chose m'arrivait, qu'adviendrait-il de toi ? Tu ne régnerais pas sur une Maison renégate mais sur une Maison de guérilla, fuyant, traqué... »

Paul chercha ses mots et n'en trouva point. Jamais il n'avait vu son père aussi abattu.

« Pour garder Arrakis, reprit le Duc, il faut prendre des décisions qui peuvent vous coûter le respect de vous-même. (Il tendit la main vers les fenêtres, désignant la bannière noire et verte des Atréides qui pendait, inerte, à l'autre extrémité du terrain.) Il se peut qu'un jour cet honorable emblème représente bien des choses mauvaises. »

Paul avait la gorge sèche. Les paroles de son père lui semblaient futiles, emplies d'un fatalisme qui lui procurait une sensation de vide dans la poitrine.

Le Duc prit une tablette antifatigue dans sa poche et l'avala. « Le pouvoir et la peur, dit-il. Les outils du gouvernement. Il faut que je donne des ordres pour que l'on interdise ton entraînement à la guérilla. Et tu as vu ce clip de bobine ? Ils t'appellent *Madhi, Lisanal-Gaib*... En dernier recours, tu pourrais te reposer là-dessus. »

Paul vit que les épaules de son père se redressaient. La tablette faisait son effet. Mais il ne parvenait pas à oublier les paroles de doute et de crainte qu'il avait entendues.

« Qu'est-ce qui retient cet écologiste ? murmura le Duc. J'avais dit à Thufir que je voulais le voir aussitôt que possible. »

Mon père, l'Empereur Padishah, me prit un jour par la main et je sentis, grâce à ce que ma mère m'avait enseigné, qu'il était troublé. Il me conduisit à l'extrémité de la Salle des Portraits, jusqu'au simulego du duc Leto Atréides. Je notai la ressemblance frappante qui existait entre eux — entre mon père et l'homme du portrait. Tous deux avaient le même visage fin, racé, les mêmes traits acérés, le même regard froid. « Princesse ma fille, dit mon père, j'aurais aimé que tu sois plus âgée lorsque est venu pour cet homme le moment de se choisir une femme. » Mon père avait soixante et onze ans alors et il ne paraissait pas plus vieux que l'homme du portrait. Je n'avais que quatorze ans mais je me souviens d'avoir compris en cet instant que mon père avait souhaité en secret que le Duc fût son fils et qu'il haïssait les nécessités politiques qui faisaient d'eux des ennemis.

Extrait de Dans la Maison de Mon Père,
par la Princesse Irulan.

LE docteur fut bouleversé par sa première rencontre avec ceux qu'on lui avait ordonné de trahir. Il se vantait d'être un scientifique pour qui les légendes ne représentaient qu'autant d'indices intéressants sur les racines d'une culture, et pourtant le garçon correspondait si exactement à l'ancienne prophétie. Il avait « les yeux quêteurs » et l'attitude de « réserve candide ».

Certes, la prophétie ne précisait pas si la Déesse Mère

devait arriver en compagnie du Messie ou si elle l'introduirait sur la scène quand le temps serait venu. La relation, pourtant, n'en était pas moins étrange entre ces gens et les prédictions.

La rencontre eut lieu dans la matinée, près du bâtiment administratif du terrain de débarquement. Un ornithoptère sans marque distinctive était posé à l'écart. Il bourdonnait doucement, comme un gros insecte somnolent. Un garde atréides était posté devant, l'épée au clair et, tout autour de lui, l'air vibrait de la présence invisible du bouclier.

Kynes eut un sourire furtif et songea : *Là, Arrakis leur réserve une surprise !*

Il leva la main et ses gardes fremens s'immobilisèrent derrière lui. Il continua seul d'avancer vers l'entrée de l'immeuble, trou noir dans le rocher revêtu de plastique. Cette construction monolithique était bien vulnérable, pensait-il. Et bien moins sûre qu'une caverne.

Son attention fut alors attirée par un mouvement et il s'arrêta pour ajuster sa robe et la fixation de l'épaule gauche de son distille. Les portes s'ouvrirent et des gardes atréides en surgirent, lourdement armés : épées, boucliers, tétaniseurs à charge lente. Un homme de haute taille venait derrière ; sa peau et sa chevelure étaient sombres et ses traits étaient ceux d'un oiseau de proie. Il portait une cape jubba ornée de l'emblème des Atréides sur la poitrine, et ses mouvements révélaient qu'il n'était pas accoutumé à ce vêtement. Il lui manquait une certaine souplesse, un certain rythme aisé. Sur le côté, la cape adhérait aux jambes de son distille.

A ses côtés s'avançait un jeune garçon à la chevelure également sombre mais au traits plus ronds. Kynes savait qu'il avait quinze ans et il lui semblait un peu petit pour cet âge. Mais son jeune corps donnait pourtant une impression d'assurance, de commandement, comme s'il avait le pouvoir de discerner, de connaître des choses qui, tout autour de lui, demeuraient invisibles aux autres. Il portait la même cape que son père avec, cependant, une désinvolture pleine d'aisance qui donnait à penser que c'était là l'effet d'une longue habitude.

« *Le Madhi aura connaissance de choses que d'autres ne sauraient voir* », disait la prophétie.

Kynes secoua la tête et pensa : *Ce ne sont que des hommes.*

Il y avait quelqu'un d'autre, avec le père et le fils. Kynes le reconnut : Gurney Halleck. Il était lui aussi vêtu pour le désert. Kynes dut respirer profondément pour chasser le ressentiment qu'il éprouvait à l'égard de celui qui l'avait entretenu du comportement qu'il devait avoir en face du Duc et de son héritier.

« *Vous pouvez appeler le Duc* Mon Seigneur *ou* Sire. Noble Né *est également correct mais réservé en général pour des circonstances plus strictes. Il convient de dire* Jeune Maître *ou* Mon Seigneur *au fils. Le Duc est un homme de grande clémence mais peu enclin à la familiarité.* »

Et, tandis que le groupe continuait d'approcher, Kynes se dit : *Ils apprendront bien assez tôt qui est le véritable maître d'Arrakis. Ordonneront-ils que je sois questionné pendant une moitié de la nuit par le Mentat ? Vraiment ? Espèrent-ils que je les guide pour une inspection des gisements d'épice ? Vraiment ?*

Ce qu'impliquaient les questions d'Hawat n'avait pas échappé à Kynes. Ils voulaient les bases impériales. Et il était évident qu'ils tenaient leurs renseignements d'Idaho.

J'ordonnerai à Stilgar d'envoyer la tête d'Idaho à son Duc, se dit-il.

Ils n'étaient plus qu'à quelques pas de lui, maintenant, leurs bottes craquant dans le sable.

Kynes s'inclina : « Mon Seigneur, Duc. »

Leto, tout en approchant, n'avait pas cessé d'étudier la silhouette solitaire qui les attendait auprès de l'ornithoptère. Haute, mince, prise dans la tenue du désert. Robe, distille, bottes basses. L'homme avait rejeté en arrière le capuchon de la cape et le voile pendait sur un côté de son visage, révélant une longue chevelure couleur de sable, une barbe clairsemée. Ses yeux, sous les sourcils épais, étaient ceux, insondables, des Fremens, bleu dans le bleu. Des traces sombres marquaient encore ses orbites.

« Vous êtes l'écologiste », dit le Duc.

« Ici, nous préférons l'ancien terme, Mon Seigneur. Planétologiste. »

« Comme vous le voudrez. » Le Duc regarda son fils. « Paul, voici l'Arbitre du Changement, celui qui tranche les disputes, l'homme qui a été placé ici pour veiller à ce que soient respectées les formes, en vertu de notre pouvoir sur ce fief. (Il se tourna vers Kynes.) Voici mon fils. »

« Mon Seigneur », dit Kynes.

« Etes-vous fremen ? » demanda Paul.

Kynes sourit. « Je suis admis au sietch et au village, Jeune Maître, mais je suis au service de Sa Majesté, je suis le Planétologiste Impérial. »

Paul hocha la tête, impressionné par l'apparence de puissance de cet homme. Halleck le lui avait montré depuis l'une des plus hautes fenêtres du bâtiment. « Cet homme. Là-bas, avec l'escorte fremen... celui qui marche vers l'ornithoptère, maintenant. »

Et Paul avait brièvement examiné Kynes à la jumelle, notant la bouche mince et droite, le front haut. Halleck lui avait soufflé à l'oreille : « Bizarre bonhomme. Lorsqu'il parle, ses mots sont comme coupés au rasoir. Tout est net. Ses paroles n'ont pas de franges. »

Et le Duc, derrière eux, avait ajouté : « Le genre scientifique. »

Et maintenant, à quelques pas de Kynes, Paul percevait sa puissance, l'impact de sa personnalité. C'était comme si l'homme était de sang royal, né pour commander.

« Je crois que nous vous devons des remerciements pour nos distilles et nos capes », dit le Duc.

« J'espère qu'ils vous conviennent, Mon Seigneur, repartit Kynes. Ils sont de fabrication fremen et ils devraient correspondre aux mesures qui m'ont été données par votre homme, Halleck, ici présent. »

« J'ai été ennuyé d'apprendre que vous ne pouviez nous accompagner dans le désert sans que nous soyons ainsi vêtus. Nous pouvons emporter beaucoup d'eau. Nous n'avons pas l'intention de nous absenter longtemps et, de plus, nous disposerons d'une couverture aérienne — l'escorte que vous pouvez apercevoir au-dessus de nous. Il est peu probable que nous soyons contraints de nous poser. »

Kynes le regarda. Il voyait toute la graisse pleine d'eau qui enveloppait cet homme. Il parla, la voix froide : « On ne parle jamais de probabilités, sur Arrakis. On ne parle que de possibilités. »

Halleck se raidit. « On dit Mon Seigneur ou Sire au Duc ! »

Mais Leto lui adressa le signe privé qui lui intimait l'ordre d'abandonner et il dit : « Nous sommes neufs, ici, Gurney. Nous devons faire des concessions. »

« Comme vous voulez, Sire. »

« Nous sommes vos obligés, docteur Kynes, reprit Leto. Nous n'oublierons pas ces vêtements et le souci de notre bien-être dont vous avez témoigné. »

Impulsivement, Paul cita la Bible Catholique Orange : « Tout cadeau est la bénédiction de celui qui donne. »

Les mots parurent résonner très fort et très longuement dans l'air immobile. Les Fremens que Kynes avait laissés dans l'ombre du bâtiment s'éveillèrent et surgirent alors avec des murmures excités. L'un d'eux cria clairement : « Lisanal-Gaib ! »

Kynes se retourna et fit un geste impératif pour les repousser. Ils reculèrent en continuant de murmurer entre eux et regagnèrent l'ombre du bâtiment.

« Très intéressant », dit le Duc.

Le regard de Kynes était dur. Il alla du père au fils. « La plupart des gens du désert sont superstitieux. Ne leur prêtez pas attention. Ils ne vous veulent aucun mal. » Mais, dans le même instant, les mots de la légende lui revenaient : « *Ils t'accueilleront avec les Mots Saints et tes cadeaux seront une bénédiction.* »

Et soudain, une définition de Kynes se cristallisa dans l'esprit de Leto, une définition en partie fondée sur le bref rapport verbal d'Hawat (l'homme est gardé et méfiant) : Kynes était un Fremen. Il était venu à eux avec une escorte de Fremens, ce qui pouvait signifier aussi, plus simplement, que ceux-ci vérifiaient leur droit récent de pénétrer librement dans les zones urbaines. Mais cette escorte semblait plutôt quelque garde d'honneur. Et Kynes, par ses façons, était un homme fier, habitué à la liberté, dont le langage et l'attitude n'étaient limités que par sa méfiance. La question de Paul avait été pertinente et directe.

Kynes était devenu un indigène.

« Ne devrions-nous pas partir, maintenant, Sire ? » demanda Halleck.

Le Duc acquiesça. « Je piloterai mon propre orni. Kynes peut s'asseoir devant moi pour me guider. Toi et Paul, vous prendrez place sur les sièges arrière. »

« Un moment, je vous prie, intervint Kynes. Avec votre permission, Sire, je vais vérifier vos tenues. »

Le Duc s'apprêta à répondre, mais Kynes insista : « Je me soucie de ma propre chair autant que de la vôtre... Mon Seigneur. Je sais quelle gorge serait tranchée si jamais il vous advenait quelque mal tandis que vous m'êtes confiés. »

Le Duc fronça les sourcils et il songea : *Quel moment délicat ! Si je refuse, cela peut l'offenser. Et cet homme peut représenter pour moi une inestimable valeur. Pourtant... le laisser ainsi pénétrer mon bouclier, porter la main sur ma personne, alors que je sais si peu de chose à son propos...*

Les pensées couraient dans son esprit, pressées par la décision à prendre.

« Nous sommes entre vos mains », dit-il enfin. Il s'avança, ouvrit sa robe et vit Halleck qui se raidissait tout entier, immobile mais prêt. « Et si vous aviez la bonté de nous expliquer ce que sont ces vêtements, vous qui vivez avec eux. »

« Certainement, dit Kynes.(Il tendit la main sous la robe et vérifia les fixations d'épaule tout en parlant.) A la base, c'est un micro-sandwich : un filtre à haute efficacité doublé d'un système d'échange de chaleur. (Il rajusta les fixations d'épaule.) La couche au contact de la peau est poreuse, perméable à la transpiration qui rafraîchit le corps... c'est le processus normal, ou presque, de l'évaporation. Les deux autres couches... (Il resserra la partie pectorale.) ... comprennent des filaments d'échange calorique et des précipitateurs de sel. Le sel est récupéré. »

Le Duc souleva docilement les bras : « Très intéressant. »

« Respirez à fond », dit Kynes.

Le Duc obéit.

Le planétologiste se pencha sur les fixations d'aisselles et rajusta l'une d'elles. « Les mouvements du corps, et surtout la respiration, reprit-il, ainsi qu'un certain effet osmotique suffisent à fournir l'énergie nécessaire au pompage. (Il libéra quelque peu la partie pectorale.) L'eau recyclée circule et aboutit dans des poches de récupération d'où vous l'aspirez grâce à ce tube fixé près de votre cou. »

Le Duc tourna le menton afin de voir l'extrémité du tube. « Efficace et simple, dit-il. Bonne fabrication. »

Kynes s'agenouilla pour examiner les fixations des jambes. « L'urine et les matières fécales sont traitées dans le revêtement des cuisses. (Il se releva, tendit la main vers la fixation du cou et souleva une pièce.) Dans le désert, vous porterez ce filtre sur le visage et ce tube viendra dans vos narines, fixé par ces pinces. Vous respirerez par la bouche, au travers du filtre, et vous rejetterez l'air par le nez, dans le tube. Avec une tenue fremen en bon état, vous ne devriez pas perdre plus d'un dé à coudre d'humidité par jour, même si vous venez à vous perdre dans le Grand Erg. »

« Un dé à coudre par jour », répéta le Duc.

Kynes appuya un doigt sur la partie du vêtement qui couvrait le front : « Il se peut que le frottement vous irrite ici. Dites-le-moi. Je pourrai resserrer la pièce. »

« Je vous remercie », dit le Duc. Et, comme Kynes reculait, il bougea les épaules et prit conscience d'une nouvelle aisance. Le vêtement était plus ajusté et l'irritait moins.

Kynes se tourna vers Paul. « Maintenant, voyons pour vous, mon garçon. »

Un homme de valeur, songea le Duc, *mais il faudra bien qu'il apprenne à nous donner nos titres.*

Paul demeura impassible tandis que Kynes examinait sa tenue. Il avait éprouvé une sensation bizarre en endossant ce vêtement brillant qui craquait au contact. Sa conscience lui disait avec certitude que jamais il n'avait porté de distille. Pourtant, tandis qu'il s'habillait avec l'assistance maladroite de Gurney, chacun de ses gestes, pour fixer les pièces, avait été comme naturel, instinctif. Lorsqu'il avait serré la partie pectorale, par exemple, pour assurer une efficacité maximale de sa respiration, il avait su parfaitement ce qu'il faisait et pour quelle raison. De même en resserrant les pièces du cou et du front, afin d'éviter la friction.

Kynes se redressa et fit un pas de recul avec une expression perplexe. « Vous avez déjà porté un distille ? » demanda-t-il.

« C'est la première fois. »

« Alors quelqu'un l'a ajusté pour vous ? »

« Non. »

« Vos bottes de désert peuvent jouer librement aux chevilles. Qui vous a appris cela ? »

« Cela m'a semblé... la meilleure façon de les porter. »

« C'est certainement la meilleure façon. »

Kynes se frotta le menton. Il pensait de nouveau à la légende : « *Il connaîtra nos usages comme s'il était né avec eux.* »

« Nous perdons du temps », dit le Duc. Il fit un geste en direction de l'orni et se mit en marche, répondant d'une brève inclination de tête au salut du garde. Il monta à bord, boucla ses courroies de sécurité et vérifia les commandes et les contrôles. L'appareil grinça comme les autres montaient à bord à leur tour.

Kynes ajusta ses courroies. Toute son attention était concentrée sur le luxe confortable de l'intérieur : tissu gris-vert et doux des sièges, instruments brillants, sensation rafraîchissante de l'air filtré au moment où les portes se fermaient, où les ventilateurs se mettaient en marche.

Tant de douceur ! songea-t-il.

« Tout est paré, Sire ! » lança Halleck.

Leto déclencha le flux d'énergie. Il le sentit gagner les ailes qui plongèrent, se relevèrent... Une fois, deux fois. En dix mètres de course ils eurent gagné les airs. Les ailes frémissaient légèrement et les fusées arrière les poussaient en altitude avec un sifflement ténu, selon une pente rapide.

« Au sud-est par-delà le Bouclier, dit Kynes. C'est là que j'ai dit à votre maître de sable de rassembler le matériel. »

« D'accord. »

Ils firent route au sud-est, sans quitter la couverture aérienne des autres ornis qui s'étaient immédiatement mis en formation de protection.

« La conception et la fabrication de ces distilles, dit le Duc, révèlent un haut degré de sophistication. »

« Un jour prochain, je vous ferai visiter une usine de sietch », dit Kynes.

« Cela m'intéresserait. Mais je crois savoir que ces vêtements sont aussi bien fabriqués dans certaines villes de garnison. »

« Ce ne sont que de mauvaises copies. Sur Dune, tout homme qui désire protéger sa peau porte un vêtement fremen. »

« Et il ne perd jamais plus d'un dé à coudre d'eau par jour ? »

« Avec une tenue bien ajustée, soigneusement serrée au front, toutes les fixations assurées, votre dépense d'eau se fait uniquement par les paumes. Vous pouvez porter des gants lorsque vous ne faites pas de travaux délicats mais, dans le désert, la plupart des Fremens préfèrent se frotter les mains avec des feuilles de créosote. Cela ralentit la transpiration. »

Le regard du Duc s'abaissa sur la gauche, vers le paysage convulsé du Bouclier. Aiguilles de rocher, taches jaunes et brunes marquées de crevasses. L'énorme muraille rocheuse semblait avoir été lancée depuis l'espace pour s'écraser là et y demeurer à jamais.

Ils survolèrent une dépression où coulait une grise rivière de sable provenant d'un canyon ouvert au sud. Sur le rocher sombre, les doigts clairs du sable formaient comme un delta figé

Kynes, immobile, songeait à toute cette graisse pleine d'eau qu'il avait sentie sous les distilles. Ils portaient des ceintures-boucliers sous leurs robes, des tétaniseurs à charge lente à la taille, des émetteurs d'alerte minuscules accrochés au cou. Le Duc et son fils avaient des couteaux fixés dans des étuis à leurs poignets et ces étuis semblaient avoir bien servi. Ce qui frappait Kynes, chez ces gens, c'était un étrange mélange de douceur et de puissance armée. Ils étaient totalement différents des Harkonnens.

« Lorsque vous ferez votre rapport sur le Changement à l'Empereur, lui direz-vous que nous avons observé les règles ? » demanda Leto. Il s'était tourné pour regarder Kynes.

« Les Harkonnens sont partis ; vous êtes venus. »

« Et tout est conforme ? »

Un muscle se raidit sur la mâchoire de Kynes, révélant une tension momentanée. « En tant que planétologiste et Arbitre du Changement, je dépends directement de l'Imperium… Mon Seigneur. »

Le Duc eut un sombre sourire. « Oui, mais nous connaissons tous deux les réalités. »

« Dois-je vous rappeler que Sa Majesté soutient mes travaux ? »

« Vraiment ? Et quels sont-ils ? »

Dans le bref silence qui suivit, Paul songea : *Il mène ce Kynes trop vite.* Il regarda Halleck mais le guerrier-baladin contemplait pour l'instant le paysage désolé.

« Bien entendu, dit Kynes avec raideur, vous faites allusion à mes travaux de planétologie. »

« Bien entendu. »

« Cela concerne surtout la biologie et la botanique des terrains secs... quelques recherches géologiques, prélèvements d'échantillons, tests. On ne saurait épuiser toutes les possibilités qu'offre une planète. »

« Faites-vous aussi des recherches sur l'épice ? »

Kynes fit face au Duc et Paul remarqua la ligne plus dure de ses mâchoires. « Voilà une curieuse question, Mon Seigneur. »

« N'oubliez pas, Kynes, que ceci est maintenant mon fief. Mes méthodes diffèrent de celles des Harkonnens. Je me soucie peu que vous étudiiez l'épice pour autant que je partage vos découvertes. (Son regard était fixe.) Les Harkonnens n'encourageaient pas les recherches sur l'épice, n'est-ce pas ? »

Kynes ne répondit pas.

« Vous pouvez parler sans craindre pour votre vie », dit le Duc.

« La Cour Impériale est certainement très loin », murmura le planétologiste. Et il songea : *Qu'espère donc cet envahisseur tout gorgé d'eau ? Me croit-il assez stupide pour me mettre à son service ?*

Le Duc eut un rire bref. Il avait reporté toute son attention sur le pilotage. « Je décèle une certaine aigreur dans votre ton. Nous avons déferlé sur ce monde avec notre armée de tueurs, hein ? Et nous espérons vous faire admettre que nous sommes différents des Harkonnens ? »

« J'ai lu la propagande que vous avez déversée dans les sietchs et les villages. Aimez le bon Duc ! Votre corps de... »

« Prenez garde ! » aboya Halleck. Il s'était soudain penché en avant, arraché à la contemplation du paysage.

Paul posa une main sur son bras.

« Gurney ! dit le Duc en se tournant pour le regarder. Cet homme a longtemps servi les Harkonnens ! »

Halleck se rassit. « Bon. »

« Votre homme, Hawat, est très subtil, reprit Kynes, mais ses intentions sont très évidentes. »

« Nous ouvrirez-vous ces bases ? » demanda le Duc.

« Elles sont la propriété de Sa Majesté », dit sèchement Kynes.

« Elles ne servent pas. »

« Elles pourraient servir. »

« Sa Majesté est-elle de cet avis ? »

Kynes le regarda durement. « Arrakis pourrait être un Eden si ceux qui la régissent se préoccupaient d'autre chose que de l'épice ! »

Il n'a pas répondu à ma question, se dit Leto. Et il demanda : « Comment pourrait-on faire un Eden de cette planète sans argent ? »

« Mais qu'est donc l'argent s'il ne vous achète pas les services qui vous sont nécessaires ? »

En voilà assez ! songea le Duc. « Nous discuterons de cela une autre fois. Pour l'instant, je crois que nous approchons du bord du Bouclier. Dois-je garder le même cap ? »

« Même cap », murmura Kynes.

Paul regarda au-dehors. Le sol crevassé s'abaissait par degrés vers une plaine de rocher nu qui s'achevait par une corniche acérée. Au-delà, les dunes étaient comme d'innombrables ongles alignés jusqu'à l'horizon. Ça et là, dans le lointain, apparaissait une tache claire, une macule sombre révélant autre chose que du sable. Des affleurements rocheux, peut-être. Dans cette atmosphère vibrante de chaleur, Paul ne pouvait en être certain.

« Y a-t-il de la végétation au-dessous de nous ? » demanda-t-il.

« Un peu, répondit Kynes. La vie, à cette latitude, est surtout représentée par ce que nous appelons les petits voleurs d'eau. Ils s'attaquent les uns les autres pour l'humidité, ils se repaissent des traces de rosée. Certains endroits du désert sont grouillants de vie. Mais toutes les créatures doivent apprendre à survivre dans les conditions rigoureuses du désert. Si *vous* vous retrouviez là en bas, il vous faudrait imiter ces créatures ou mourir. »

« Vous voulez dire que je devrais voler l'eau des autres ? » demanda Paul. Cette idée l'outrageait et sa voix révélait son émotion.

« C'est bien ainsi que cela se passe, mais ce n'est pas exactement ce que je voulais dire. Voyez-vous, mon climat exige une attitude particulière envers l'eau. Vous ne pensez qu'à l'eau, à chaque instant. Et vous ne gaspillez rien qui puisse receler de l'humidité. »

Mon climat !... pensa le Duc.

« Deux degrés plus au sud, Mon Seigneur, dit Kynes. Un grain arrive de l'ouest. »

Le Duc acquiesça. Il avait aperçu la vague de sable orangé. Il fit pivoter l'orni et remarqua le reflet orange de la poussière sur les ailes des appareils d'escorte qui épousaient sa manœuvre.

« Cela devrait nous permettre de passer au large de la tempête », dit Kynes.

« Voler au milieu de ce sable doit être dangereux, remarqua Paul. Est-ce qu'il peut vraiment entamer les métaux les plus durs ? »

« A cette altitude, ce n'est pas du sable mais seulement de la poussière. Les seuls dangers sont l'absence de visibilité, la turbulence et l'encrassage des commandes. »

« Est-ce que nous verrons des mines d'épice aujourd'hui ? »

« Très probablement. »

Paul se tut. Il avait utilisé ses questions et son hyperperception pour se livrer à ce que sa mère appelait un « enregistrement » de la personne. Il avait Kynes, maintenant. Il avait sa voix et chaque détail de son visage, de ses gestes. Un pli anormal dans la manche gauche de sa robe révélait en outre la présence d'un couteau. La taille était bizarrement renflée. On lui avait appris que les hommes du désert portaient une bourse de ceinture dans laquelle ils mettaient divers petits objets. Peut-être cela expliquait-il ce renflement qui ne pouvait être dû à une ceinture-bouclier. Une aiguille de cuivre portant l'image gravée d'un lièvre était piquée dans la robe de Kynes, près du cou. Une autre, plus petite, mais portant le même dessin, était visible sur le bord du capuchon rabattu sur les épaules.

A côté de Paul, Halleck se pencha vers le compartiment arrière et y prit sa balisette. Kynes le regarda un instant tandis qu'il accordait l'instrument, puis il reporta son attention sur le paysage.

« Qu'aimeriez-vous entendre, Jeune Maître ? » demanda Gurney Halleck.

« Choisis pour moi, Gurney. »

Halleck se pencha sur l'instrument, pinça une corde et se mit à chanter doucement :

« Nos pères vivaient de la manne du désert,
En un pays brûlant où hurlaient les vents.
Seigneur, sauvez-nous de cette affreuse terre !
Sauvez-nous... oh, oui, sauvez-nous
De la soif et du vent du désert. »

Kynes se tourna vers le Duc. « Vous voyagez avec bien peu de gardes, Mon Seigneur. Sont-ils tous doués de si nombreux talents ? »

« Comme Gurney ? (Le Duc sourit.) Gurney est un cas particulier. Je l'apprécie pour ses yeux. Peu de choses leur échappent. »

Le planétologiste se rembrunit.

Sans manquer une mesure, Halleck reprit :

« Car je suis comme un hibou sur cette terre !
Oh oui ! Comme un hibou sur cette te-erre ! »

Le Duc tendit brusquement la main vers le tableau de bord, s'empara d'un micro, l'ouvrit d'un coup de pouce et lança : « Escorte Gemma ! Escorte Gemma ! Objet volant à neuf heures dans le secteur B. L'identifiez-vous ? »

« Ce n'est qu'un oiseau », dit Kynes. Et il ajouta : « Vous avez un regard perçant. »

Le haut-parleur craqua puis une voix répondit : « Escorte Gemma. Objet examiné avec grossissement maximal. C'est un grand oiseau. »

Paul regarda dans la direction indiquée et distingua la minuscule tache lointaine qui bougeait par instants. Il prit conscience que tous les sens de son père étaient éveillés, en état d'alerte.

« J'ignorais qu'il existait des oiseaux de cette taille aussi loin dans le désert », dit le Duc.

« C'est probablement un aigle, fit Kynes. De nombreuses créatures se sont adaptées à ces régions. »

L'ornithoptère survolait à présent une plaine de rocher dénudé. Paul, deux mille mètres plus bas, discernait les ombres brisées des deux appareils. Le sol, vu de cette altitude, semblait plat mais les ombres brisées disaient le contraire.

« Quelqu'un a-t-il jamais réussi à échapper au désert ? » demanda le Duc.

Halleck cessa de jouer. Il se pencha en avant pour mieux saisir la réponse.

« Jamais au désert profond, dit Kynes. Mais, plusieurs fois, des hommes ont réussi à s'échapper de la zone secondaire. Ils n'ont réussi que parce qu'ils ont traversé les zones rocheuses où les vers s'aventurent rarement. »

Le timbre de la voix de Kynes retint l'attention de Paul. Il sentit ses sens s'éveiller ainsi qu'il s'y était entraîné.

« Ah, les vers, dit le Duc. Il faudrait que j'en voie un. »

« Vous en verrez peut-être un aujourd'hui même. Là où il y a de l'épice, il y a des vers. »

« Toujours ? » demanda Halleck.

« Toujours. »

« Existe-t-il une relation entre le ver et l'épice ? » demanda le Duc.

Dans le mouvement que fit Kynes, Paul découvrit le pli de ses lèvres.

« Les vers défendent les *sables* à épice. Chacun d'eux a un... territoire. Quant à l'épice... Qui sait ? Les spécimens de vers que nous avons pu examiner jusqu'ici nous amènent à supposer l'existence d'échanges chimiques complexes entre eux. Des traces d'acide chlorhydrique ont été relevées dans les vaisseaux et, ailleurs, on a détecté des acides plus complexes. Je puis vous confier la monographie que j'ai rédigée à ce sujet. »

« Et les boucliers sont impuissants ? » demanda le Duc.

« Les boucliers ! (Kynes grimaça un sourire.) Il suffit d'activer un bouclier dans la zone où opère le ver pour sceller votre destin. Les vers alentour ignoreront les délimitations de territoire et ils viendront de très loin pour affronter le bouclier. Aucun homme muni d'un bouclier n'a jamais survécu à ce genre d'attaque. »

« Comment se comportent donc les vers capturés ? »

« Le choc électrique à haut voltage appliqué à chaque anneau séparément est la seule façon que l'on connaisse de tuer un ver, dit Kynes. Il est possible de les étourdir et de les blesser par explosifs mais chaque anneau conserve en ce cas une vie propre. En dehors des atomiques, je ne connais aucun moyen de détruire un ver tout entier. Ils sont d'une résistance incroyable. »

« Pourquoi n'a-t-on fait aucun effort pour les éliminer ? » demanda Paul

« Cela coûterait trop cher, dit Kynes. Il y a trop de territoire à couvrir. »

Paul se renfonça dans son coin. Son sens de la vérité, sa perception des tonalités lui disaient que Kynes mentait ou ne disait que des demi-vérités. Il pensa : *S'il existe un rapport entre l'épice et les vers, en ce cas tuer les vers pourrait signifier la destruction de l'épice.*

« Bientôt, dit le Duc, nul n'aura plus à se risquer dans le désert. Il suffira de porter ces petits émetteurs autour du cou et les secours arriveront dès qu'on les appellera. Tous nos hommes en seront équipés d'ici quelque temps. Nous mettons sur pied une équipe de secours spéciale. »

« Très ingénieux », dit Kynes.

« Votre ton me laisse entendre que vous n'êtes pas d'accord. »

« Pas d'accord ? Mais si, bien sûr. Mais cela ne sera pas de très grande utilité. L'électricité statique des vers de sable brouille la plupart des signaux. Les transmissions sont interrompues. On a déjà essayé cela, voyez-vous. Arrakis consomme beaucoup de matériel. Si un ver est à vos trousses, vous ne disposez que de bien peu de temps. En général, pas plus de quinze ou vingt minutes. »

« Et que conseilleriez-vous ? » demanda le Duc.

« Vous me demandez conseil, à moi ? »

« Oui. En tant que planétologiste. »

« Et vous suivriez mon conseil ? »

« Si je le jugeais sensé. »

« Très bien, Mon Seigneur. Alors, ne voyagez jamais seul. »

Le Duc détourna son attention des commandes. « Est-ce tout ? »

« C'est tout. Ne voyagez jamais seul. »

« Et si l'on se trouve isolé par une tempête et obligé de se poser ? demanda Halleck. N'y a-t-il vraiment rien à faire ? »

« *Rien* recouvre un territoire immense. »

« Mais *vous* ? Que feriez-vous ? » demanda Paul.

Kynes lui décocha un regard acéré. « Je me souviendrais de protéger avant tout mon distille. Dans une zone sans vers, dans des rochers, je resterais à proximité de mon appareil. Dans le sable, par contre, je m'en éloignerais aussi vite que possible. Une distance de mille mètres est suffisante. Puis je me cacherais sous ma robe. Et le ver aurait l'appareil mais pas moi. »

« Ensuite ? » demanda Halleck.

Kynes haussa les épaules. « Ensuite, j'attendrais que le ver se décide à s'éloigner. »

« C'est tout ? » s'exclama Paul.

« Quand un ver s'est éloigné, on peut essayer de s'enfuir. Pour cela, il faut marcher doucement, éviter les sables-tambours, les marées de poussière et se diriger tout droit vers la zone rocheuse la plus proche. Il y en a beaucoup. Il est possible de s'en sortir, comme cela. »

« Les sables-tambours ? » dit Halleck.

« C'est un des effets de la compression du sable. Le moindre pas les fait résonner et cela attire tous les vers alentour. »

« Et les marées de poussière ? » demanda le Duc.

« Depuis des siècles, la poussière s'accumule dans les cuvettes et certaines sont si vastes qu'elles connaissent des courants et des marées qui engloutissent les imprudents. »

Halleck se rassit, reprit sa balisette et chanta :

> « Au désert chassent les bêtes sauvages,
> Guettant l'audacieux solitaire
> Qui défie les dieux du désert
> Et recherche les périls... »

Il s'interrompit net, se pencha en avant : « Nuage de poussière droit devant, Sire ! »

« Je le vois, Gurney. »

« C'est ce que nous cherchions », dit Kynes.

Paul se redressa et aperçut le nuage jaune qui roulait à la surface du désert, à quelque trente kilomètres devant eux.

« C'est une des chenilles de votre usine, reprit Kynes. Elle est en surface, ce qui signifie qu'elle travaille sur l'épice. Ce nuage est formé par le sable qu'elle rejette après l'avoir centrifugé pour en extraire l'épice. Il n'existe pas de nuage semblable. »

« J'aperçois un engin aérien au-dessus », dit le Duc.

« Il y en a deux... trois... quatre, fit Kynes. Ce sont des guetteurs. Ils attendent le signe du ver. »

« Le signe du ver ? »

« En s'avançant sur la chenille, le ver crée une vague de sable en surface. Mais il arrive aussi qu'il se déplace trop profondément pour que la vague soit visible. C'est pour cela que les guetteurs sont munis de sondes sismiques. (Kynes examina le ciel.) Je ne vois pas l'aile portante qui devrait être à proximité. »

« Et le ver finit toujours par arriver ? » demanda Halleck.

« Toujours. »

Paul toucha l'épaule de Kynes. « Quelle est l'étendue du territoire de chaque ver ? »

Le planétologiste fronça les sourcils. Ce jeune garçon ne cessait de poser des questions d'adulte.

« Cela dépend de sa taille. »

« Dans quel rapport ? » demanda le Duc.

« Les plus grands peuvent parfois contrôler un territoire de trois ou quatre cents kilomètres carrés. Les petits... » Il se tut brusquement comme le Duc lançait les fusées de freinage. L'orni se cabra tandis que mourait le chuchotement des fusées de queue. Les ailes creuses se déployèrent et commencèrent à brasser l'air. L'appareil prit toute son envergure véritable d'ornithoptère. Le Duc le redressa tout en maintenant le battement des ailes à un rythme lent. Il tendit la main gauche vers l'est, au-delà de la chenille.

« Est-ce le signe du ver ? »

Kynes se pencha et regarda au loin dans la direction indiquée. Paul et Halleck l'imitèrent. Paul remarqua que les appareils d'escorte, surpris par la manœuvre, avaient poursuivi leur route. Maintenant seulement ils revenaient vers eux La chenille était encore à trois kilomètres.

Dans la direction que désignait le Duc, entre les croissants d'ombres des dunes qui couraient vers l'horizon, se déplaçait une sorte de monticule, une crête mouvante de sable. Cela rappelait à Paul l'onde, le sillage, que produisent les gros poissons en frôlant la surface de l'eau calme des rivières.

« Un ver, dit Kynes. Un gros. » Il se retourna, saisit le micro sur le tableau de commandes et le régla sur une nouvelle fréquence. Les yeux fixés sur les cartes, au-dessus d'eux, il lança : « J'appelle chenille en Delta Ajax Neuf. Signe du ver. Chenille en Delta Ajax Neuf. Signe du ver. Répondez, s'il vous plaît. » Il attendit.

Le haut-parleur grésilla puis une voix retentit : « Qui appelle Delta Ajax Neuf ? Terminé. »

« Ils semblent prendre cela plutôt calmement », dit Halleck.

« Vol non enregistré, répondit Kynes dans le micro. Nord-est par rapport à vous. Distance environ trois kilomètres. Signe du ver en interception. Contact dans vingt-cinq minutes environ. »

Une voix nouvelle se fit entendre dans le haut-parleur. « Ici Contrôle Guetteur. Observation confirmée. Prêt au contact. (Un silence, puis :) Contact dans vingt-six minutes. Le calcul était précis. Qui se trouve à bord de l'appareil non enregistré ? Terminé. »

Halleck fit sauter son harnachement et s'interposa entre Kynes et le Duc. « Kynes, est-ce la fréquence normale de travail ? »

« Mais oui. Pourquoi ? »

« Qui pouvait nous entendre ? »

« Les équipes de travail, c'est tout. Cela limite les nterférences. »

A nouveau, le haut-parleur grésilla avant que la première voix reprenne : « Ici Delta Ajax Neuf. Qui a droit à la prime ? Terminé. »

Halleck regarda le Duc.

« Celui qui donne le premier l'alerte a droit à une prime proportionnelle à la récolte d'épice. Ils veulent savoir... »

« Dites-leur qui a vu le premier ce ver », dit Halleck.

Le Duc acquiesça.

Kynes hésita, puis reprit le micro. « Prime de guet au duc Leto Atréides. Duc Leto Atréides. Terminé. »

Aucune intonation ne perçait dans la voix partiellement déformée par une vague de parasites lorsqu'elle répondit : « Compris. Merci. »

« Maintenant, ordonna Halleck, dites-leur de diviser la prime entre eux. Dites-leur que c'est le désir du Duc. »

Kynes inspira profondément puis obéit. « Le Duc désire que cette prime soit divisée entre tous. M'avez-vous compris ? Terminé. »

« Compris et merci. »

« J'ai oublié de vous dire, fit le Duc, que Gurney est également doué pour les relations publiques. »

Kynes se tourna vers Halleck avec une expression perplexe.

« Ainsi, les hommes sauront que le Duc est préoccupé par leur sécurité, dit Halleck. On se le répétera. Nous étions sur une fréquence locale. Il est peu probable que des agents harkonnens nous aient entendus. (Il leva les yeux vers les appareils de couverture.) Et nous représentons une force appréciable. C'était un risque valable. »

Le Duc inclina l'orni dans la direction du nuage de sable de la chenille. « Et maintenant ? »

« Une aile portante devrait arriver et emporter la chenille », dit Kynes.

« Et si elle s'est écrasée ? » demanda Halleck.

« C'est une perte de matériel, dit Kynes. Rapprochez-vous de la chenille, Mon Seigneur. Vous allez trouver cela intéressant. »

Le Duc s'absorba dans les commandes comme l'appareil pénétrait dans la turbulence d'air qui environnait la chenille au travail.

Paul regarda en bas. Le monstre de plastique et de métal continuait de cracher le sable. C'était comme un grand scarabée bleu et brun dont les pattes multiples étaient de larges chenillettes. Une gigantesque trompe, à l'avant, plongeait dans le sable sombre.

« A en juger par la couleur, cet endroit est riche en épice, dit Kynes. Ils vont poursuivre le travail jusqu'à la dernière seconde. »

Le Duc fournit de la puissance aux ailes qui accentuèrent encore la lente plongée de l'orni qui tournait autour de la chenille. D'un coup d'œil, il s'assura de la présence des autres appareils.

Paul observa un instant le grand nuage jaune qui s'échappait des évents de la chenille, puis il reporta son regard sur le sillage du ver, de plus en plus proche.

« Est-ce que nous ne devrions pas les entendre appeler le portant ? » demanda Halleck.

« En général, ils utilisent une autre fréquence. »

« Est-ce qu'il ne devrait pas y avoir deux portants par chenille ? demanda le Duc. Il y a bien vingt-six hommes dans cette machine, sans compter tout le matériel. »

« Vous n'avez pas assez d'équipe... », commença Kynes, puis il s'interrompit. Une voix furieuse lançait dans le haut-parleur : « Vous ne voyez pas l'aile ? Elle ne répond pas. »

Il y eut un torrent de craquements, puis un signal sonore, le silence et la première voix se fit entendre à nouveau : « Au rapport dans l'ordre ! Terminé. »

« Ici Contrôle Guetteur. La dernière fois que j'ai aperçu l'aile, elle était très haut vers le nord-ouest. Je ne la vois plus. Terminé. »

« Guetteur un : négatif. Terminé. »

« Guetteur deux : négatif. Terminé. »

« Guetteur trois : négatif. Terminé. »

Silence.

Le Duc regarda en bas. L'ombre de l'orni passait juste sur la chenille.

« Il n'y a que quatre guetteurs, n'est-ce pas ? »

« Exact », dit Kynes.

« Nous disposons en tout de cinq appareils, plus grands. Chacun d'eux peut prendre trois hommes de plus à son bord. Quant aux guetteurs, ils parviendront bien à s'arracher au sol avec deux hommes en surcharge. »

Paul fit mentalement l'addition. « Cela nous en laisse encore trois ! »

« Mais pourquoi n'y a-t-il donc pas deux portants par chenille ? » aboya le Duc.

« Vous n'avez pas assez d'équipement en réserve ». dit Kynes.

« Raison de plus pour protéger ce que nous avons ! »

« Où ce portant a-t-il pu aller ? » demanda Halleck.

« Il a pu être contraint de se poser hors de vue. »

Le Duc prit le micro, puis hésita, le pouce au-dessus du bouton de contact. « Comment ont-ils pu perdre ainsi de vue un portant ? »

« Ils concentrent surtout leur attention sur le sol, pour le signe du ver », dit Kynes.

Le Duc appuya sur le contact. « Ici votre Duc, lança-t-il. Nous allons nous poser pour prendre l'équipage de Delta Ajax Neuf. Que tous les guetteurs nous imitent. Qu'ils se posent sur le côté est. Nous nous poserons à l'ouest. Terminé. » Il passa sur sa fréquence personnelle de commandement et répéta ses ordres pour les ornis de l'escorte avant de rendre le micro à Kynes. Celui-ci repassa sur le fréquence locale. Une voix jaillit aussitôt du haut-parleur : « ... presque complet d'épice ! Nous avons un chargement complet d'épice ! On ne peut pas laisser ça à ce satané ver ! Terminé. »

« Au diable l'épice ! lança le Duc. » Il reprit le micro : « Nous trouverons toujours de l'épice. Nos appareils ne peuvent emporter que vingt-trois hommes en tout. Tirez à la courte paille ou décidez de vous-mêmes quels sont ceux qui resteront. Mais vous êtes évacués. C'est un ordre ! » Il reposa violemment le micro entre les mains de Kynes, vit sa grimace de douleur et dit : « Excusez-moi. »

« Combien nous reste-t-il de temps ? » demanda Paul.

« Neuf minutes », répondit Kynes.

« Cet appareil est plus puissant que les autres, dit le Duc. En décollant avec les fusées et en mettant les ailes aux trois quarts, nous pourrions prendre encore un homme de plus. »

« Le sable est mou », dit Kynes.

« Avec quatre hommes de plus. nous risquons de casser les ailes en décollant avec les fusées, Sire », fit remarquer Halleck

« Pas avec cet orni. » Le Duc se pencha sur les commandes L'orni s'approcha de la chenille dans une dernière glissade Les ailes se redressèrent et l'appareil vint se poser à vingt mètres de la chenille. Celle-ci était maintenant silencieuse. Le sable ne jaillissait plus de ses évents. Il n'en émanait qu'un faible ronflement mécanique qui se fit plus net lorsque le Duc ouvrit la porte.

Immédiatement. leurs narines furent assaillies par la senteur de cannelle, lourde, pénétrante.

Les guetteurs se posèrent sur le sable. de l'autre côté de la chenille, avec un claquement sonore

L'escorte du Duc vint se ranger en ligne derrière lui.

Paul contemplait l'énorme chenille-usine auprès de laquelle les ornithoptères semblaient minuscules moustiques dans le sable auprès d'un monstrueux scarabée.

« Gurney et Paul. jetez ce siège dehors », dit le Duc. Il déploya à la main les ailes jusqu'aux trois quarts, en régla l'angle et vérifia les contrôles des fusées. « Pourquoi diable ne sortent-ils pas de cette machine ? »

« Ils espèrent encore que l'aile portante va apparaître, dit Kynes. Il leur reste quelques minutes. » Son regard était fixé sur l'est. Ils l'imitèrent et ne décelèrent aucun signe de l'approche du ver. Mais l'air était lourdement chargé d'anxiété

Le Duc reprit le micro et passa sur la fréquence de commandement. « Que deux d'entre vous se débarrassent de leur générateur de bouclier. Ils pourront ainsi prendre un homme de plus chacun. Nous ne laisserons personne à ce monstre. » (Puis, repassant en fréquence locale, il hurla :) « Alors, Delta Ajax Neuf ! Dehors ! Tous ! Immédiatement ! C'est un ordre de votre Duc ! En vitesse ou je découpe cette chenille au laser ! »

Une écoutille s'ouvrit à l'avant de l'usine, une autre à l'arrière, une troisième au sommet. Les hommes commencèrent à sortir. glissant et trébuchant dans le sable. Le dernier à quitter la chenille fut un personnage de haute taille en robe de travail. Il sauta sur une des chenillettes puis, de là, dans le sable.

Le Duc accrocha le micro au tableau de commandes et surgit au-dehors. Debout sur l'aile, il ordonna : « Deux hommes par guetteur ! »

Le grand personnage en robe de travail se mit alors à presser les hommes les plus proches, les entraînant vers l'appareil qui attendait de l'autre côté.

« Quatre ici ! cria le Duc. Et quatre là-bas ! (Il désigna l'orni d'escorte qui se trouvait immédiatement derrière et dont les hommes évacuaient le générateur de bouclier.) Quatre autres hommes dans cet appareil-là ! Et trois dans les autres ! Courez donc, espèces de chiens de sable ! »

L'homme en robe de travail, ayant achevé l'évacuation de l'équipage, s'avança, suivi de trois de ses compagnons.

« J'entends le ver, mais je n'arrive pas à le voir », dit Kynes.

Ils l'entendirent alors, tous. C'était comme un frottement, un crissement, qui se faisait de plus en plus fort.

« Quel gâchis ! » grommela le Duc.

Puis les ailes de l'orni commencèrent à soulever des gerbes de sable. Et le Duc revit soudain l'image des jungles de sa planète natale. Une clairière révélée, l'envol des oiseaux charognards surpris sur la carcasse d'un bœuf sauvage.

Les hommes des sables se pressèrent contre l'appareil et commencèrent à monter à bord avec l'aide de Halleck.

« Allez, les gars ! Plus vite ! »

Paul se retrouva dans un coin, entre ces hommes dont la sueur sentait la peur. Deux d'entre eux avaient des distilles mal ajustés au cou et il classa ce renseignement dans sa mémoire pour une future utilisation. Il faudrait que son père soit plus dur quant à la discipline du distille. Les hommes avaient tendance à se relâcher si l'on ne se montrait pas vigilant pour de telles choses.

En haletant, le dernier monta à bord : « Le ver ! Il est presque sur nous ! Décollez ! »

Le Duc se glissa dans son siège, fronça les sourcils et dit : « Il nous reste encore trois minutes selon l'estimation de contact. Est-ce exact, Kynes ? » Il ferma sa porte et en vérifia le verrouillage.

« Exactement, Mon Seigneur », dit Kynes, en songeant : *Il a du cran, ce Duc.*

« Tout est paré, Sire ! » lança Halleck.

Le Duc acquiesça et vérifia que les appareils d'escorte avaient déjà décollé. Puis il mit le contact, jeta un ultime coup d'œil sur les ailes puis sur les commandes et appuya sur la commande des fusées.

La pression du décollage l'écrasa dans son siège, de même que Kynes, Halleck, Paul et les hommes à l'arrière. Kynes observait la façon dont le Duc manipulait les commandes de l'orni : doucement, sûrement. L'appareil était maintenant en altitude mais le Duc ne quittait pas ses instruments du regard, vérifiant parfois les ailes, d'un coup d'œil à droite, puis à gauche.

« Nous sommes chargés, Sire », dit Halleck.

« Dans les limites de tolérance de l'orni, dit le Duc. Tu ne crois pas que je risquerais la vie de mes passagers, Gurney ? »

Halleck sourit : « Oh non, certainement pas, Sire. »

Le Duc lança l'orni dans une longue courbe ascendante. Paul, coincé dans un coin, contemplait la chenille immobile dans le sable, tout en bas. Le signe du ver avait disparu soudain à quatre cents mètres et, à présent, une sorte de turbulence commençait à se manifester dans le sable, autour de la chenille.

« Il est dessous, maintenant, dit Kynes. Ce que vous allez voir, peu d'hommes l'ont vu. »

Tout autour de la chenille, à présent, des gerbes de poussière se mêlaient au sable. La gigantesque machine s'inclina sur la droite. A cet endroit, un grand tourbillon de sable se formait. Il tournait de plus en plus rapidement. A quatre cents mètres à la ronde, l'air était saturé de poussière et de sable.

Et ils virent !

Un large trou apparut dans le désert. Le soleil étincela sur des barres blanches et lisses. Le trou, estima Paul, était à peu près deux fois plus grand que la chenille. Et sous ses yeux, la machine tout entière glissait maintenant dans ce gouffre ouvert dans le sable. Et le trou se résorba.

« Dieux, quel monstre ! » murmura un homme.

« Tout notre épice ! » gronda un autre.

« Quelqu'un paiera pour cela, dit le Duc. Je vous le promets. »

La voix de son père était sans expression et Paul perçut toute la fureur qui l'habitait. Et il prit conscience qu'il la partageait. Un tel gâchis était criminel !

Dans le silence qui suivit, ils entendirent Kynes qui murmurait : « Béni soit le Créateur et Son eau. Bénis soient Sa venue et Son départ. Son passage lave le monde. Qu'Il garde le monde pour Son peuple. »

« Que dites-vous là ? » demanda le Duc.

Mais Kynes garda le silence.

Paul regarda les hommes groupés autour de lui. Leurs yeux étaient tous fixés sur la nuque de Kynes et tous étaient emplis de frayeur. « Liet », murmura l'un d'eux.

Kynes se retourna et fronça les sourcils. L'homme recula.

Un autre fut pris d'une quinte de toux, sèche, déchirante. Il haleta : « Maudit soit ce trou infernal ! »

L'homme de haute taille qui était sorti le dernier de la chenille lança : « Silence, Coss ! Tu ne vaux guère mieux que ta toux. » Il bougea de façon à pouvoir fixer son regard sur la nuque de Leto. « Vous êtes le Duc Leto, je le sais, dit-il alors. C'est à vous que nous devons des remerciements pour nos vies. Avant votre venue, nous étions prêts à les achever ici. »

« Silence, homme ! Laisse le Duc piloter en paix », grommela Halleck.

Paul le regarda. Lui aussi avait remarqué les plis qui s'étaient formés sur les mâchoires de son père. Lorsque la rage habitait le Duc, il fallait agir tout doux.

L'ornithoptère, brisant le vaste cercle qu'il avait suivi jusqu'ici commençait à s'éloigner de l'endroit où la chenille avait été engloutie. A ce moment, le Duc décela un nouveau mouvement dans le sable et il stoppa l'appareil. Le ver avait disparu dans les profondeurs du désert mais quelque chose bougeait à l'endroit où avait été la chenille. Deux silhouettes apparurent et s'éloignèrent de la dépression en direction du nord. Elles semblaient glisser sur la surface, soulevant à peine un léger sillage de sable.

« Qui est-ce ? » aboya le Duc.

« Deux types qui s'étaient joints à nous, Sire », dit l'homme de Dune.

« Pourquoi n'en a-t-on rien dit ? »

« Ils connaissaient les risques, Sire », dit l'homme de Dune.

« Mon Seigneur, intervint Kynes, ils savent bien qu'il n'y a pas grand-chose à faire pour des hommes perdus sur le territoire d'un ver. »

« Nous enverrons un appareil de la base ! »

« Comme vous le désirez, Mon Seigneur. Mais il est probable que, lorsqu'il arrivera, il n'aura personne à sauver. »

« Nous l'enverrons quand même », dit le Duc.

« Ils étaient là quand le ver a surgi, dit Paul. Comment ont-ils pu lui échapper ? »

« Les distances sont trompeuses, dit Kynes. A cause des parois du trou qui sont inclinées. »

« Mon Seigneur, intervint Halleck, nous brûlons du carburant. »

« Vu, Gurney ! »

Le Duc fit pivoter l'orni en direction du Bouclier. Les appareils d'escorte quittèrent leurs positions d'attente et se placèrent à la verticale et sur les flancs de l'appareil ducal.

Paul réfléchit à ce que venaient de dire Kynes et l'homme de Dune. Il avait perçu les demi-vérités, les mensonges. Et ces hommes, là, en bas, s'étaient enfuis avec une telle assurance... Ils savaient évidemment comment ne pas attirer de nouveau le ver hors des profondeurs !

Des Fremens ! se dit Paul. *Qui pourrait se déplacer sur le sable avec autant d'assurance ? Qui d'autre pourrait ne pas partager notre terreur ? Ils ne sont pas en danger, eux ! Ils savent comment vivre ici ! Ils savent comment échapper au ver !*

« Que faisaient des Fremens dans cette chenille ? » demanda-t-il.

Kynes se retourna brusquement.

L'homme de Dune le regarda. Ses yeux étaient immenses. Bleu dans du bleu. « Qui est ce garçon ? »

Halleck vint s'interposer entre l'homme et Paul. « Paul Atréides, l'héritier ducal », dit-il.

« Pourquoi dit-il qu'il y avait des Fremens sur notre machine ? »

« Ils correspondent à la description », dit Paul.

Kynes se roidit. « On ne peut identifier un Fremen d'un simple regard ! (Il se tourna vers l'homme de Dune.) Vous. Dites-nous qui étaient ces hommes. »

« Des amis de l'un de nous, simplement. Des amis venus d'un village et qui voulaient voir les sables à épice. »

Kynes se détourna. « Des Fremens ! »

Les mots de la légende revenaient en lui : « *Le Lisanal-Gaib saura percer tout subterfuge.* »

« Ils sont morts, maintenant, jeune Sire, dit l'homme de Dune. Nous ne devrions pas parler d'eux sans courtoisie. »

Mais Paul percevait toujours le mensonge dans les voix, la menace qui, instinctivement, avait déclenché les réflexes de Halleck.

Il parla et sa voix était sèche. « C'est un endroit affreux pour mourir. »

Sans se retourner, Kynes répondit : « Lorsque Dieu ordonne à une de Ses créatures de mourir en un endroit précis, Il fait en sorte que la volonté de Sa créature la conduise en cet endroit. »

Leto le regarda. Et Kynes, répondant à ce regard, se

sentit soudain profondément troublé par tout ce qu'il venait de voir : *Le Duc s'inquiétait plus pour les hommes que pour l'épice. Pour sauver l'équipage de la chenille, il a risqué sa vie et celle de son fils. Il a oublié la perte de cette chenille avec un simple geste. Mais cette menace sur la vie des hommes l'a mis en rage. Un tel chef pourrait s'assurer des loyautés fanatiques. Il serait dur à abattre.*

Et Kynes admit, contre sa volonté, contre ses jugements passés : *J'aime ce Duc.*

La grandeur est une expérience passagère. Jamais elle n'est stable. Elle dépend en partie de l'imagination humaine qui crée les mythes La personne qui connaît la grandeur doit percevoir le mythe qui l'entoure Elle doit se montrer puissamment ironique. Ainsi, elle se garde de croire en sa propre prétention. En étant ironique, elle peut se mouvoir librement en elle-même. Sans cette qualité, même une grandeur occasionnelle peut détruire un homme.

Extrait de Les dits de Muad'Dib,
par la Princesse Irulan.

DANS la salle à manger de la grande demeure d'Arrakeen, on avait éclairé les lampes à suspenseurs pour lutter contre la venue prématurée du soir. Leur clarté jaune révélait la noire tête de taureau aux cornes sanglantes et l'éclat sourd du portrait à l'huile du Vieux Duc.

Sous ces talismans, le lin blanc semblait briller des reflets de l'argenterie des Astréides que l'on avait soigneusement disposée en ordre tout au long de la grande table. Les couverts formaient de multiples archipels auprès des verres de cristal, devant les lourdes chaises de bois. Le traditionnel chandelier central n'était pas allumé et sa chaîne se perdait dans les ombres du plafond où était dissimulé le mécanisme du goûte-poison.

Immobile sur le seuil, le Duc songeait au goûte-poison et à ce qu'il signifiait dans leur société.

Tout un programme. On peut nous définir par notre langage, par les délinéations précises et délicates que nous réservons aux divers moyens d'administrer une mort traîtresse. Quelqu'un essaierait-il le chaumurky, ce soir. le poison dans notre boisson ? Ou bien le chaumas, dans notre nourriture ?

Il secoua la tête. Auprès de chaque assiette était disposé un flacon d'eau. Sur toute la table, songea le Duc, il y avait assez d'eau pour faire vivre une famille pauvre d'Arrakis pendant plus d'une année.

Près de la porte se trouvaient des bassins ornés de tuiles jaunes et vertes. Chacun d'eux était muni d'un jeu de torchons. La coutume voulait, leur avait expliqué la gouvernante, que les invités, au moment où ils entraient, plongent solennellement les mains dans un bassin, répandent de l'eau sur le sol, sèchent leurs mains à un torchon avant de le jeter dans la flaque. Après le repas, les mendiants assemblés dehors pouvaient recueillir l'eau en essorant les torchons.

Typique d'un fief harkonnen, se dit le Duc. *Toutes les dégradations spirituelles concevables.* Il prit une profonde inspiration : la fureur tordait son estomac.

« Que cette coutume cesse dès maintenant ! » gronda-t-il.

Il aperçut une des servantes. vieille, difforme, l'une de celles que la gouvernante avait recommandées. Elle venait de sortir de la cuisine et passait devant lui. Il leva la main. La femme sortit de l'ombre et fit le tour de la table pour s'approcher. Il remarqua son visage tanné et ses yeux, bleus, noyés dans le bleu.

« Mon Seigneur désire ? » Elle s'adressait à lui la tête inclinée. Il fit un geste. « Faites ôter ces bassins et ces torchons. »

« Mais... Noble Né... » Elle releva la tête et le regarda. bouche bée

« Je connais la coutume ! aboya-t-il. Emmenez ces bassins devant la porte de façade. Pendant tout le repas et jusqu'à ce que nous ayons fini, chaque mendiant pourra prendre une tasse d'eau. Compris ? »

Des émotions mêlées pouvaient se lire sur le visage de cuir de la femme : désespoir, colère... Le Duc devina tout à coup qu'elle avait peut-être eu l'intention de se réserver les torchons et de tirer quelques pièces des malheureux qui attendaient dehors. Peut-être était-ce également la coutume.

Le visage de Leto s'assombrit et il gronda : « Je vais poster un garde afin que mes ordres soient exécutés à la lettre ! »

Il fit demi-tour et s'engagea dans le passage qui menait au Grand Hall. Des souvenirs roulaient dans son esprit. Murmures de vieilles femmes édentées. Il se rappelait l'eau, les étendues d'eau, de vagues. Il se rappelait les champs d'herbe, et non de sable. Et tous les étés qui avaient été balayés comme des feuilles dans la tempête.

Tout avait été balayé.

Je me fais vieux, songea-t-il. *J'ai senti le contact froid de ma mort à venir. Et où l'ai-je senti ? Dans la rapacité d'une vieille femme.*

Dans le Grand Hall, Jessica se trouvait au centre d'un groupe rassemblé devant la cheminée où crépitait un grand feu. Les reflets orange des flammes couraient sur les dentelles, les riches étoffes, les joyaux. Le Duc reconnut dans le groupe un confectionneur de distilles de Carthag, un importateur de matériel électronique, un convoyeur d'eau dont la demeure estivale était située à proximité de l'usine polaire, un représentant de la Banque de la Guilde (mince, l'air distant), un négociant en pièces détachées de matériel d'épiçage, une femme au visage maigre et dur dont le service d'escorte à l'usage des visiteurs extra-planétaires était réputé servir de couverture à diverses opérations d'espionnage, de chantage et de contrebande.

La plupart des autres femmes présentes semblaient

appartenir à un type précis ; elles étaient décoratives, habillées avec recherche et il émanait d'elles un mélange étrange de sensualité et de vertu intouchable.

Même si elle n'avait pas été l'hôtesse, songea le Duc, Jessica aurait dominé ce groupe. Elle ne portait aucun bijou et elle était vêtue de couleurs chaudes. Sa longue robe avait presque l'éclat du feu et un ruban brun comme la terre enserrait ses cheveux de bronze.

Il comprit qu'elle voulait ainsi le réprimer subtilement pour la froideur de son attitude. Elle savait très bien qu'il l'aimait ainsi vêtue, qu'il la voyait comme un éventail de couleurs vives.

Duncan Idaho se tenait à l'écart, en uniforme scintillant, le visage impassible, ses cheveux noirs et bouclés peignés avec soin. Il avait quitté les Fremens sur l'ordre d'Hawat : « *Sous le prétexte de la garder, tu maintiendras une constante surveillance sur la personne de Dame Jessica.* »

Le regard du Duc fit le tour de la salle.

Paul se trouvait dans un coin, entouré d'un groupe avide de jeunes gens appartenant à la richesse d'Arrakeen. Il y avait aussi parmi eux trois officiers de la Maison. L'attention du Duc s'attacha tout particulièrement aux jeunes filles. Un héritier ducal était un beau parti. Mais, apparemment, Paul les considérait toutes avec la même et noble réserve.

Il portera bien le titre, se dit Leto, puis il réalisa avec un frisson glacé que c'était encore là une pensée de mort.

A cet instant Paul aperçut son père, immobile sur le seuil, et il évita son regard. Il considéra tous les invités, toutes ces mains rutilantes de bijoux qui tenaient des verres (dont le contenu était analysé par de multiples goûteurs automatiques). Tous ces visages bavards l'écœuraient soudain. Ce n'étaient que des masques dérisoires appliqués sur des pensées infectes et les voix essayaient en vain de dominer le profond silence qui régnait dans chaque poitrine.

Je suis d'humeur amère, pensa Paul, et il se demanda ce que Gurney pourrait bien en dire

Il connaissait l'origine de cette amertume. Il avait refusé de participer à cette réception, mais son père s'était montré ferme : « Tu as une position à tenir. Tu es en âge de le faire. Tu es presque un homme. »

Paul observa son père qui, maintenant, s'avançait dans la salle tout en l'inspectant et se dirigeait vers le groupe assemblé autour de Dame Jessica.

Au moment où Leto s'approchait, le convoyeur d'eau déclarait : « Est-il vrai que le Duc va établir le contrôle climatique ? »

« Mes projets ne vont pas jusque-là, monsieur », dit la voix du Duc, derrière l'homme. Ce dernier se retourna. Son visage était rond, très bronzé.

« Ah, Duc, dit-il. Vous nous manquiez. »

Leto regarda Jessica. « Il fallait qu'une chose soit faite », dit-il. Puis il se tourna de nouveau vers le convoyeur d'eau et expliqua ce qu'il avait ordonné quant aux bassins. Il ajouta : « Quant à moi, cette coutume prend fin immédiatement. »

« C'est un ordre ducal, Mon Seigneur ? »

« Je laisse votre... conscience en juger », dit le Duc ; puis il se détourna et vit que Kynes s'approchait du groupe.

« Je pense que c'est là un geste très généreux, dit une des femmes. Donner comme cela de l'eau aux... » Quelqu'un la fit taire.

Le regard du Duc se posa sur Kynes. Il remarqua que le planétologiste portait un uniforme démodé avec des épaulettes d'Administrateur Impérial. Un minuscule insigne doré était fixé à son col.

« Les paroles du Duc impliquent-elles une critique de nos coutumes ? » fit la voix courroucée du convoyeur d'eau.

« Cette coutume est modifiée », dit Leto. Il inclina la tête à l'adresse de Kynes, remarqua le froncement de sourcils de Jessica et pensa : *Un froncement de sourcils n'est pas tout, mais cela va accroître les rumeurs d'une friction entre nous.*

« Si le Duc le permet, reprit le convoyeur, j'aimerais revenir un peu sur cette question des coutumes. »

Leto perçut l'onctuosité soudaine dans la voix de l'homme, le silence vigilant du groupe et toutes les têtes qui se tournaient vers eux, maintenant, dans la salle.

« Ne sera-t-il pas bientôt temps de dîner ? » demanda Jessica.

« Notre invité nous a posé une question », dit Leto. Son regard ne quittait pas le convoyeur d'eau. Et il voyait là un homme au visage rond, avec de grands yeux et des lèvres épaisses. Et il se rappelait le mémorandum d'Hawat : « ... *Ce convoyeur d'eau est un homme à surveiller. Souvenez-vous de son nom : Lingar Bewt. Les Harkonnens l'ont utilisé, mais sans jamais vraiment le contrôler.* »

« Les coutumes attachées à l'eau sont fort intéressantes, dit Bewt avec un sourire. Je suis curieux de savoir ce que vous avez l'intention de faire à propos de la serre qui fait partie de cette demeure. Entendez-vous la faire admirer longtemps au peuple... Mon Seigneur ? »

Leto réprima sa colère, tout en dévisageant l'homme. Les pensées jaillissaient dans son esprit. Celui-là osait le défier dans le castel ducal. Et la signature de Bewt figurait au bas d'un contrat d'allégeance. Bien sûr, l'homme était conscient de sa puissance personnelle. L'eau, sur ce monde, impliquait la puissance. Par exemple, si tous les points d'eau venaient à sauter à un signal donné... L'homme semblait capable d'un tel acte. Qui pourrait signifier la fin d'Arrakis. Telle devait être la menace qu'il avait laissée peser sur les Harkonnens.

« Mon Seigneur le Duc et moi-même avons des projets pour cette serre, intervint Jessica. (Elle sourit à Leto.) Nous entendons la maintenir, bien sûr, mais avec l'approbation du peuple d'Arrakis. Notre rêve est de voir un jour le climat de ce monde modifié afin de permettre la culture des plantes et notre serre n'importe où à l'extérieur. »

Bénie soit-elle ! se dit Leto. *Et que notre convoyeur d'eau rumine là-dessus !*

« Votre intérêt pour l'eau et le contrôle climatique est évident, dit-il. Vous devriez orienter différemment vos intérêts, croyez-moi. Un jour viendra où l'eau ne sera plus une denrée aussi précieuse pour Arrakis. »

Et il songea : *Il faut qu'Hawat redouble ses efforts pour noyauter cette organisation de Bewt. Et nous devrons immédiatement veiller sur les points d'eau. Personne ne peut me menacer de la sorte !*

Bewt hocha la tête, sans cesser de sourire. « Un rêve agréable, Mon Seigneur. » Et il fit un pas en arrière.

Leto surprit alors l'expression de Kynes. Le planétologiste regardait Jessica. Et il semblait transfiguré... Comme un homme amoureux... ou pris d'une transe religieuse.

En cet instant, les mots de la prophétie occupaient tout l'esprit de Kynes : « *Et ils partageront votre rêve le plus précieux.* »

Il s'adressa à Jessica : « Amenez-vous le *court chemin ?* »

« Ah ! docteur Kynes ! intervint le convoyeur d'eau. Vous êtes venu. Vous avez abandonné vos hordes de Fremens. Comme c'est aimable à vous ! »

Kynes posa sur lui un regard inscrutable : « On dit dans le désert que la possession de l'eau en grande quantité peut conduire un homme à une fatale négligence. »

« Ils ont nombre de dictons étranges dans le désert », dit Bewt, mais sa voix trahissait son trouble.

Jessica s'approcha de Leto et glissa sa main sous son bras, cherchant un instant de calme. Kynes avait dit : « ... le *court chemin.* » Dans la langue ancienne, cela se traduisait par « Kwisatz Haderach ». L'étrange question du planétologiste était passée inaperçue et, à présent, Kynes se penchait vers l'une des femmes de la suite, prêtant l'oreille à quelque badinage murmuré.

Le Kwisatz Haderach. La Missionaria Protectiva aurait-elle donc implanté ici cette légende aussi ? A cette pensée, elle sentit se raviver l'espoir secret qu'elle nourrissait pour Paul. *Il pourrait être le Kwisatz Haderach. Oui, il pourrait l'être.*

Le représentant de la Banque de la Guilde avait engagé la conversation avec le convoyeur d'eau et, un instant, la voix de Bewt domina le murmure des autres invités : « Bien des gens ont tenté de modifier Arrakis. »

Le Duc remarqua à quel point Kynes parut sensible à ces mots, se redressant et abandonnant immédiatement la femme frivole.

Dans le soudain silence, un soldat en tenue de laquais s'avança vers Leto : « Le dîner est servi, Mon Seigneur. »

Le Duc eut un regard interrogateur à l'adresse de Jessica.

« La coutume locale veut que l'hôte et l'hôtesse suivent leurs invités vers la table, dit-elle avec un sourire. La changerons-nous, Mon Seigneur ? »

Sa voix était froide quand il répondit : « Cela me paraît une agréable coutume. Nous la maintiendrons pour l'instant. »

Il me faut continuer de donner l'impression que je la soupçonne de trahison, se dit-il. Et, tout en regardant défiler les invités, il songea : *Qui, parmi vous, croit à un tel mensonge ?*

Jessica perçut son soudain retrait et elle se prit à y réfléchir ainsi qu'elle l'avait fait fréquemment durant la semaine écoulée. *Il se comporte comme un homme luttant avec lui-même. Est-ce parce que j'ai si rapidement organisé cette soirée ? Pourtant, il sait bien à quel point il est important que nous commencions à mêler nos officiers et nos hommes avec les notabilités. Nous sommes en quelque sorte un père et une mère qui les dominons tous. Rien n'impressionne plus que cette forme de brassage social.*

Leto, les yeux fixés sur les gens qui se dirigeaient vers la salle à manger, se rappelait les paroles de Thufir

Hawat lorsqu'il l'avait informé de l'affaire : « *Sire ! Je l'interdis !* »

Un sombre sourire apparut sur le visage du Duc. Quelle scène ç'avait été ! Lorsqu'il avait approuvé cette soirée, Hawat avait secoué longuement la tête. « J'ai de mauvais pressentiments à cet égard, Mon Seigneur. Les choses vont trop vite sur Arrakis, et cela ne ressemble pas aux Harkonnens. Non, pas du tout. »

Paul passa auprès de son père en compagnie d'une jeune femme qui avait bien une tête de plus que lui. Il eut un regard froid à l'adresse de son père tout en acquiesçant à quelque remarque de la jeune fille.

« Son père confectionne des distilles, dit Jessica. Je me suis laissé dire que seul un fou accepterait de s'aventurer dans le désert avec un vêtement fabriqué par cet homme. »

« Qui est cet homme à la cicatrice, devant Paul ? Je ne le remets pas. »

« Un invité de dernière heure, murmura-t-elle. C'est Gurney qui l'a introduit. Un contrebandier. »

« Et c'est Gurney qui l'a introduit ? »

« A ma demande. Pour Hawat, il était sûr, bien qu'il n'ait pas été très enthousiaste à son égard. Il se nomme Tuek, Esmar Tuek. Il a une certaine influence dans son milieu. Tout le monde le connaît ici. Il a été invité dans la plupart des demeures. »

« Pourquoi est-il ici ? »

« Tous se poseront la question. Tuek, par sa présence, va jeter le doute et la suspicion. On croira que vous êtes sur le point de rapporter vos ordonnances contre la corruption, ce qui renforcera les intérêts des contrebandiers. Cela a semblé plaire à Hawat. »

« Je ne suis pas certain de l'apprécier », dit Leto. Il inclina la tête à l'intention de quelques couples qui passaient et vit que seuls quelques invités les précédaient encore. « Pourquoi n'avez-vous pas invité quelques Fremens ? » ajouta-t-il.

« Il y a Kynes. »

« Oui, il y a Kynes. Mais avez-vous préparé d'autres

surprises à mon intention ? » Il l'entraîna à la suite de la procession.

« Tout le reste n'est que très conventionnel », répondit-elle.

Elle songea : *Mon chéri, ne pouvez-vous comprendre que ce contrebandier dispose de vaisseaux rapides, qu'il peut être soudoyé ? Il nous faut une issue, un moyen de nous échapper d'Arrakis si tout nous abandonne.*

Comme ils surgissaient dans la salle à manger, elle dégagea son bras et Leto l'aida à s'asseoir. Puis il se dirigea vers l'extrémité de la table. Un laquais se tenait derrière son siège. Dans un bruissement d'étoffes, dans le raclement des sièges sur le sol, les invités prenaient place. Pourtant, le Duc demeurait debout. Il leva la main et les soldats en tenue de laquais reculèrent, au garde-à-vous.

Un silence gêné s'installa dans la salle.

Jessica, depuis l'autre extrémité de la table, put lire un léger tremblement sur la bouche de Leto, elle put discerner la colère qui venait assombrir ses joues. Et elle se demanda : *Qu'est-ce qui le rend ainsi furieux ? Certainement pas le fait que j'aie invité ce contrebandier.*

« Certains, dit le Duc, mettent en question le fait que j'aie supprimé la coutume des bassins. Mais c'est ma façon de vous dire que les choses vont changer ici. »

Il y eut un silence embarrassé autour de la table.

Ils croient qu'il a bu, se dit Jessica.

Leto prit son flacon d'eau et l'éleva dans la clarté des lampes à suspenseurs. « En tant que Chevalier de l'Imperium, dit-il, je porte un toast. »

Tous l'imitèrent, tous le regardaient. Dans le silence, une lampe dériva légèrement, poussée par un courant d'air venu des cuisines. Les ombres jouaient sur les traits de faucon du Duc.

« Tel je suis, tel je reste ! » gronda-t-il.

Ils esquissèrent le mouvement de porter les flacons à leurs bouches et s'interrompirent net : le Duc gardait le bras levé. « Mon toast sera pour l'une de ces devises si chères à nos cœurs : *Les affaires font le progrès ! Partout, la fortune passe !* »

Il but.

Et ils burent comme lui, en échangeant des regards perplexes.

« Gurney ! » appela le Duc.

La voix de Halleck parvint d'une alcôve, quelque part derrière lui. « Je suis ici, Mon Seigneur ! »

« Joue-nous un air, Gurney. »

Un accord en mineur vint flotter jusqu'à la table, entre les ombres. Sur un geste du Duc, les serviteurs commencèrent à poser sur la table les premiers plats : lièvre du désert rôti en sauce cepeda, aplomage de sirius, chukka, café avec Mélange (la puissante odeur de cannelle du Mélange envahit la table) et véritable oie-en-pôt servie avec un vin pétillant de Caladan.

Pourtant, le Duc demeurait debout.

Les invités attendirent donc. Leur attention se partageait entre les plats qui venaient d'être servis et le Duc immobile qui ne s'asseyait pas. « En des temps anciens, dit Leto, le devoir de l'hôte était de distraire ses invités par ses talents. (Il serrait à tel point le flacon d'eau que les jointures de ses doigts en devenaient blanches.) Je ne puis chanter, mais je vais vous réciter les paroles de la chanson de Gurney. Considérez ceci comme un second toast que je porte à tous ceux qui ont trouvé la mort en nous conduisant ici. »

Autour de la table, il y eut des mouvements gênés.

Jessica baissa les yeux et regarda ses plus proches voisins. Le convoyeur d'eau au visage rond, son épouse, le pâle et austère représentant de la Banque de la Guilde (qui ressemblait à quelque épouvantail, en cet instant, le regard fixé sur le Duc) et le dénommé Tuek, au visage buriné, couvert de cicatrices, dont les yeux entièrement bleus étaient baissés.

« Comptez-vous, soldats — soldats depuis longtemps comptés ! déclama le Duc. Votre fardeau est fait de dollars et de souffrance Nos colliers d'argent brillent sur vos âmes. Comptez-vous, soldats — soldats depuis longtemps comptés. A chacun son dû de temps, sans illusion. Et passe le mirage de la fortune, avec nous, lorsque s'achève notre temps sur un dernier rictus. Comptez-vous, soldats — soldats depuis longtemps comptés. »

La voix de Leto traîna sur les derniers mots. Puis il but longuement à son flacon et le reposa violemment sur la table. Un peu d'eau rejaillit sur la nappe.

Les invités buvaient, dans un silence embarrassé.

A nouveau, le Duc reprit son flacon. Cette fois, il déversa sur le sol la moitié de ce qui restait d'eau. Il savait que les autres devraient l'imiter.

Jessica fut la première.

Il y eut comme un instant gelé avant que les invités ne suivent. Jessica remarqua que Paul, assis près de son père, guettait toutes les réactions, autour de lui. Elle aussi était fascinée, du reste, par les gestes révélateurs de ceux qui l'entouraient, et plus spécialement par les gestes des femmes. C'était là une eau potable, propre, qui ne provenait pas d'un torchon essoré. Les mains qui tremblaient, les réactions lentes, les rires nerveux... tout cela trahissait l'obéissance à contrecœur. Une femme lâcha son flacon et se détourna tandis que son compagnon le ramassait.

Mais c'était Kynes qui retenait le plus son attention. Le planétologiste hésita quelques secondes puis déversa le contenu du flacon dans un récipient dissimulé sous son gilet. Il rencontra le regard de Jessica et leva le flacon vide en un toast muet à son intention. Son geste semblait ne l'embarrasser nullement.

La musique de Halleck flottait toujours dans la salle mais les accords en mineur avaient fait place à des harmonies plus vives, comme si le soldat-baladin voulait maintenant éveiller l'ambiance.

« Que le repas commence », dit le Duc. Et il prit place.

Il est furieux et troublé, se dit Jessica. *La perte de cette chenille l'a affecté plus profondément qu'elle ne l'aurait dû. Il doit y avoir autre chose. Il se comporte comme un homme désespéré.* Elle prit sa fourchette, espérant que ce geste dissimulerait sa soudaine amertume. *Pourquoi pas ? Puisqu'il est désespéré.*

Lentement d'abord, puis avec animation grandissante, le repas se poursuivit. Le fabricant de distilles complimenta Jessica pour la cuisine et le vin.

« L'un et l'autre sont de Caladan », dit-elle.

« Superbe ! dit-il en goûtant le chukka. Tout simplement délicieux ! Et pas une goutte de Mélange là-dedans ! C'est tellement lassant de trouver l'épice dans n'importe quoi ! »

Le représentant de la Banque de la Guilde regarda Kynes. « A ce que l'on dit, docteur Kynes, une nouvelle chenille a été laissée à un ver. »

« Les nouvelles vont vite », dit le Duc.

« Ainsi c'est bien exact ? » dit le banquier.

« Bien sûr que c'est exact ! Ce satané portant a disparu. Comment est-il possible qu'un engin de cette taille s'évanouisse de la sorte ! »

« Lorsque le ver est arrivé, expliqua Kynes, il était impossible de récupérer la chenille. »

« Une chose pareille ne devrait pas pouvoir arriver ! » gronda le Duc.

« Et personne n'a vu disparaître le portant ? » demanda le banquier.

« En général, les guetteurs concentrent leur attention sur le désert, dit Kynes. Ce qui les intéresse, c'est le signe du ver. L'équipage d'un portant se compose d'ordinaire de quatre hommes. Deux pilotes et deux assistants. Si l'un d'entre eux, ou même deux, étaient à la solde des ennemis du Duc... »

« Ah, je vois, dit le banquier. Et vous, en tant qu'Arbitre du Changement, que faites-vous en ce cas ? »

« Je dois considérer ma position très consciencieusement, dit Kynes. Et il est bien certain que je ne puis en discuter à table. » Il songea : *Cet espèce de pâle squelette ! Il sait très bien que c'est justement le genre d'infraction que l'on m'a ordonné d'ignorer.*

Le banquier sourit et revint à son repas.

Jessica se souvint d'une leçon de l'Ecole Bene Gesserit. Une leçon qui traitait de l'espionnage et du contre-espionnage. La Révérende Mère à la figure ronde et aux yeux rieurs avait une voix joyeuse qui contrastait étrangement avec le sujet traité :

« *Il convient de noter une chose à propos des écoles d'espionnage et de contre-espionnage : la similitude des réactions de base de tous ceux qui les ont fréquentées. Toute discipline fermée laisse son empreinte, son sceau sur ceux qui l'étudient. Et ceci rend possibles l'analyse et la prévision.*

« *En fait, les schémas de motivations tendent à devenir identiques pour tous les espions. Ceci revient à dire que certains types de motivations sont similaires même si les écoles et les buts sont différents. Vous étudierez dans un premier temps la façon d'isoler cet élément aux fins d'analyse. Tout d'abord, par les schémas d'interrogation qui révèlent l'orientation interne des interrogateurs, puis par l'examen attentif de l'orientation langage-pensée de ceux que vous analyserez. Vous découvrirez alors qu'il est très simple de déterminer les racines des langages de vos sujets, par l'inflexion de leur voix et leur schéma d'expression.* »

Assise là, immobile, entourée du Duc, de son fils et de tous leurs invités, Jessica eut soudain la révélation glaçante de la nature de l'homme. C'était un agent des Harkonnens. Il avait le type d'expression de Giedi Prime, subtilement dissimulé mais assez net pour qu'à ses sens aiguisés ce fût comme si l'homme s'était présenté.

Cela signifie-t-il que la Guilde elle-même s'est rangée aux côtés des Harkonnens ? se demanda-t-elle. Cette idée la choquait profondément et elle dissimula son émotion en commandant un nouveau plat. Mais elle ne cessait pas de prêter l'oreille à l'homme, attendant qu'il trahisse ses intentions. *Il va porter la conversation sur un sujet banal, mais avec des implications menaçantes*, se dit-elle *Tel est son schéma.*

Le banquier avala une bouchée, but une gorgée de vin et sourit à un propos de sa voisine de droite. Pendant un instant, il parut s'intéresser aux paroles d'un homme qui, un peu plus loin, expliquait au Duc que les plantes Arrakeen n'avaient pas d'épines.

« J'aime observer les vols d'oiseaux, dit-il soudain en s'adressant à Jessica. Tous nos oiseaux, bien sûr, sont des charognards et beaucoup se passent d'eau, l'ayant remplacée par le sang. »

La fille du confectionneur de distilles, assise entre Paul et son père à l'autre bout de la table, plissa son joli visage et dit : « Oh ! Soo-Soo, vous dites des choses vraiment dégoûtantes. »

Le banquier eut un sourire. « On m'appelle Soo-Soo parce que je suis le conseiller financier du Syndicat des Porteurs d'eau. (Et comme Jessica continuait de le regarder sans rien dire, il ajouta :) Soo-Soo-Sook ! C'est le cri des porteurs d'eau. » Il imitait l'appel si fidèlement que quelques rires s'élevèrent autour de la table.

Jessica avait perçu la vantardise dans le ton de l'homme mais elle avait noté aussi que la jeune fille lui avait donné la réplique, comme si elle avait voulu fournir une excuse aux propos du banquier. Elle regarda Lingar Bewt. Le magnat de l'eau était absorbé dans son repas, l'air sombre. Et Jessica se souvint que le banquier avait dit : « *Moi aussi, je contrôle cette ultime source de puissance d'Arrakis, l'eau.* »

Paul avait décelé la fausseté dans la voix de sa compagne, il avait vu que sa mère suivait la conversation avec une intensité Bene Gesserit. Mû par une impulsion, il décida de contrer, de repousser l'adversaire et il s'adressa au banquier :

« Voulez-vous dire, monsieur, que ces oiseaux sont cannibales ? »

« C'est une étrange question, Jeune Maître. Je dis tout simplement que ces oiseaux boivent du sang. Il n'est pas nécessaire que ce soit le sang de leurs semblables, non ? »

« Ma question n'était *pas* étrange. (Jessica remarqua

la qualité cassante de la riposte de son fils, qui révélait toute son éducation, qui lui venait d'elle.) Les gens instruits savent pour la plupart que c'est dans sa propre espèce qu'un jeune organisme rencontre le potentiel de compétition le plus élevé. Délibérément, il planta sa fourchette dans l'assiette de son voisin et ajouta : Ils mangent au même plat. Ils ont les mêmes nécessités vitales. »

Le banquier se raidit et se tourna vers le Duc.

« Ne commettez pas l'erreur de considérer mon fils comme un enfant », dit celui-ci avec un sourire.

Le regard de Jessica courut sur la table. Elle remarqua que Bewt avait abandonné son air sombre et que Kynes souriait, de même que le contrebandier, Tuek.

« C'est une règle d'écologie que le Jeune Maître semble très bien connaître, dit Kynes. La lutte entre les éléments de vie est la lutte pour l'énergie disponible d'un système. Le sang est une source d'énergie efficiente. »

Le banquier posa sa fourchette et, lorsqu'il parla, ce fut d'un ton furieux : « On dit que la racaille Fremens boit le sang de ses morts. »

Kynes secoua la tête et dit, d'un ton docte : « Non, pas le sang, monsieur. Mais l'eau d'un homme, à son dernier instant, appartient aux siens, à sa tribu. C'est une nécessité lorsque vous quittez la Grande Plaine. Ici, toute eau est précieuse et le corps d'un homme se compose d'eau à soixante-dix pour cent. Celui qui est mort n'en a certainement plus aucun besoin. »

Le banquier posa les mains sur la table, de part et d'autre de son assiette, et Jessica pensa qu'il allait, dans un geste de rage, se rejeter violemment en arrière.

A cet instant, Kynes la regarda. « Pardonnez-moi, Ma Dame, d'évoquer une question si déplaisante à cette table mais vous aviez entendu de fausses paroles et il était nécessaire de vous éclairer. »

« Vous êtes depuis si longtemps avec les Fremens que vous en avez perdu tout sentiment ! » lança le banquier.

« Me défiez-vous. monsieur? » Kynes braquait un regard calme sur le visage pâle et tremblant.

Le banquier se figea Il déglutit et prit un ton sec : « Bien sûr que non. Je ne me permettrais pas d'insulter ainsi notre hôte et notre hôtesse. »

Jessica perçut la peur dans sa voix, dans son visage. dans son souffle. dans le frémissement d'une veine sur sa tempe. L'homme était terrifié par Kynes !

« Notre hôte et notre hôtesse sont très capables de décider d'eux-mêmes s'ils ont été insultés, reprit Kynes. Ce sont des gens braves qui connaissent la défense de l'honneur. Nous pouvons tous attester de leur courage par le fait qu'ils sont ici... maintenant... sur Arrakis. »

Jessica vit que Leto savourait cet instant. Au contraire de la plupart des convives. Tout autour de la table, ceux-ci semblaient prêts à fuir. Les mains étaient dissimulées. Les deux exceptions notables étaient Bewt, qui souriait ouvertement de la déconfiture du banquier, et Tuek, le contrebandier, qui semblait guetter quelque réaction de Kynes. Quant à Paul, il regardait Kynes avec admiration.

« Eh bien ? » fit le planétologiste.

« Je ne voulais pas vous offenser, murmura le banquier. Mais si vous l'avez cru, veuillez accepter mes excuses. »

« Librement donné, librement accepté. » Et Kynes sourit à Jessica tout en se remettant à manger comme si rien ne s'était passé.

Jessica vit que le contrebandier, lui aussi, se détendait. Elle en prit bonne note : cet homme, à chaque seconde, avait paru prêt à voler au secours de Kynes Il existait entre lui et le planétologiste une sorte d'accord

Leto jouait avec sa fourchette tout en examinant Kynes d'un œil spéculatif. Les façons du planétologiste révélaient un changement d'attitude envers la Maison des Atréides. Durant leur voyage dans le désert, il avait semblé nettement plus hostile.

Jessica donna l'ordre d'amener de nouveaux plats et de nouvelles boissons. Les serviteurs firent leur apparition avec les *langues de lapins de garenne* accompagnées de sauce au vin et aux champignons.

Lentement, les conversations reprenaient mais Jessica continuait de déceler dans le murmure des voix une certaine agitation, une certaine âpreté. Le banquier, pour sa part, poursuivait son repas en silence. *Kynes l'aurait tué sans hésiter*, songea-t-elle. Et elle comprit tout à coup que les façons de Kynes révélaient une prédisposition au meurtre. Il pouvait tuer facilement et elle devinait que c'était là un trait marquant des Fremens.

Elle se tourna vers le confectionneur de distilles assis à sa gauche. « Je ne cesse d'être stupéfaite par l'importance de l'eau sur Arrakis », dit-elle

« Une importance énorme. Dites-moi : quel est ce plat ? C'est délicieux. »

« Ce sont des langues de lapins sauvages avec une sauce spéciale. Une très ancienne recette. »

« Il me la faut. »

Elle acquiesça. « J'y veillerai. »

Kynes la regarda et dit : « Il est fréquent que les nouveaux venus sur Arrakis sous-estiment l'importance de l'eau. Comme vous le comprenez sans doute, vous affrontez la loi du Minimum. »

Elle décela dans sa voix l'intention de sondage et répondit : « La croissance est limitée par l'élément nécessaire qui se trouve être le plus rare. Et, naturellement, la condition la moins favorable détermine le taux de croissance. »

« Il est rare de trouver des membres des Grandes Maisons qui soient au fait des problèmes de planétologie. L'eau est la condition la moins favorable à la vie sur Arrakis. Et souvenez-vous bien que la *croissance* elle-même peut introduire des conditions défavorables si on ne la traite pas avec beaucoup de prudence. »

Il y avait un message caché dans ces paroles mais Jessica dut admettre qu'elle ne le comprenait pas. « La croissance, dit-elle. Voulez-vous dire qu'Arrakis peut jouir d'un cycle d'eau organisé afin de permettre l'existence des humains dans des conditions plus favorables ? »

« Impossible ! » lança le magnat de l'eau.

Jessica se tourna vers lui. « Impossible ? »

« Impossible sur Arrakis. N'écoutez pas ce rêveur. Toutes les évidences scientifiques sont contre lui. »

Kynes le regarda et Jessica s'aperçut qu'une fois encore, toutes les autres conversations s'étaient interrompues.

« Les évidences scientifiques nous cachent un fait très simple, dit Kynes. Et c'est le suivant : Nous affrontons ici des problèmes qui sont apparus et perdurent à l'extérieur, où les plantes et les animaux poursuivent normalement leur existence. »

« Normalement ! s'écria Bewt. Mais rien n'est normal sur Arrakis ! »

« Bien au contraire. On pourrait ici développer certaines harmonies qui s'entretiendraient elles-mêmes. Pour cela, il faut comprendre quelles sont les limitations de cette planète et les pressions qui s'y exercent. »

« Cela ne sera jamais », dit Bewt.

Le Duc, tout à coup, venait de découvrir à partir de quel point l'attitude de Kynes s'était modifiée.

C'était lorsque Jessica avait parlé de conserver les serres pour le bien d'Arrakis.

« Qu'en coûterait-il pour développer ce système autonome, docteur Kynes ? » demanda-t-il.

« Si nous pouvons consacrer trois pour cent des végétaux d'Arrakis à la production de composés carboniques nutritifs, nous aurons lancé le cycle », dit Kynes.

« L'eau est le seul problème ? » demanda le Duc. Il percevait l'excitation de Kynes et y participait.

« Celui de l'eau laisse les autres dans l'ombre. Cette planète dispose de beaucoup d'oxygène mais non des caractéristiques habituelles qui l'accompagnent : vie végétale développée, sources de gaz carbonique provenant de phénomènes tels que les volcans. De vastes territoires voient se produire ici des échanges chimiques tout à fait inhabituels. »

« Avez-vous des projets pilotes ? »

« Nous avons consacré beaucoup de temps à obtenir l'Effet Tansley. Il s'agit d'expériences au niveau de l'amateur à partir desquelles ma science pourrait maintenant conduire à des applications pratiques. »

« Il n'y a pas assez d'eau, dit Bewt. Il n'y a pas assez d'eau, c'est tout. »

« Maître Bewt, dit Kynes, est un expert dans le domaine de l'eau. » Il sourit et revint à son assiette.

Le Duc eut un geste impératif. « Non ! Je veux une réponse ! Y a-t-il assez d'eau, docteur Kynes ? »

Kynes ne leva pas la tête.

Jessica détaillait le jeu des émotions sur son visage. *Il se cache bien*, songeait-elle. Mais, à présent, elle l'avait enregistré et elle lisait qu'il regrettait ses paroles.

« Y a-t-il assez d'eau ? » répéta le Duc.

« C'est... possible », dit enfin Kynes.

Il feint l'incertitude ! pensa Jessica.

Avec son sens de vérité plus perçant, Paul lut la motivation sous-jacente et il lui fallut en appeler à toutes les ressources de sa formation pour dissimuler l'excitation qu'il ressentait. *Il y a assez d'eau ! Mais il ne veut pas que cela soit su !*

« Notre planétologiste fait bien d'autres rêves très intéressants, dit Bewt. Avec les Fremens, il rêve de... prophéties et de messies. »

Des rires s'élevèrent et Jessica fut surprise. Le contrebandier avait rit, ainsi que la fille du confectionneur de distilles, et Duncan Idaho, et la femme à la mystérieuse escorte.

La tension est bien curieusement répartie ici, ce soir, se dit-elle. *Il se passe trop de choses que j'ignore. Il va me falloir créer de nouvelles sources d'information.*

Le regard du Duc alla de Kynes à Bewt puis à Jessica. Il se sentait bizarrement isolé, comme si quelque chose de vital venait de lui échapper. « Possible », murmura-t-il.

« Peut-être devrions-nous en parler une autre fois, Mon Seigneur, dit vivement Kynes. Il y a tant de... »

Il s'interrompit comme un garde en uniforme Atréides surgissait par la porte de service, courait jusqu'au Duc et se penchait pour murmurer à son oreille.

Jessica identifia l'insigne des hommes de Hawat et réprima son trouble. Elle s'adressa à la compagne du confectionneur de distilles, une femme minuscule au visage de poupée, à la chevelure brune.

« Ma chère, vous avez à peine touché votre assiette. Dois-je vous commander quelque chose d'autre ? »

La femme jeta un regard à son compagnon avant de répondre : « Je n'ai pas très faim. »

Brusquement, le Duc se leva au côté du soldat et il déclara sur un ton de commandement : « Que chacun reste assis. Pardonnez-moi, mais un problème se pose qui requiert mon intervention personnelle. (Il fit un pas en arrière.) Paul, veux-tu me remplacer en tant qu'hôte, je te prie. »

Paul se leva. Il était sur le point de demander à son père pourquoi il devait s'absenter, et il savait qu'il devait agir selon la tradition. Il alla prendre place sur le siège de son père.

Le Duc, alors, se tourna vers l'alcôve où veillait Halleck. « Gurney, prends la place de Paul à la table, je te prie. Nous devons rester en nombre pair. Lorsque le repas aura pris fin, il se peut que je te demande de conduire Paul au poste de commandement. Tiens-toi prêt. »

Halleck sortit de l'alcôve. Il était en tenue et sa laideur paraissait déplacée dans tout ce raffinement et ces chatoiements. Il posa sa balisette contre le mur et alla s'installer dans le siège laissé vacant par Paul.

« Inutile de s'inquiéter, reprit le Duc. Mais il me faut demander à chacun de ne pas quitter l'abri de notre demeure jusqu'à nouvel ordre. Vous serez parfaitement en sécurité tant que vous serez ici. Ce petit contretemps s'arrangera très vite. »

Paul saisit les mots-code : *abri-ordre-sécurité-vite.*

Le problème concernait la sécurité et non la violence.

Il vit que sa mère avait également compris le message. Tous deux se détendirent.

Le Duc inclina brièvement le menton et sortit par la porte de service, suivi du soldat.

« Reprenons ce dîner, je vous prie, dit Paul. Je crois que le docteur Kynes parlait de l'eau. »

« Pourrions-nous y revenir une autre fois ? » dit le planétologiste.

« Quand il vous plaira », répondit Paul.

Et Jessica, avec fierté, remarqua la dignité de l'attitude de son fils, la maturité de son assurance.

Le banquier prit son flacon d'eau et l'agita à l'adresse de Bewt. « Ici, nul ne saurait surpasser Maître Bewt pour ce qui est des phrases fleuries. On pourrait presque penser qu'il aspire au statut des Grandes Maisons. Allons, Maître Bewt, portez-nous donc un toast ! Peut-être tenez-vous en réserve quelque phrase pleine de sagesse pour ce garçon que l'on doit traiter comme un homme. »

Sous la table, la main droite de Jessica se referma en un poing. Elle surprit le signal de Halleck à Idaho et vit les soldats qui, au long des murs, se mettaient en position de défense.

Bewt adressa un regard venimeux au banquier.

Paul regarda Halleck. Il venait à son tour de s'apercevoir du mouvement des gardes. Puis ses yeux se portèrent à nouveau sur le banquier. Celui-ci, finalement, abaissa son flacon d'eau.

« Une fois, sur Caladan, dit Paul, j'ai vu le cadavre d'un pêcheur noyé. Il... »

« Noyé ? » s'écria la fille du confectionneur de distilles.

Paul hésita. « Oui. Immergé dans l'eau jusqu'à ce que mort s'ensuive. Noyé. »

« Quelle intéressante façon de mourir ! »

Il eut un sourire dur, puis regarda de nouveau le banquier. « Ce qui était intéressant chez cet homme, c'étaient les blessures qu'il portait aux épaules. Des blessures faites par les crampons des bottes d'un autre pêcheur. La victime avait fait partie d'un groupe qui se trouvait à bord d'un bateau (un appareil pour naviguer sur l'eau) et ce bateau avait fait naufrage... Il s'était enfoncé dans l'eau. Un autre pêcheur, qui avait aidé à ramener le corps, dit qu'il avait déjà rencontré ce genre de blessures plusieurs fois déjà. Elles révélaient qu'un autre passager avait essayé, au moment du naufrage, de grimper sur les épaules de son malheureux compagnon dans l'espoir d'atteindre ainsi la surface pour respirer l'air. »

« Et en quoi était-il intéressant ? » demanda le banquier.

« Mon père a fait alors une remarque. Il a dit que l'on pouvait très bien comprendre l'homme qui grimpe sur les épaules d'un autre au moment où il se noie. Par contre, cela devient incompréhensible s'il le fait.. disons dans un salon. . (Il hésita, afin de préparer le banquier à ce qui allait suivre) ou, ajouterai-je, à la table du dîner. »

Le silence revint soudain dans la salle.

Téméraire, se dit Jessica *Ce banquier pourrait bien avoir un rang suffisant pour défier mon fils*. Elle vit que Duncan Idaho était prêt à entrer en action. Les soldats étaient également en alerte et Gurney Halleck avait les yeux fixés sur les hommes qui lui faisaient face

Le contrebandier, Tuek, éclata de rire, la tête rejetée en arrière, dans un complet abandon.

Des sourires crispés apparurent autour de la table.

Bewt sourit à son tour.

Le banquier, lui, avait rejeté son siège en arrière et il fixait sur Paul un regard flamboyant de colère.

« On affronte un Atréides à ses dépens », dit Kynes.

« Est-ce la coutume des Atréides que d'insulter leurs invités ? » demanda le banquier

Avant que Paul puisse rétorquer, Jessica se pencha et dit : « Monsieur ! » Et elle songeait · *Il faut que nous connaissions le jeu que joue cette créature des Harkonnens Est-il ici pour défier Paul ? A-t-il une aide ?*

« Mon fils évoque une image et vous y voyez votre

portrait ? reprit-elle. Quelle fascinante révélation ? » Sa main glissait vers sa jambe, là où était dissimulé le krys dans son étui.

Le banquier la foudroya à son tour du regard. Paul s'était légèrement écarté de la table, se préparant à l'action. Il s'était arrêté au mot : *image*, qui signifiait : « *Prépare-toi à la violence.* »

Kynes posa sur Jessica un regard évaluateur tandis que, d'une main, il faisait un signe subtil à l'intention de Tuek.

Le contrebandier se dressa et leva son flacon. « Je porte un toast, lança-t-il. Au jeune Paul Atréides, qui est encore un jeune garçon de par son apparence mais un homme dans ses actes. »

Pourquoi interviennent-ils donc ? se demanda Jessica.

A présent, le banquier regardait Kynes et Jessica vit que la terreur, pour la seconde fois, envahissait ses traits.

Autour de la table, les invités commencèrent à réagir.

Lorsque Kynes ordonne, les gens obéissent, se dit Jessica. *Il vient de nous dire qu'il se rangeait aux côtés de Paul. Quel est le secret de son pouvoir ? Ce n'est certainement pas parce qu'il est l'Arbitre du Changement. Cela n'est que temporaire. Et ce n'est pas non plus parce qu'il sert l'Empereur.*

Sa main s'éloigna de l'étui du krys. Elle prit son flacon, le leva vers Kynes, qui répondit.

Seuls, Paul et le banquier (*Soo-Soo ! Quel surnom stupide !* pensait Jessica) demeurèrent les mains vides. L'attention du banquier restait fixée sur Kynes. Quant à Paul, il regardait son assiette.

Et il pensait : *J'avais les choses en main. Pourquoi sont-ils intervenus ?* Il regarda subrepticement ses voisins mâles. *Prépare-toi à la violence ? Mais venant de qui ? Certainement pas de ce banquier.*

Halleck parla à la cantonade : « Dans notre société, les individus ne devraient pas aussi vite se considérer comme offensés. Cela équivaut fréquemment à un suicide. (Son regard se posa sur la fille du confectionneur de distilles.) Ne le pensez-vous pas, mademoiselle ? »

« Oh oui. Oui. Bien sûr, dit-elle. Il y a trop de violence. Cela me rend malade. Et la plupart du temps il n'y a aucune offense. Pourtant, des gens meurent. Cela n'a pas de sens. »

« Certainement », dit Halleck.

Jessica découvrit à quel point l'attitude de la fille avait été proche de la perfection et elle songea : *Cette petite femelle à la tête vide n'est pas du tout une petite femelle à la tête vide.* Elle décela alors la menace et comprit que Halleck, lui aussi, l'avait décelée. Ils avaient tenté de séduire Paul par le sexe. Elle se détendit. Sans doute son fils avait-il été le premier à s'en apercevoir. Cette manœuvre n'avait pas échappé aux perceptions entraînées de Paul.

« Ne serait-ce pas l'occasion d'une nouvelle excuse ? » demanda Kynes au banquier.

Ce dernier se tourna vers Jessica avec un sourire douloureux. « Ma Dame, je crains d'avoir sous-estimé vos vins. Ceux que vous nous avez fait servir sont puissants et je n'y suis point accoutumé. »

Il y avait du venin dans ses paroles. Jessica répondit d'une voix douce : « Lorsque des étrangers se rencontrent, il convient de faire une certaine place aux différences de formation et de coutumes. »

« Merci, Ma Dame. »

La voisine du confectionneur de distilles se pencha alors vers Jessica et demanda : « Le Duc nous a enjoint de demeurer ici. J'espère que cela ne signifie pas de nouveaux combats. »

Ainsi, c'est à ce point qu'elle devait amener la conversation, se dit Jessica.

« Je pense que tout ceci sera sans importance, dit-elle. Mais, en ce moment, il y a tant de détails qui requièrent l'attention du Duc. Aussi longtemps que l'inimitié persistera entre les Atréides et les Harkonnens, nous ne saurions être trop prudents. Le Duc a fait vœu de rétribution. Et il est certain qu'il n'entend pas laisser en vie un seul agent des Harkonnens sur Arrakis. (Son regard se posa sur le banquier.) Bien entendu, les Conventions lui donnent raison sur ce point. (Son regard revint sur Kynes.) N'est-il point vrai, Dr Kynes ? »

« Très certainement. »

Discrètement, le confectionneur de distilles attira son voisin en arrière. Jessica dit en le regardant : « Je pense que je vais encore manger. Peut-être de cet oiseau que l'on nous a servi précédemment. »

Elle fit signe à un serviteur et se tourna vers le banquier : « Et vous, monsieur, vous parliez des oiseaux et de leurs mœurs. Il existe tant de choses passionnantes sur Arrakis. Dites-moi : où trouve-t-on l'épice ? Les chasseurs vont-ils loin dans le désert ? »

« Oh, non, Ma Dame. On ne sait que peu de chose sur le désert profond. Et presque rien des régions méridionales. »

« Si l'on en croit un conte, dit Kynes, on devrait trouver une grande Charge Mère d'épice dans ces régions, mais je pense qu'il ne s'agit là que d'une invention pour les besoins d'une chanson. Parfois, des chasseurs d'épice audacieux pénètrent dans la ceinture centrale, mais c'est extrêmement dangereux. La navigation y est incertaine, les tempêtes fréquentes. Les accidents se multiplient dans des proportions dramatiques à mesure que vous vous éloignez des bases du Bouclier. On a découvert qu'il n'était guère profitable de se risquer loin dans le sud. Bien sûr, si nous disposions d'un satellite météo... »

Bewt leva les yeux et dit, la bouche pleine : « On dit que les Fremens vont jusque-là, qu'ils se risquent n'importe où et qu'ils ont trouvé des trempes et des puits-gorgeurs même dans le Sud. »

« Des trempes et des puits-gorgeurs ? » demanda Jessica.

« Ce ne sont que des rumeurs qui courent, Ma Dame, intervint Kynes. Ce sont des choses que l'on connaît sur les autres mondes, pas sur Arrakis. Une trempe est un endroit où l'eau filtre jusqu'à la surface, ou du moins assez près de la surface pour que l'on décèle sa présence à certains signes. Un puits-gorgeur est une forme de trempe qui permet de se désaltérer à l'aide d'un chalumeau engagé dans le sable... du moins à ce que l'on raconte. »

Ses mots sont trompeurs, songea Jessica.

Pourquoi ment-il ? se demanda Paul.

« Comme c'est intéressant », fit Jessica.

« A ce que l'on raconte... » Quel curieux maniérisme dans leur façon de s'exprimer. S'ils savaient à quel point cela révèle l'importance qu'ils accordent aux superstitions.

« Vous auriez un dicton, fit Paul : Le vernis vient des cités, la sagesse du désert. »

« Il y a bien des dictons sur Arrakis », dit Kynes.

Avant que Jessica ait pu formuler une nouvelle question, un serviteur lui présenta un billet. Elle le déplia, reconnut l'écriture du Duc et ses signes codés.

Elle releva la tête et dit : « Vous serez tous heureux d'apprendre que le Duc nous rassure. Le problème qui justifiait sa présence a reçu une solution. On a retrouvé le portant disparu. Un agent harkonnen qui s'était glissé dans l'équipage avait réussi à neutraliser ses compagnons et à conduire l'appareil jusqu'à une base de contrebande avec l'espoir de le vendre. L'homme et la machine nous ont été restitués. » Elle inclina la tête à l'adresse de Tuek qui lui répondit.

Puis elle replia le billet et le glissa dans sa manche.

« Je suis satisfait de voir que cela ne s'est pas transformé en bataille ouverte, dit le banquier Le peuple espère à un tel point que les Atréides vont lui amener la paix et la prospérité. »

« Surtout la prospérité », dit Bewt.

« Pouvons-nous goûter au dessert, à présent ? demanda Jessica. J'ai commandé à notre chef une douceur de Caladan : du riz sauce dolsa. »

« Le nom seul est déjà délicieux, s'exclama le confectionneur de distilles. Serait-il possible d'avoir la recette ? »

« Toutes les recettes que vous désirerez », dit Jessica tout en *enregistrant* l'homme pour Hawat, plus tard. Ce fabricant de distilles était un petit arriviste peureux qu'il serait facile d'acheter.

Autour d'elle, les conversations avaient repris : « Quelle splendide étoffe : » « Il faut faire un ensemble pour aller avec le bijou... » « Nous devrions essayer d'augmenter la production pendant le prochain... »

Jessica abaissa le regard sur son assiette. Elle pensait à la partie codée du message de Leto : « *Les Harkonnens ont tenté d'introduire une cargaison de lasers. Nous les avons capturés. Mais ceci peut signifier qu'ils ont réussi avec d'autres cargaisons. Et certainement qu'ils n'accordent pas une grande importance aux boucliers. Prenez les précautions appropriées.* »

Les lasers. Leurs rayons pouvaient percer n'importe quel matériau connu non pourvu d'un bouclier. Le fait que le contact d'un rayon laser avec un bouclier provoquait l'explosion simultanée de l'un et de l'autre ne semblait pas inquiéter les Harkonnens. Pourquoi ? L'explosion du bouclier et du laser libérait une énergie dangereusement variable qui pouvait dépasser celle de tous les atomiques ou ne tuer que le tireur et son objectif.

Elle était troublée par toutes les inconnues qu'elle sentait là.

« Je n'ai jamais douté que nous retrouverions ce portant, déclara Paul. Lorsque mon père s'attaque à un problème, il le résout. Les Harkonnens commencent seulement à le découvrir. »

Il parade, songea Jessica. *Il ne devrait pas. Quelqu'un qui va se terrer dans le plus lointain sous-sol durant la nuit pour échapper aux lasers n'a pas le droit de parader.*

« Il n'y a pas d'issue — nous payons la violence de nos ancêtres. »

Extrait de Les dits de Muad'Dib, *par la Princesse Irulan.*

JESSICA entendit un tumulte dans le Grand Hall et elle alluma la lampe près de son lit. La pendule n'avait pas encore été réglée sur le temps local et elle dut mentalement soustraire vingt et une minutes pour savoir qu'il était exactement deux heures du matin.

Les bruits étaient forts et confus.

Une attaque des Harkonnens ? se demanda-t-elle.

Elle se glissa hors du lit et consulta les écrans pour voir où se trouvaient les siens. Paul dormait dans la cave profonde qu'ils avaient hâtivement convertie en chambre. Les bruits, de toute évidence, ne lui étaient pas parvenus. Dans la chambre du Duc, il n'y avait personne et le lit n'était pas défait. Etait-il encore au poste de commandement ?

Aucun écran ne montrait encore le devant de la demeure.

Immobile au milieu de sa chambre, Jessica écouta attentivement.

Il y eut un cri. Des mots incohérents. Puis quelqu'un appela le docteur Yueh. Jessica trouva sa robe, la mit sur ses épaules, glissa ses pieds dans ses pantoufles et attacha le krys sur sa jambe.

Une nouvelle fois, on appela le docteur Yueh.

Jessica referma sa robe et sortit. A cet instant, la pensée lui vint : *Leto est peut-être blessé ?* Elle se mit à courir et le couloir lui parut s'allonger à l'infini. Elle franchit l'arche, traversa la salle à manger et suivit enfin le couloir qui accédait au Grand Hall. Celui-ci était brillamment éclairé. Toutes les lampes à suspenseurs étaient à leur intensité maximale.

A sa droite, près de l'entrée principale, Jessica vit deux gardes qui maintenaient Duncan Idaho entre eux. Ce dernier avait la tête ballante. Un silence abrupt, pénible, s'était abattu sur cette scène.

« Vous voyez ce que vous avez fait ? s'écria l'un des deux gardes d'un ton accusateur. Vous avez éveillé Dame Jessica. »

Derrière eux, les grandes draperies se gonflaient, révélant que la porte était demeurée ouverte. Ni le Duc ni Yueh n'étaient visibles. Mapes, cependant, se tenait immobile à l'écart, regardant Idaho avec des yeux froids. Elle portait une longue robe brune festonnée d'un motif serpentin. Elle était chaussée de bottes du désert non lacées.

« Ainsi j'ai éveillé Dame Jessica », grommela Idaho. Il leva la tête vers le plafond et hurla : « C'est Grumman le premier qu'ait souillé mon épée ! »

Grande Mère ! Il est ivre ! se dit Jessica.

Le visage plein et mat d'Idaho était crispé. Il y avait de la poussière dans ses cheveux bouclés comme la toison d'un vieux bouc. Sa tunique déchirée laissait voir la chemise qu'il avait portée pour le dîner.

Jessica s'approcha de lui.

L'un des gardes inclina la tête sans lâcher Idaho. « Nous ne savions pas quoi faire de lui, Ma Dame. Il a créé du désordre au-dehors ; il refusait de rentrer. Nous craignions que des gens le voient. Cela ne nous aurait pas fait bonne réputation. »

« Où est-il allé ? » demanda Jessica.

« Il a raccompagné l'une des jeunes demoiselles, Ma Dame. Sur les ordres de Hawat. »

« Quelle jeune demoiselle ? »

« L'une des filles de l'escorte. Vous comprenez, Ma Dame ? (L'homme jeta un coup d'œil à Mapes et baissa la voix.) C'est toujours à Idaho que l'on fait appel pour la surveillance des dames. »

Vraiment ! pensa Jessica. *Mais pourquoi est-il ivre ?*

Fronçant les sourcils, elle se tourna vers Mapes. « Mapes, apporte-lui un stimulant. Je suggère de la caféine. Peut-être reste-t-il encore un peu de café à l'épice. »

Mapes haussa les épaules et se dirigea vers les cuisines. Les lacets de ses bottes fouettaient le sol en cadence.

Péniblement, Idaho tourna la tête vers Jessica.

« ... tué plus d' trois cents hommes pour l' Duc, grommela-t-il. Vous v'lez savoir p'quoi j' suis là ? J' peux pas rester là-d'sous. Peux pas vivre dans l' sous-sol. Qu'est-ce que c'est qu' cet endroit, hein ? »

Jessica entendit s'ouvrir une porte sur l'un des côtés du Hall. Elle se retourna. Yueh s'approchait, sa trousse médicale à la main gauche. Il était habillé, pâle et semblait fatigué. Le diamant scintillait à son front.

« C' bon docteur ! s'exclama Idaho. L'homme des pansements et des pilules ! (Il se tourna lourdement vers Jessica.) J' me conduis c'm' un idiot, pas vrai, hein ? »

Elle demeura silencieuse, l'expression sévère. Elle se demandait : *Pourquoi Idaho se saoulerait-il ? Est-ce qu'on l'aurait drogué ?*

« Trop de bière d'épice », grommela Idaho en essayant de se redresser.

Mapes revenait, avec une tasse fumante. Elle s'arrêta derrière Yueh, indécise, regarda Jessica qui secoua la tête.

Yueh posa sa trousse sur le sol, salua Jessica d'une inclinaison du menton et dit : « De la bière d'épice, hein ? »

« L' pire truc qu' j'ai jamais avalé, dit Idaho. (Puis il

fit une tentative pour se mettre au garde-à-vous.) C'est Grumman le premier qu'ait souillé mon épée ! Tué un Harkonn... Harkonn... Pour l' Duc. »

Yueh détourna la tête et regarda la tasse que tenait Mapes. « Qu'est-ce que c'est ? »

« Caféine », dit Jessica.

Yueh prit la tasse et la tendit à Idaho. « Buvez ça, mon garçon. »

« J' veux plus rien à boire ! »

« Buvez, je vous dis ! »

La tête d'Idaho ballotta vaguement. Il trébucha en avant, entraînant les gardes.

« J' n ai par-dessus la tête d' faire selon l' bon plaisir d' l'Univers 'périal, doc. P'r une fois, on va faire comme je voudrai. »

« Quand vous aurez bu ça, dit Yueh. Ce n'est que du café. »

« 'si pourri que l' reste ! Et cette saleté d' soleil, trop brillant ! Rien qui a les vraies couleurs. Tout est d'formé et... »

« Bon, maintenant il fait nuit, dit Yueh d'une voix calme. Buvez ça comme un bon garçon. Vous vous sentirez mieux après »

« J' veux pas m' sentir mieux ! »

« Nous ne pouvons pas passer la nuit à discuter avec lui », intervint Jessica. Et elle pensa : *Il lui faut un traitement de choc.*

« Vous n'avez aucune raison de rester ici, Ma Dame, dit Yueh. Je puis m'en occuper seul. »

Elle secoua la tête. Puis elle s'avança et gifla Idaho à toute volée.

Il trébucha en arrière, toujours en entraînant les gardes et la foudroya du regard.

« On ne se conduit pas ainsi dans la demeure du Duc ! » lança Jessica. Elle saisit la tasse que tenait Yueh, renversant une partie du café, et la tendit à Idaho. « Et maintenant, buvez ! C'est un ordre ! »

Idaho sursauta, se redressa et la regarda. Lorsqu'il parla, ce fut d'une voix lente, en formant consciencieusement les mots : « Je ne reçois pas d'ordre d'une satanée espionne harkonnen. »

Yueh se raidit et se tourna vers Jessica.

Elle était devenue pâle mais elle hochait la tête, dans le même instant. Pour elle, tout devenait clair. Maintenant, elle pouvait relier les fragments de signification qu'elle avait discernés tout autour d'elle dans chaque parole, chaque geste, ces jours derniers. Et la colère qui se répandait tout à coup en elle était si forte qu'elle la retenait à grand-peine. Il lui fallut faire appel à ses ressources Bene Gesserit les plus profondes pour ralentir son pouls et calmer son souffle. Même ainsi, c'était encore comme un brasier en elle.

C'est toujours à Idaho que l'on fait appel pour la surveillance des dames !

Elle regarda Yueh. Il baissait les yeux.

« Vous saviez cela ? »

« J'ai... j'ai entendu des rumeurs, Ma Dame. Mais je ne voulais pas ajouter à votre fardeau. »

« Hawat ! lança-t-elle. Je veux que l'on m'amène immédiatement Thufir Hawat ! »

« Mais... Ma Dame !... »

« Immédiatement ! »

Ce doit être Hawat, songeait-elle. *Un tel soupçon ne peut provenir que de lui, autrement il eût été écarté.*

Idaho hocha la tête et bredouilla : « Y a fallu qu' je raconte toute c'te satanée histoire. »

Jessica, un instant, regarda la tasse entre ses mains puis, brusquement, lui en jeta le contenu au visage. « Enfermez-le dans l'une des chambres d'hôte de l'aile est, ordonna-t-elle. Qu'il *dorme !* »

Les deux gardes la dévisagèrent d'un air sombre. « Peut-être devrions-nous l'emmener ailleurs, Ma Dame, commença l'un d'eux. Nous pourrions... »

« C'est là qu'il est censé être ! Il a un travail à accomplir ! riposta Jessica, et sa voix était pleine d'amertume. Il est tellement doué pour surveiller les dames ! »

Le garde déglutit péniblement.

« Savez-vous où se trouve le Duc ? » demanda-t-elle.

« Au poste de commandement. Ma Dame. »

« Hawat est-il avec lui ? »

« Hawat est en ville. Ma Dame. »

« Vous allez me l'amener immédiatement. Je serai dans mon salon. »

« Mais, Ma Dame.. »

« Si cela est nécessaire. j'appellerai le Duc. Mais j'espère que ce sera inutile. Je ne veux pas le déranger pour cela. »

« Oui. Ma Dame. »

Elle posa la tasse vide entre les mains de Mapes et rencontra le regard interrogateur de ses yeux bleus.

« Mapes, retournez vous coucher »

« Vous êtes certaine que vous n'aurez pas besoin de moi ? »

Jessica eut un sourire dur. « J'en suis certaine »

« Peut-être cela pourrait-il attendre à demain ? dit Yueh. Je peux vous donner un sédatif et. . »

« Retournez à vos appartements et laissez-moi régler ceci à ma façon. dit-elle (Elle lui tapota le bras pour tempérer l'âpreté de cet ordre.) C'est la seule manière. »

Abruptement, la tête droite, elle fit demi-tour et repartit vers sa chambre. Murailles froides. couloirs... porte familière.. Elle ouvrit, entra. referma violemment. Ses yeux se posèrent sur les fenêtres du salon. les fenêtres protégées par des boucliers. *Hawat ! Est-ce donc lui que les Harkonnens ont acheté ? Nous allons bien voir.*

Elle alla jusqu'au fauteuil profond et ancien recouvert de peau de schlag brodée et le fit pivoter afin qu'il fût face à la porte. Elle eut soudain la conscience aiguë de la présence du krys dans son étui, contre sa jambe. Elle l'ôta et le fixa à son bras avant d'en éprouver le poids. Une fois encore, son regard courut par toute la pièce Dans son esprit, chaque objet avait sa place précise en cas d'urgence La chaise dans le coin, les sièges à dossier droit contre le mur, les tables basses, sa cithare sur piédestal, près de la porte de la chambre

Une pâle clarté rose émanait des lampes à suspenseurs Elle en diminua encore l'intensité, s'assit dans le fauteuil et passa la main sur le revêtement En cet instant, elle appréciait tout particulièrement le solide confort de ce siège.

Maintenant, qu'il vienne, se dit-elle. *Nous allons voir ce que nous allons voir.* Et elle se prépara à l'attente dans la manière Bene Gesserit, accumulant la patience, réservant ses forces.

Plus tôt qu'elle ne s'y était attendue, on frappa à la porte et, sur son ordre, Hawat entra.

Elle l'examina sans quitter le fauteuil, décelant dans ses mouvements la présence vibrante d'une énergie due à la drogue, décelant aussi la fatigue en dessous. Les yeux anciens d'Hawat brillaient. Sa peau tannée paraissait légèrement jaune dans la lumière. Sur sa manche, qui recouvrait son bras-couteau, apparaissait une large tache humide.

Jessica perçut l'odeur du sang.

Elle désigna l'une des chaises à dossier droit : « Asseyez-vous en face de moi. »

Il s'inclina et obéit. *Cet imbécile d'ivrogne d'Idaho!* pensa-t-il. Il examina le visage de Jessica, se demandant comment il pouvait encore sauver la situation.

« Il est grand temps de clarifier l'atmosphère entre nous », dit Jessica.

« Qu'est-ce qui trouble Ma Dame ? » Il avait placé les mains sur les genoux.

« Ne jouez pas ce jeu avec moi ! lança-t-elle. Si Yueh ne vous a pas révélé pourquoi je vous ai convoqué, un de vos espions dans cette demeure l'aura fait. Pouvons-nous être assez honnêtes l'un envers l'autre pour admettre cela ? »

« Comme vous le désirerez, Ma Dame. »

« D'abord, vous allez répondre à une question. Etes-vous, en cet instant, un agent des Harkonnens ? »

Il se leva à demi, le visage assombri par la colère.

« Vous osez m'insulter de la sorte ? »

« Asseyez-vous. Vous aussi, vous avez osé. »

Lentement, il obéit.

Et Jessica, lisant les signes sur ce visage qu'elle connaissait si bien, exhala un long soupir. Ce n'était pas Hawat.

« Maintenant, dit-elle, je sais que vous demeurez fidèle à mon Duc. Je suis donc prête à vous pardonner cet affront. »

« Y a-t-il quelque chose à pardonner ? »

Elle fronça les sourcils. *Vais-je jouer mon atout ? Vais-je lui parler de cette fille que je porte en moi depuis plusieurs semaines ? Non... Leto lui-même ne sait rien. Cela ne ferait que lui compliquer l'existence, le distraire en un moment où il doit se concentrer sur notre survie. Il sera encore temps d'utiliser cela.*

« Une Diseuse de Vérité résoudrait ce problème, dit-elle, mais nous n'avons ici aucune Diseuse qualifiée par le Haut Conseil. »

« Comme vous le dites : nous n'avons pas de Diseuse de Vérité. »

« Y a-t-il un traître parmi nous ? J'ai étudié nos gens avec beaucoup de soin. Qui cela pourrait-il être ? Pas Gurney. Certainement pas Duncan. Leurs lieutenants *à eux* ne sont pas dans une position stratégique telle que l'on puisse s'y arrêter. Ce n'est pas vous non plus, Thufir. Ce ne peut être Paul. Je *sais* que ce n'est pas moi. Le docteur Yueh, alors ? Faut-il que je l'appelle et le soumette à un test ? »

« Vous savez que ce serait inutile, dit Hawat. Il est conditionné par le Haut Collège. *De cela,* je suis certain. »

« Sans parler de son épouse Bene Gesserit assassinée par les Harkonnens », dit Jessica.

« C'est donc ce qui lui est arrivé. »

« N'avez-vous jamais décelé la haine qui perce dans sa voix lorsqu'il parle des Harkonnens ? »

« Vous savez que je n'ai pas l'oreille. »

« Qu'est-ce qui a amené ce soupçon à mon égard ? »

Il se renfrogna. « Ma Dame met son serviteur dans une position impossible. Ma loyauté va tout d'abord au Duc. »

« Pour cette loyauté, je suis prête à pardonner beaucoup », dit Jessica.

« Mais à nouveau je vous demande : Y a-t-il quelque chose à pardonner ? »

« Pat (1) ? » demanda-t-elle.

Hawat haussa les épaules.

« En ce cas, parlons d'autre chose pendant une minute. De Duncan Idaho, cet admirable combattant dont on estime tant les qualités de garde et de surveillant. Cette nuit, il s'est adonné à une boisson appelée bière d'épice. Des rapports m'ont appris que d'autres, parmi nos gens, avaient été victimes de cette mixture. Est-ce exact ? »

« Vous avez vos rapports, Ma Dame. »

« C'est vrai. Ne pensez-vous pas que ce soit un symptôme, Thufir ? »

« Ma Dame parle par énigmes. »

« Utilisez donc vos dons de Mentat ! Quel est le problème avec Duncan comme avec les autres ? Je vais vous le dire : Ils n'ont pas de foyer. »

Il tendit l'index vers le sol. « Arrakis. Arrakis est leur foyer. »

« Arrakis est une inconnue ! Caladan était leur maison, mais nous les avons déracinés. Ils n'ont plus de foyer. Et ils craignent que le Duc ne les abandonne. »

Hawat se raidit. « Si un seul des hommes parlait ainsi... »

« Oh, assez, Thufir ! Est-ce un signe de trahison ou de défaitisme de la part d'un docteur que de diagnostiquer correctement une maladie ? Mon seul but est de la guérir, cette maladie. »

« Le Duc m'a confié cette mission. »

« Mais vous comprenez certainement que je me

(1) Figure d'échecs dans laquelle le roi, sans être mis en échec, se trouve immobilisé (N.D.T.).

soucie du développement de cette maladie Et peut-être me concéderez-vous certaines capacités dans ce domaine »

Faut-il que je lui administre un choc ? se demandait-elle *Il a besoin d'être secoué, afin d'abandonner la routine*

« Le souci dont vous faites preuve pourrait être interprété de bien des façons », dit Hawat en haussant les épaules

« Ainsi vous m'avez déjà condamnée ? »

« Que non, Ma Dame Mais je ne puis me permettre de prendre le moindre risque dans la situation présente »

« Une menace contre la vie de mon fils, dans cette demeure même, est passée inaperçue de vous, dit-elle Qui a pris ce risque ? »

Le visage d'Hawat devint sombre. « J'ai présenté ma démission au Duc. »

« Et à moi. ou à Paul ? »

Maintenant, il était ouvertement furieux. Son souffle rapide, ses narines dilatées, son regard fixe le trahissaient. Jessica discerna une veine qui frémissait sur sa tempe.

« J'appartiens au Duc », dit-il d'un ton âpre.

« Il n'y a pas de traître. La menace vient d'ailleurs Peut-être est-elle en rapport avec ces lasers. Peut-être vont-ils prendre le risque d'introduire quelques lasers munis de dispositifs automatiques et braqués sur les boucliers de cette demeure. Peut-être qu'ils... »

« Mais après l'explosion, qui pourrait prouver qu'ils n'ont pas utilisé les atomiques ? Non, Ma Dame. Ils ne risqueraient rien d'aussi illégal Les radiations subsistent. Les preuves sont difficiles à faire disparaître. Non Ils observeront toutes les formes. Il s'agit certainement d'un traître. »

« Vous appartenez au Duc. Le détruiriez-vous dans vos efforts pour le sauver ? »

Il inspira profondément « Si vous êtes innocente, je vous ferai mes plus plates excuses. »

« Parlons de vous, maintenant, Thufir, dit-elle Les humains vivent mieux lorsque chacun d'eux est à sa place lorsque chacun d'eux sait où il se situe dans le schema des choses. Détruisez cette place, vous détruisez la personne Vous et moi, Thufir, de tous ceux qui aiment le Duc, nous sommes les plus susceptibles de nous détruire mutuellement Ne pourrais-je, une nuit prochaine, glisser à l'oreille du Duc les soupçons que j'ai à votre égard ? Et à quel moment y serait-il particulièrement sensible, Thufir ? Dois-je vous le faire comprendre plus clairement ? »

« Vous me menacez? » gronda-t-il.

« Bien sûr que non. Je mets simplement en évidence le fait que quelqu'un, en ce moment, nous attaque en visant l'organisation même de nos existences C'est habile, diabolique. Je vous propose de neutraliser cette attaque en disposant nos existences de telle façon que ne subsiste plus aucune faille par laquelle on puisse nous atteindre »

« Vous m'accusez d'entretenir des soupçons sans fondement ? »

« Oui, sans fondement. »

« Les avez-vous comparés aux vôtres ? »

« C'est *votre* vie, Thufir, qui est faite de soupçons, et non la mienne. »

« Vous mettez donc en doute mes capacités ? »

Elle soupira. « Thufir, je voudrais que vous considériez la part de vos émotions personnelles qui participent à ceci. L'humain *naturel* est un animal dépourvu de logique. Votre projection de la logique dans *tous* les problèmes *n'est pas naturelle* mais elle persiste à cause de son utilité. Vous êtes la personnalisation de la logique, vous êtes un Mentat. Pourtant, vos solutions sont des concepts qui, d'une manière très réelle, sont projetés hors de vous et qui demandent à être étudiés, inspectés, examinés sous tous les angles. »

« Vous entendez m'apprendre mon rôle? » demanda-t-il, sans chercher à dissimuler le mépris dans sa voix.

« Vous pouvez appliquer votre logique à tout ce qui est hors de vous, poursuivit-elle, mais c'est une caractéristique humaine que, lorsque nous affrontons des problèmes personnels, ce sont justement ces choses profondément intimes qui résistent le plus à l'examen de la logique. Nous avons alors tendance à nous empêtrer, à nous en prendre à tout sauf à la chose bien réelle et profondément enracinée qui est notre véritable but. »

« Vous essayez délibérément de me faire douter de mes pouvoirs de Mentat, dit-il d'un ton âpre. Si je venais à découvrir quiconque parmi nos gens essayant de saboter ainsi l'une de nos armes, je n'hésiterais pas à le dénoncer et à le détruire. »

« Les meilleurs des Mentats conservent un respect très sain pour le facteur d'erreur dans leurs calculs. »

« Je n'ai jamais prétendu le contaire ! »

« Alors penchez-vous sur ces symptômes que nous avons tous deux relevés : des hommes pris de boisson, des querelles... Ils bavardent, ils colportent de vagues rumeurs sur Arrakis et ignorent les plus simples... »

« Ils s'ennuient, c'est tout. N'essayez pas de détourner mon attention en me présentant un fait banal comme mystérieux. »

Elle le contemplait et elle songeait à tous les hommes qui, dans leurs quartiers, ruminaient leurs griefs jusqu'à ce que l'atmosphère en soit toute chargée, étouffante. *Ils deviennent comme les hommes des légendes d'avant la Guilde. Comme les hommes du chercheur d'étoiles disparu, Ampoliros. Ils sont malades à force de serrer leurs armes, à force de chercher, toujours. Toujours préparés et jamais prêts.*

« Pourquoi n'avez-vous jamais utilisé mes capacités pour servir le Duc ? demanda-t-elle. Craignez-vous une rivale à votre niveau ? »

Il la foudroya du regard de ses yeux anciens. « Je connais en partie l'entraînement que le Bene Gesserit donne à ses... » Il se tut.

« Continuez, dites-le. Ses *sorcières.* »

« Je connais la formation *réelle* que l'on vous donne.

Je l'ai vue percer chez Paul. Je ne me laisse pas abuser par ce que votre Ecole déclare au public, que vous n'existez que pour servir. »

Il faut que le choc soit violent, pensa-t-elle, *et il sera bientôt prêt.*

« Lors des sessions du Conseil, vous m'écoutez avec respect. Pourtant, vous tenez rarement compte de mon opinion. Pourquoi ? »

« Je n'ai aucune confiance envers vos motivations Bene Gesserit. Il se peut que vous pensiez pouvoir regarder au travers d'un homme ; il se peut aussi que vous pensiez faire accomplir à un homme exactement ce qu'il... »

« Thufir ! Pauvre imbécile ! »

Il fronça les sourcils et se rejeta au fond de son siège.

« Quelles que soient les rumeurs qui vous soient parvenues à propos de l'Ecole, dit Jessica, la vérité est encore plus vaste. Si je désirais détruire le Duc... ou vous, ou toute autre personne à ma portée, nul ne pourrait m'en empêcher. »

Pourquoi l'orgueil m'arrache-t-il de telles paroles ? pensa-t-elle aussitôt. *Ce n'est pas là ce que l'on m'a enseigné. Ce n'est pas ainsi que je puis lui causer un choc.*

Hawat glissa une main sous sa tunique, là où il dissimulait en permanence un minuscule projecteur de dards empoisonnés. *Elle ne porte pas de bouclier*, se dit-il. *Par bravade ? Je pourrais la frapper maintenant... mais, oui... quelles seraient les conséquences si jamais je me trompe ?*

Jessica avait noté son geste et elle dit : « Prions pour que jamais la violence ne soit nécessaire entre nous. »

« Louable prière. »

« Mais, pendant ce temps, le mal ne fait que s'étendre parmi nous. Je vous le demande encore une fois : N'est-il pas plus raisonnable de penser que les Harkonnens ont fait naître ce soupçon afin de nous dresser l'un contre l'autre ? »

« Il semble que nous en soyons revenus au pat », dit-il.

Elle soupira et songea : *Il est presque prêt.*

« Le Duc et moi sommes le père et la mère, les tuteurs de notre peuple, dit-elle. La position... »

« Il ne vous a pas encore épousée. »

Elle s'efforça au calme. *Une bonne riposte.*

« Mais il n'épousera personne d'autre. Aussi longtemps que je vivrai. Et nous sommes les tuteurs, je vous l'ai dit. Briser cet ordre naturel, déranger, semer le désordre... n'est-ce pas la cible la plus évidente pour les Harkonnens ? »

Il sentit dans quelle direction elle l'entraînait et il se pencha, fronçant les sourcils.

« Le Duc ? reprit-elle. Une cible tentante, certes, mais nul n'est mieux gardé, si ce n'est Paul. Moi ? Oui, certainement, mais ils savent bien que les Bene Gesserit ne constituent pas des cibles faciles. Il en existe une meilleure, une cible dont les fonctions, nécessairement, créent une monstrueuse tache aveugle. Un personnage pour qui soupçonner est aussi naturel que respirer. Qui construit toute sa vie sur l'insinuation et le mystère. (Elle tendit brusquement la main.) Vous ! »

Il se leva à demi.

« Je ne vous ai pas dit de vous retirer, Thufir ! » lança-t-elle.

Le vieux Mentat retomba presque en arrière. Soudain, ses muscles l'avaient trahi.

Elle sourit sans joie.

« Ainsi, vous connaissez la *véritable* formation que l'on nous donne », dit-elle.

Il avait la gorge sèche. Le ton de Jessica avait été péremptoire, royal, irrésistible. C'était comme si le corps de Hawat avait obéi avant même que son cerveau ait perçu l'ordre. Et rien n'avait pu empêcher cela, ni logique ni fureur... rien. Ce qu'elle venait de faire là révélait une connaissance intime, sensible de l'homme qu'elle avait ainsi neutralisé, un contrôle total que jamais il n'aurait cru possible.

« Je vous ai dit auparavant que nous devrions nous comprendre. Je voulais dire par là que *vous* devriez me comprendre *moi* Pour ma part, je vous ai déjà compris. Je vous le dis maintenant · votre loyauté envers le Duc est toute la garantie que vous avez à mes yeux. »

Il la regarda et sa langue vint humecter ses lèvres.

« Si tel était mon caprice, le Duc m'épouserait, reprit-elle. Et il penserait même l'avoir fait de sa propre volonté »

Hawat baissa la tête mais il continua de la regarder entre ses cils. Seul un contrôle absolument rigide sur lui-même l'empêchait d'appeler la garde. Un contrôle. et le fait qu'il pensait maintenant que cette femme ne lui permettrait pas de le faire. En se rappelant la manière dont elle l'avait maîtrisé, des frissons couraient sur sa peau. Dans l'instant même où il avait hésité, elle aurait pu brandir une arme et le tuer !

Tout être humain recèle-t-il donc cette tache aveugle ? Est-il possible que chacun de nous puisse être manipulé sans pouvoir résister ? Cette idée l'ébranlait. *Qui pourrait venir à bout de quelqu'un d'aussi puissant ?*

« Vous avez entrevu le poing sous le gant Bene Gesserit, dit Jessica. Bien peu, après cela, ont survécu Pourtant ce que j'ai fait était relativement simple Vous n'avez pas encore découvert tout mon arsenal. Songez-y. »

« Pourquoi n'allez-vous pas détruire les ennemis du Duc ? »

« Moi, détruire ? Et donner de mon Duc l'image d'un homme faible ? Le forcer à dépendre de moi à jamais ? »

« Mais, avec de tels pouvoirs... »

« Ce pouvoir est une arme à double tranchant, Thufir. Vous songez en cet instant : comme il doit lui être facile de façonner un outil humain pour frapper les œuvres vives de l'ennemi. . C'est vrai, Thufir. Je pourrais même vous frapper, vous. Pourtant, qu'accomplirais-je en cela ? Si certaines Bene Gesserit se permettaient cela, toutes les Bene Gesserit ne seraient-elles pas suspectes ? Et nous ne le voulons pas, Thufir. Nous ne désirons pas nous détruire nous-mêmes. (Elle hocha la tête.) Oui, en vérité, nous n'existons que pour servir. »

« Je ne puis vous répondre, dit-il. Vous savez que je ne le puis. »

« Vous ne direz rien de ce qui s'est passé ici. Rien à personne. Je vous connais, Thufir. »

« Ma Dame... » A nouveau, il eut du mal à avaler sa salive. Sa gorge était desséchée. Il pensa : *Oui, elle a des pouvoirs immenses. Et ceux-ci ne feraient-ils pas d'elle l'outil idéal pour les Harkonnens ?*

« Le Duc pourrait être détruit aussi rapidement par ses amis que par ses ennemis, dit-elle. J'espère maintenant que vous allez balayer toute trace de ces soupçons. »

« S'ils se révèlent sans fondement. »

« *Si.* »

« Si », répéta-t-il.

« Vous êtes tenace. »

« Prudent, et conscient de la marge d'erreur possible. »

« En ce cas, je vais vous poser une autre question : Que pensez-vous, réduit à l'impuissance devant un autre humain qui pointe un couteau sur votre gorge puis qui, plutôt que de vous égorger, vous libère de vos liens et vous tend son couteau pour vous en servir à votre gré ? »

Elle se leva et lui tourna le dos. « Vous pouvez disposer, maintenant, Thufir. »

Le vieux Mentat se redressa, hésita. Ses mains esquissèrent un geste vers l'arme dissimulée sous sa tunique. Il pensait au taureau et au père du Duc qui avait été brave en dépit de ses autres failles. Il pensait au jour lointain de cette corrida, à la bête noire, redoutable, immobile, tête baissée, déconcertée. Le Vieux Duc avait tourné le dos aux cornes. La cape flamboyait sur son bras. Les acclamations montaient des gradins.

Je suis le taureau. Elle est le matador, se dit-il. Sa main s'écarta de l'arme. La sueur brillait dans sa paume.

Il sut alors que, quel que soit le tour que prendraient

les choses, il n'oublierait jamais ce moment et ne perdrait rien de l'admiration suprême qu'il éprouvait pour cette femme

Lentement, il quitta la pièce.

Le regard de Jessica se détourna enfin du reflet dans les fenêtres et se fixa sur la porte close.

« Maintenant, nous allons voir ce qu'il convient de faire », murmura-t-elle.

Lutter avec des rêves
Ou contenir des ombres ?
Et marcher dans l'ombre d'un sommeil ?
Le temps s'est écoulé
Et la vie fut volée
Tu remues des vétilles.
Victime de ta folie

Chant pour Janis sur la Plaine Funèbre, extrait des Chants de Muad'Dib, *par la Princesse Irulan.*

A la clarté d'une unique lampe à suspenseur, Leto prenait connaissance d'une note. L'aube n'était née que quelques heures auparavant mais il sentait déjà la fatigue. La note avait été remise aux gardes extérieurs par un messager fremen peu avant qu'il ne gagne son poste de commandement. Elle disait : « Au jour, une colonne de fumée, à la nuit, un pilier de feu. » Il n'y avait pas de signature.

Qu'est-ce que cela veut dire ? se demanda-t-il.

Le messager était immédiatement reparti, sans attendre de réponse et avant qu'on ait pu l'interroger. Il avait disparu dans la nuit telle une ombre, une fumée.

Leto glissa le papier dans la poche de sa tunique. Il le montrerait à Hawat. Il rejeta une mèche de cheveux de son front et eut un soupir. L'effet des pilules antifatigue commençait à s'estomper. La réception remontait à deux jours et il y avait plus longtemps encore qu'il n'avait dormi.

La pénible discussion avec Hawat et le rapport qu'il lui avait fait de son entrevue avec Jessica avaient dominé tous les problèmes militaires.

Faut-il que j'éveille Jessica ? se demanda-t-il. *Je n'ai plus aucune raison de poursuivre ce jeu du secret avec elle. Non ? Maudit soit ce satané Duncan !* Il secoua la tête. *Non, pas Duncan. J'ai commis une erreur en ne me confiant pas à Jessica dès le premier instant. Il faut que je le fasse maintenant, avant que plus de mal ne soit fait.*

Cette décision le rasséréna et il s'éloigna de la cheminée, traversa le Grand Hall et suivit les couloirs menant aux appartements familiaux. A l'intersection du couloir de service, il s'arrêta. Il avait perçu un étrange gémissement. Sa main gauche se posa sur le contact de sa ceinture-bouclier, le kindjal glissa dans sa paume droite et il en éprouva une assurance nouvelle. L'étrange son l'avait littéralement glacé. Doucement, il s'engagea dans le couloir de service, tout en maudissant la faible clarté qui régnait là. Les suspenseurs les plus petits avaient été placés au long du couloir à huit mètres d'intervalle les uns des autres et réglés au plus faible niveau. Les murs sombres semblaient boire l'infime lumière qu'ils répandaient.

Dans la pénombre, devant lui, Leto distingua une forme pâle. Il hésita, prêt à activer son bouclier. Mais cela limiterait ses mouvements, étoufferait les sons... et la capture de la cargaison de lasers l'avait empli de doutes.

Silencieusement, il progressa en direction de la forme pâle, qui était une silhouette humaine, celle d'un homme, face contre terre. Leto le retourna du pied tout en brandissant son couteau. Puis il se pencha dans la pâle clarté. C'était Tuek, le contrebandier. Il avait une tache humide sur la poitrine. Ses yeux morts étaient sombres et vides. Leto toucha la tache... Elle était encore tiède.

Pourquoi l'a-t-on tué ici ? se demanda le Duc. *Et qui l'a tué ?*

Le gémissement étrange était encore plus fort ici. Il venait du passage latéral qui conduisait à la pièce centrale où avait été installé le générateur principal du bouclier de la maison.

La main sur le contact de sa ceinture, le kindjal pointé, le Duc contourna le corps, s'avança dans le passage et regarda en direction du générateur. Une autre forme pâle était allongée sur le sol, à quelques pas. Elle gémissait et se mit à ramper vers lui avec une lenteur douloureuse, en haletant, en geignant.

Leto réprima une soudaine frayeur, bondit dans le passage et s'accroupit à côté de la forme rampante. C'était Mapes, la gouvernante fremen. Sa chevelure lui retombait sur le visage et ses effets étaient en désordre. Une trace sombre et brillante apparaissait sur sa poitrine. Leto mit la main sur son épaule et elle se redressa, prenant appui sur ses coudes, levant la tête vers lui, les yeux pleins d'ombre.

« ... vous... haleta-t-elle... Tué... garde... envoyé... chercher... Tuek... enfui... M'Dame... vous... vous... ici... non... » Elle retomba en avant et sa tête résonna sur le sol de pierre.

Les doigts de Leto cherchèrent le pouls à ses tempes. Il n'y en avait plus. Il examina la trace sombre du sang. Elle avait été frappée dans le dos. Par qui ? Ses pensées s'accéléraient. Voulait-elle dire que quelqu'un avait tué le garde ? Et Tuek... Jessica l'avait-elle fait mander ? Pourquoi ?

Il allait se redresser. Un sixième sens l'avertit. Il porta la main au contact de sa ceinture-bouclier. Trop tard. Un coup violent rejeta son bras en arrière. La douleur jaillit et il vit l'aiguille plantée dans sa manche. La paralysie commença à se répandre. Il fit un terrible effort pour lever la tête et regarder vers l'extrémité du passage.

Yueh se tenait sur le seuil de la pièce du générateur. Son visage était jaune dans la clarté d'un suspenseur flottant au-dessus de la porte. Derrière lui, il n'y avait que le silence Aucun bruit de générateur.

Yueh ! pensa le Duc. *Il a tout saboté ! Nous sommes à découvert !*

Yueh s'avança vers lui tout en remettant son pistolet à aiguilles dans sa poche.

Leto découvrit qu'il lui était encore possible de parler et il dit, haletant « Yueh ! Comment ? » Puis la paralysie gagna ses jambes et il glissa sur le sol, le dos appuyé au mur

Yueh se pencha sur lui et son visage avait une expression de tristesse. Il lui toucha le front et Leto ne perçut qu'à peine le contact de ce doigt.

« Le poison de cette aiguille est sélectif. Vous pouvez parler, mais je vous conseille de ne pas le faire » Un instant, il leva la tête et son regard fouilla la pénombre. puis il se pencha de nouveau sur Leto. Il arracha l'aiguille de son bras et la jeta. Elle fit sur le sol de pierre un bruit qui parut au Duc très lointain, étouffé

Cela ne peut être Yueh, songeait-il. *Il est conditionné*.

« Comment ? » chuchota-t-il

« Je suis désolé, mon cher Duc, mais il est des choses plus importantes que cela. (Il porta la main au tatouage en diamant qui ornait son front.) Moi-même, je trouve cela très étrange (une manifestation de ma conscience pyrétique, sans doute) mais je veux tuer un homme Oui, je le veux vraiment. Et rien ne m'arrêtera. »

Il contempla le Duc

« Oh, non, pas vous, mon cher Duc. Le baron Harkonnen. C'est le Baron que je veux tuer. »

« Le Bar... »

« Du calme, je vous en prie, mon pauvre Duc. Il ne vous reste que peu de temps. Cette dent que je vous ai implantée après votre chute à Narcal. Cette dent. . il faut que je la remplace. Dans un instant, je vais vous rendre inconscient et je la remplacerai. (Il ouvrit la main et contempla quelque chose, au creux de sa paume) Une copie fidèle. Le nerf, au centre, semble authentique. Cela devrait échapper à tous les détecteurs habituels et même à un examen profond. Si vous claquez violemment la mâchoire, la surface craque et, en soufflant très fort, vous rejetez un gaz mortel . absolument mortel. »

Leto regarda Yueh et il lut la folie dans ses yeux, il vit la sueur qui perlait sur ses sourcils et son menton

« Vous êtes condamné, de toute façon, mon pauvre Duc. Mais, avant de mourir, vous approcherez le Baron. Il croira que vous êtes sous l'influence de drogues si puissantes que toute attaque de votre part est impossible. Et vous serez effectivement drogué et neutralisé. Mais une attaque peut prendre bien des formes étranges. Et vous n'oublierez pas la dent. La *dent*, duc Leto Atréides. Vous n'oublierez pas la dent. »

Le vieux docteur se pencha un peu plus et sa moustache emplit tout le champ de la vision défaillante du Duc.

« La dent », murmura Yueh.

« Pourquoi ? » souffla Leto.

Yueh mit un genou en terre. « J'ai conclu un Pacte de Shaitan avec le Baron. Et il faut que je m'assure qu'il a bien rempli ses engagements. En le voyant, je le saurai. Lorsque je regarderai le Baron, *je saurai*. Mais je ne puis être mis en sa présence sans payer le prix. Et vous êtes ce prix, mon pauvre Duc. Et quand je le verrai, je saurai. Ma malheureuse Wanna m'a appris bien des choses et l'une d'elles est la certitude de la vérité lorsque la tension est forte. Je ne réussis pas cela constamment mais, quand je verrai le Baron, alors.. *je saurai*. »

Leto essaya de voir la dent dans la paume de Yueh. Tout cela se passait dans un cauchemar. Ce ne pouvait être réellement

Les lèvres rouges du docteur dessinèrent une grimace. « Je ne serai pas assez proche du Baron, autrement j'aurais fait cela moi-même. Non, il restera à prudente distance. Mais vous... Ah, vous, mon arme adorée ! Il voudra vous voir de près. Pour rire sur vous, pour jouir de vous, un peu »

Leto était presque hypnotisé par le muscle qui se

contractait sans cesse sur la joue gauche de Yueh tandis qu'il parlait.

Le docteur se rapprocha encore. « Et vous, mon cher, mon précieux Duc, vous n'oublierez pas la dent. (Il la lui montra, entre le pouce et l'index.) Elle sera tout ce qui restera de vous. »

La bouche de Leto s'ouvrit sans émettre le moindre son, puis il parvint à souffler : « ... refuse. »

« Mais non ! Vous ne pouvez refuser. Parce que, pour ce petit service, je vais faire quelque chose pour vous à mon tour. Je vais sauver votre fils et votre femme. Nul autre que moi ne le peut. Ils seront conduits en un lieu où aucun Harkonnen ne pourra les atteindre. »

« Comment... les... sauver ? » souffla Leto.

« En faisant croire à leur mort, en les entourant de gens qui tirent leur couteau au seul nom d'Harkonnen, qui brûlent les sièges où les Harkonnens se sont assis, qui lavent le sol que les Harkonnens ont foulé. (Il toucha la mâchoire de Leto.) Sentez-vous quelque chose ? »

Le Duc s'aperçut qu'il ne pouvait répondre. Il sentit un mouvement, une pression et il vit l'anneau ducal dans la main de Yueh.

« Pour Paul, dit le docteur. Maintenant, vous allez être inconscient. Au revoir, mon pauvre Duc. Lorsque nous nous reverrons, nous n'aurons pas le temps de converser. »

Le froid montait dans la tête de Leto, de sa mâchoire il gagnait ses joues. L'ombre parut se resserrer tout autour des lèvres rouges de Yueh qui chuchotait : « La dent ! N'oubliez pas la dent ! La dent ! »

Il devrait exister une science de la contrariété. Les gens ont besoin d'épreuves difficiles et d'oppression pour développer leurs muscles psychiques.

Extrait de Les dits de Muad'Dib, *par la Princesse Irulan.*

JESSICA s'éveilla dans l'obscurité et le silence fit naître en elle une prémonition. Elle ne comprenait pas pour quelle raison son corps et son esprit étaient si lents. La peur courut au long de ses nerfs. Elle pensa qu'il lui fallait s'asseoir, allumer, mais quelque chose s'opposait à cette décision. Sa bouche était... bizarre.

Doum-doum-doum-doum !

Le son était étouffé. Il venait de nulle part, du fond de l'obscurité.

Un moment d'attente, lourd de temps, empli de mouvements, de bruissements.

Elle commença à percevoir son corps, les pressions sur ses chevilles, ses poignets. Un bâillon sur sa bouche. Elle était étendue sur le côté, les mains liées dans le dos. Elle tira sur les liens. De la fibre de krimskell. Leur étreinte ne ferait que se resserrer à chacun de ses mouvements.

Maintenant, elle se souvenait.

Dans l'obscurité de sa chambre, il y avait eu un mouvement. Quelque chose d'humide et de mou avait été pressé contre son visage, jusqu'à lui emplir la bouche. Elle avait tendu les mains, essayé d'arracher la chose. Elle avait aspiré, une fois, et décelé le narcotique. Sa conscience avait diminué, très vite, la plongeant dans un bain noir de terreur.

C'est arrivé, pensa-t-elle. *Comme il lui a été simple de venir à bout d'une Bene Gesserit ! La trahison a suffi. Hawat avait raison.*

Elle lutta pour ne pas tirer sur ses liens.

Ce n'est pas ma chambre, pensa-t-elle. *Ils m'ont emmenée ailleurs.*

Lentement, elle rétablit le calme en elle-même.

Elle prit conscience de l'odeur de sa propre sueur, de l'émanation chimique de la peur.

Où est Paul ? Mon fils... que lui ont-ils fait ?

Calme.

Elle lutta pour le calme, se servant des vieux enseignements.

Mais la terreur demeurait si proche.

Leto ? Où es-tu, Leto ?

L'obscurité diminuait. Il y eut des ombres, d'abord. Les dimensions furent marquées et devinrent autant d'aiguilles de perception. Blanc. Une ligne sous une porte.

Je suis sur le sol.

On marchait. Elle décelait les pas dans le sol. Elle repoussa le souvenir de la terreur. *Je dois rester calme, éveillée, prête. Je n'aurai peut-être qu'une seule chance.*

A nouveau, le calme intérieur.

Les battements de son cœur ralentirent, devinrent réguliers, prirent un rythme. Elle se mit à compter à rebours. Elle pensa : *J'ai été inconsciente environ une heure.* Elle ferma les yeux, focalisa toute sa perception sur les pas qui approchaient.

Quatre personnes.

Elle décelait la différence de leurs démarches.

Je dois feindre l'inconscience. Sur le sol froid, elle se détendit, vérifia l'éveil de tout son corps. Une porte s'ouvrit. Elle devina la lumière au travers de ses paupières closes.

Des pas, plus proches. Quelqu'un se penchait sur elle.

« Vous êtes éveillée, dit une voix de basse. N'essayez pas de feindre. »

Elle ouvrit les yeux.

Le baron Vladimir Harkonnen se dressait au-dessus d'elle. Derrière lui, tout autour, elle reconnut la cave où Paul avait dormi, elle vit la couche.. vide. Des gardes arrivaient avec des lampes à suspenseurs qu'ils placèrent près du seuil. Dans le hall, au-delà, régnait une lumière vive qui lui blessa la vue.

Elle regarda le Baron. Il portait une cape jaune déformée par des suspenseurs portatifs. Sous ses yeux noirs d'araignée, il avait les grosses joues d'un chérubin.

« L'effet de la drogue a été calculé avec précision, reprit-il. Nous savions exactement à quelle minute vous deviez vous éveiller. »

Comment est-ce possible ? pensa-t-elle. *Il leur faudrait connaître mon poids exact, mon métabolisme, mon... Yueh !*

« Quel dommage que vous deviez rester bâillonnée ! dit le Baron. Nous pourrions avoir une conversation fort intéressante. »

Yueh est le seul possible, songeait Jessica. *Mais comment ?*

Le Baron se tourna vers le seuil. « Entre, Piter. »

Elle n'avait encore jamais vu l'homme qui entrait et qui vint se placer à côté du Baron. Pourtant, son visage lui était connu... et son nom : *Piter de Vries, l'Assassin-Mentat.* Elle l'examina. Des traits de faucon, des yeux d'un bleu d'encre qui suggéraient qu'il était natif d'Arrakis. Mais les détails subtils de son maintien et de ses gestes démentaient cette idée. Et il y avait trop d'eau dans sa chair ferme. Il était grand, élancé, avec quelque chose d'efféminé.

« Vraiment dommage que nous ne puissions avoir cette conversation, reprit le Baron. Mais, ma chère

Dame Jessica, je connais vos possibilités. (Il jeta un coup d'œil au Mentat.) N'est-ce pas, Piter ? »

« Comme vous le dites, Baron. »

La voix était celle d'un ténor. Elle répandit une soudaine froideur au long des nerfs de Jessica. Jamais elle n'avait entendu une voix aussi glacée. Pour une Bene Gesserit, c'était comme si Piter avait hurlé *Tueur !*

« J'ai une surprise pour Piter, reprit le Baron. Il pense être venu ici pour percevoir sa récompense : vous, Dame Jessica. Mais je souhaite démontrer une chose : qu'il ne vous désire pas vraiment. »

« Vous jouez avec moi, Baron ? » demanda Piter en souriant.

En voyant ce sourire, Jessica se demanda comment le Baron pouvait ne pas se défendre immédiatement contre les atteintes du Mentat. Puis elle comprit qu'il ne pouvait lire ce sourire. Il n'avait pas reçu l'Education.

« De bien des façons, Piter est particulièrement naïf. Il ne parvient pas à saisir le danger mortel que vous représentez, Dame Jessica. Je le lui montrerais bien, mais ce serait prendre un risque inconsidéré. (Le Baron eut un sourire à l'adresse de son Mentat, dont le visage était devenu le masque de l'attente.) Je sais ce que Piter désire vraiment. Il désire le pouvoir. »

« Vous m'avez promis que je l'aurais, *elle* », dit Piter. Et sa voix de ténor avait perdu un peu de sa froideur.

Jessica avait lu les tonalités clés dans ses paroles et elle eut un frisson intérieur. *Comment le Baron avait-il pu faire d'un Mentat cet animal ?*

« Je t'offre un choix, Piter », dit le Baron.

« Quel choix ? »

Le Baron fit claquer ses gros doigts. « Cette femme et l'exil loin de l'Imperium ou le duché des Atréides sur Arrakis pour y régner en mon nom et à ton gré. »

Les yeux d'araignée du Baron ne quittaient pas le visage du Mentat.

« Ici, sans en avoir le titre, tu pourrais être Duc », ajouta-t-il.

Mon Leto serait donc mort ? se dit Jessica. Quelque part. tout au fond d'elle, elle se mit à gémir.

Le Baron observait toujours le Mentat. « Comprends-toi, Piter. Tu la veux parce qu'elle est la femme d'un Duc, le symbole de sa puissance. Elle est belle, utile, parfaitement entraînée à son rôle. Mais tout un duché, Piter ! Voilà qui est mieux qu'un symbole. Une réalité. Avec cela, tu pourrais avoir bien des femmes... et plus encore. »

« Vous ne vous moquez pas de Piter ? »

Le Baron se retourna avec cette légèreté de danseur due aux suspenseurs. « Me moquer ? Moi ? Souviens-toi : j'abandonne l'enfant. Tu as entendu ce que le traître a dit de son éducation. Ils sont pareils, la mère et le fils : mortellement dangereux. (Il sourit.) Maintenant, je dois m'en aller. Je vais appeler le garde que j'ai conservé pour cette occasion. Il est totalement sourd. Ses ordres sont de t'accompagner durant une partie de ton voyage d'exil. S'il s'aperçoit que cette femme te contrôle, il la supprimera. Il ne te permettra pas de lui retirer son bâillon jusqu'à ce que tu sois très loin d'Arrakis. Mais si tu choisis de ne pas partir... il a d'autres ordres. »

« Il est inutile de quitter cette pièce, dit Piter. J'ai choisi. »

« Ah, ah ! Une décision aussi rapide ne peut signifier qu'une chose. »

« Je prends le duché. »

Ne sait-il pas que le Baron lui ment ? songea Jessica. *Mais... comment le pourrait-il donc ? Ce n'est qu'un Mentat dégénéré.*

Le regard du Baron s'était porté sur elle.

« N'est-il pas merveilleux que je connaisse à ce point Piter ? J'avais fait le pari avec mon Maître d'Armes qu'il accepterait ce choix. Ah ! Bien, je m'en vais à présent. Ceci est bien mieux. Bien mieux. Vous comprenez, Dame Jessica ? Je n'ai aucune rancune à votre égard. C'est une nécessité. C'est bien mieux ainsi. Oui. Je n'ai pas ordonné *vraiment* que vous soyez supprimée.

Lorsque l'on me demandera ce qu'il est advenu de vous, je pourrai hausser les épaules en toute vérité. »

« Vous me laissez donc cela ? » demanda Piter.

« Le garde que je t'envoie prendra tes ordres. Quels qu'ils soient. Tu es seul juge. (Il fixa son regard sur le Mentat.) Oui. Je n'aurai pas de sang sur les mains. Ce sera ta décision. Oui. Je ne veux plus rien savoir de tout ceci. Tu attendras mon départ avant de faire ce que tu dois faire. Oui... Bien... Ah, oui, très bien. »

Il craint les questions d'une Diseuse de Vérité, pensa Jessica. *Qui ? Ah, mais la Révérende Mère Gaius Helen M., bien sûr ! S'il sait qu'il devra répondre à ses questions, alors c'est que l'Empereur est mêlé à cela. Certainement. Mon pauvre Leto !*

Il lui accorda un dernier regard, puis se dirigea vers la porte. En le suivant des yeux, elle pensa : *La Révérende Mère m'avait avertie : c'est un adversaire trop puissant.*

Deux soldats harkonnens firent leur entrée. Un troisième se plaça sur le seuil. Il brandissait un laser et son visage n'était qu'un masque de cicatrices.

Celui qui est sourd, pensa Jessica. *Le Baron sait que je pourrais utiliser la Voix.*

Le soldat aux cicatrices regarda le Mentat. « Le garçon est sur une litière, dehors. Quels sont vos ordres ? »

Piter s'adressa à Jessica : « Je pensais vous neutraliser en menaçant votre fils, mais je commence à comprendre que cela n'aurait pas été efficace. Je laisse l'émotion prendre le pas sur la raison. Attitude néfaste pour un Mentat. (Il se tourna vers les deux premiers soldats mais le troisième, le sourd, pouvait lire sur ses lèvres.) Emmenez-les dans le désert ainsi que le suggérait le traître pour le garçon. Son plan est habile. Les vers détruiront toute trace. On ne retrouvera jamais leurs corps. »

« Vous ne souhaitez pas les liquider vous-même ? » demanda l'homme aux cicatrices.

Il lit bien sur les lèvres, se dit Jessica.

« Je suis l'exemple de mon Baron, dit le Mentat. Conduisez-les là où le traître disait de les conduire. »

Jessica décela le sévère contrôle Mentat dans sa voix et elle songea : *Lui aussi craint une Diseuse.*

Piter haussa les épaules, se retourna et gagna le seuil. Là, il hésita et elle crut qu'il allait se retourner pour la regarder une ultime fois. Mais il partit.

« Moi, je ne voudrais pas affronter cette Diseuse de Vérité après cette nuit », dit l'homme aux cicatrices.

« T'as aucune chance de tomber sur la vieille sorcière, dit l'un des soldats en contournant la tête de Jessica et en se penchant sur elle. On ne risque pas de faire notre travail en restant là à bavarder. Prends-la par les pieds et... »

« Pourquoi on les tue pas ici ? » demanda le sourd.

« Ce serait du sale travail. A moins que tu ne veuilles les étrangler. Moi, j'aime les choses bien nettes. On va les larguer dans le désert comme l'a dit le traître, on les frappera une fois ou deux et on laissera faire les vers. Après, il n'y aura rien à nettoyer. »

« Oui... Oui, je pense que t'as raison. »

Jessica écoutait, observait, enregistrait. Mais le bâillon lui interdisait toujours d'utiliser la Voix. Et puis, il y avait le sourd.

Le balafré rengaina son laser et la saisit par les pieds. Les deux hommes la soulevèrent comme un sac de grains, lui firent franchir le seuil et la posèrent sur une litière à suspenseurs où se trouvait déjà une autre forme ligotée. En se tournant pour s'adapter à la forme de la litière, elle découvrit le visage de Paul. Il était attaché comme elle mais n'avait pas de bâillon. Il n'était pas à plus de dix centimètres d'elle. Ses yeux étaient clos et son souffle irrégulier.

Est-il drogué ? se demanda-t-elle.

Les soldats soulevèrent la litière et les paupières de Paul s'entrouvrirent pendant une ultime fraction de seconde. Deux fentes noires la regardèrent.

Il ne faut pas qu'il utilise la Voix! supplia-t-elle intérieurement. *Pas la Voix! Il y a le garde sourd!*

Paul avait refermé les paupières.

Il avait utilisé le souffle contrôlé, calmé son esprit sans cesser d'écouter leurs ravisseurs. Celui qui était sourd posait un problème mais Paul réprimait son désarroi. Le régime d'apaisement mental Bene Gesserit que lui avait enseigné sa mère le maintenait parfaitement éveillé, prêt à utiliser la moindre occasion.

Une nouvelle fois, il entrouvrit rapidement les paupières pour examiner le visage de sa mère. Elle ne paraissait pas blessée. Mais elle était bâillonnée.

Il se demanda qui l'avait capturée, elle. Pour lui, c'était parfaitement clair. Il s'était couché avec une capsule prescrite par le docteur Yueh et il s'était réveillé sur cette litière. Peut-être cela s'était-il passé à peu près ainsi pour sa mère ? La logique disait que le traître était Yueh mais il ne s'était pas encore définitivement prononcé sur ce point. Il ne pouvait comprendre. Un docteur Suk, un traître...

La litière s'inclina légèrement au passage d'une porte, puis ils se retrouvèrent dans la nuit étoilée. Une bouée de suspension frotta la paroi. Puis les pas des soldats craquèrent dans le sable. L'aile noire d'un orni apparut, occultant les étoiles. La litière fut déposée sur le sol.

Paul ajusta sa vision à la faible clarté. Il vit que c'était le soldat sourd qui ouvrait la porte de l'orni. Il se penchait à l'intérieur, dans la pénombre colorée de vert par le tableau de commandes.

« C'est celui que nous devons utiliser ? » demanda-t-il en se retournant pour observer les lèvres de son compagnon.

« Le traître a dit qu'il était prévu pour le désert. »

Le sourd acquiesça. « Mais c'est un orni réservé aux proches liaisons. On ne pourra pas monter à plus de deux là-dedans. »

« Deux c'est assez, dit le troisième soldat. (Il s'avança à son tour afin que le sourd pût lire sur ses lèvres.) On peut s'en charger tout seuls à partir de maintenant, Kinet. »

« Le Baron m'a dit de m'assurer de leur sort », dit l'homme aux cicatrices.

« Pourquoi t'en faire comme ça ? »

« C'est une sorcière Bene Gesserit. Elle a des pouvoirs. »

« Ah... (L'homme leva le poing près de son oreille.) C'en est une, vraiment ? J' vois c' que tu veux dire. »

L'autre soldat grommela. « Elle servira de repas aux vers, bientôt. Vous ne croyez quand même pas qu'une sorcière Bene Gesserit peut venir à bout d'un de ces gros vers, non ? Hein, Czigo ? »

« Ouais. (L'homme revint près de la litière et prit Jessica sous les épaules.) Viens, Kinet. Tu peux faire le voyage si tu tiens vraiment à voir comment ça se passe. »

« Gentil de ta part de m'inviter, Czigo », dit le sourd.

Jessica fut soulevée. Elle vit tournoyer l'aile, les étoiles. On la poussa à l'arrière de l'orni et ses liens de krimskell furent soigneusement examinés, puis on fixa ses courroies. Paul la rejoignit. Il fut harnaché à son tour et elle s'aperçut alors que ses liens étaient faits de corde ordinaire.

L'homme aux cicatrices, celui qui était sourd et portait le nom de Kinet, prit place devant. Celui qui s'appelait Czigo prit l'autre siège. Kinet ferma la porte et se pencha sur les commandes. L'ornithoptère s'éleva brusquement et se dirigea vers le sud, vers le Bouclier. Czigo tapota sur l'épaule de son compagnon et dit : « Pourquoi ne jettes-tu pas un œil sur eux ? »

« Tu connais la route ? » répliqua Kinet sans quitter ses lèvres des yeux.

« J'ai entendu ce qu'a dit le traître, comme toi. »

Kinet fit pivoter son siège. Jessica vit le reflet des étoiles sur le pistolet laser qu'il tenait. Ses yeux s'accoutumaient à la pâle clarté qui régnait dans l'orni dont les minces parois semblaient pourtant laisser filtrer un peu de la lumière extérieure. Le visage du soldat sourd, pourtant, restait indistinct. Jessica tira sur la ceinture de son siège et découvrit qu'elle était lâche. La courroie, sur son bras gauche, avait été presque sectionnée et elle céderait au premier mouvement brusque.

Quelqu'un est-il venu auparavant dans cet orni pour le préparer pour nous? se demanda-t-elle. *Qui?* Lentement, elle éloigna ses pieds entravés de ceux de Paul.

« C'est vraiment une honte de perdre une femme aussi belle, dit le sourd. Tu as jamais eu des filles de la noblesse ? » Il s'était tourné vers le pilote.

« Toutes les Bene Gesserit ne sont pas nobles », dit ce dernier.

« Mais elles en ont toutes l'air. »

Il me voit suffisamment bien, pensa Jessica. Elle ramena ses jambes sur le siège et se pelotonna sans quitter le sourd des yeux.

« Vraiment jolie, tu sais, dit Kinet. (Sa langue courut sur ses lèvres et il ajouta :) Une honte, c'est sûr. » A nouveau, il regarda Czigo.

« Tu penses ce que je pense que tu penses ? » dit Czigo.

« Qui le saurait ? Après... (Kinet haussa les épaules.) Je me suis jamais payé une noble. J'aurais peut-être jamais plus une chance pareille. »

« Si vous portez la main sur ma mère... » gronda Paul. Son regard était furieux.

« Heh ! (Czigo se mit à rire.) Le jeune loup se fait entendre. Mais il ne peut pas mordre. »

La voix de Paul est trop aiguë, se dit Jessica. *Pourtant, cela pourrait marcher.*

Le silence retomba.

Pauvres idiots. Elle regardait tour à tour les deux soldats et repensait aux paroles du Baron. *Ils seront tués dès qu'ils auront fait leur rapport. Le Baron ne veut pas de témoins.*

L'ornithoptère franchissait la muraille sud du Bouclier et, comme il s'inclinait, elle distingua le désert frangé de lune.

« On doit être assez loin, dit Czigo. Le traître a dit de les déposer n'importe où à proximité du Bouclier. » Il lança l'appareil dans une longue descente vers les dunes.

Jessica vit que Paul prenait le rythme respiratoire de l'exercice de maîtrise. Il ferma les yeux, les rouvrit. Jessica l'observait, impuissante. *Il n'a pas encore pleinement contrôlé la Voix*, se dit-elle. *S'il échoue...*

L'orni toucha le sable avec une légère vibration. Jessica regarda vers le nord, au-delà du Bouclier et elle entrevit l'ombre des ailes d'un autre appareil qui se posait hors de vue.

Quelqu'un nous suit. Qui ? Puis : *Ceux que le Baron a envoyés pour surveiller ces deux-là. Et ils seront à leur tour surveillés par d'autres.*

Czigo coupa les fusées. Le silence les submergea.

En tournant la tête, Jessica put voir par la baie, au-delà de Kinet, le pâle reflet d'une lune qui se levait, une crête de givre au bord du désert, sur laquelle se silhouettaient des arêtes sableuses.

Paul s'éclaircit la gorge.

« Maintenant, Kinet ? » demanda le pilote.

« Je sais pas, Czigo. »

Czigo s'approcha. « Ah, regarde. » Il tendit la main vers la robe de Jessica.

« Otez-lui son bâillon », ordonna Paul.

Jessica sentit les mots rouler dans l'air. Le ton, le timbre étaient excellents, impératifs, nets. Un peu moins aigu, c'eût été mieux encore mais il avait quand même atteint le spectre auditif de l'homme.

Czigo déplaça sa main vers le bâillon, tira sur le nœud.

« Arrête ! » dit Kinet.

« Ah, ferme ton truc ! Elle a les mains liées », répliqua Czigo. Il défit le nœud et le lien tomba. Les yeux brillants, il examina Jessica. Kinet lui posa la main sur le bras. « Ecoute, Czigo, pas besoin de... »

Jessica détourna la tête et cracha le bâillon. Puis elle parla d'une voix basse, sur un ton intime. « Messieurs ! Inutile de vous *battre* pour moi. » Dans le même temps, elle se lovait pour le plaisir des yeux de Kinet.

Elle décela leur tension, elle sut qu'en cet instant précis ils étaient persuadés qu'ils devaient se battre pour elle. Leur désaccord n'avait besoin de nulle autre raison. Dans leur esprit, déjà, ils se battaient pour elle.

Elle dressa la tête dans la clarté du tableau de commandes afin que Kinet pût lire sur ses lèvres. « Il ne faut pas être en désaccord. Une femme vaut-elle que l'on se batte pour elle ? » Ils s'éloignaient l'un de l'autre, le regard méfiant.

En parlant, en étant là, elle représentait la cause vivante de leur lutte.

Paul gardait les lèvres serrées, se forçant à demeurer silencieux. Il avait utilisé son unique chance de se servir de la Voix. A présent... tout dépendait de sa mère dont l'expérience était tellement plus grande que la sienne.

« Oui, dit Kinet. Inutile de se battre pour... »

En un éclair, il lança sa main vers le cou du pilote. Le coup fut paré avec un claquement métallique. D'un seul mouvement, Czigo se saisit du bras de Kinet et lui frappa la poitrine.

Le sourd grogna et s'effondra contre la porte.

« Tu me prends pour un abruti. Tu croyais que je ne connaissais pas ce coup ? » dit Czigo. Il ramena sa main et le couteau brilla dans le clair de lune.

« Et maintenant le jeune loup », dit-il en se penchant vers Paul.

« Inutile », murmura Jessica.

Il hésita.

« Ne préférez-vous pas me voir coopérer ? Laissez une chance à mon fils. (Ses lèvres dessinèrent un sourire). Il n'en aura pas tant dehors, dans ce sable. Donnez-lui seulement cette chance et... Vous pourriez en être bien récompensé. »

Czigo regarda à gauche, à droite, puis son attention se reporta sur Jessica.

« Je sais ce qui peut arriver à un homme dans ce désert. Le garçon pourrait trouver à la fin que le couteau est la meilleure solution. »

« Est-ce que j'en demande autant ? » dit Jessica.

« Vous essayez de me tendre un piège. »

« Je ne veux pas voir mourir mon fils. Est-ce donc un piège ? »

Czigo recula et s'appuya au montant de la porte. Puis il saisit Paul, le tira sur le siège et le maintint immobile, presque sur le seuil, le couteau levé.

« Si je coupe tes liens, jeune loup, que feras-tu ? »

« Il partira aussitôt et il courra vers ces rochers », dit Jessica.

« C'est ça que tu feras, jeune loup ? » demanda Czigo.

La voix de Paul était judicieusement assourdie : « Oui. »

Le couteau fut abaissé et les liens tombèrent. Paul sentit la main, dans son dos, qui allait le pousser, l'envoyer rouler dans le sable et il feignit de perdre l'équilibre. Il se raccrocha au montant de la porte, pivota comme pour se rétablir et lança son pied droit.

L'orteil était pointé avec une grande précision qui était due aux longues années d'entraînement, comme si, en fait, l'enseignement de toutes ces années se concentrait dans cet instant précis. Chaque muscle du corps participait au mouvement. La pointe du pied frappa l'abdomen de Czigo exactement sous le sternum, percuta avec une force terrible le foie et le diaphragme pour venir écraser le ventricule droit.

Avec un cri étranglé, Czigo s'effondra sur les sièges. Paul, les mains paralysées, poursuivit sa chute et roula dans le sable, se redressant dans le même mouvement. Il replongea à l'intérieur de la cabine de l'ornithoptère, trouva le couteau et le maintint entre ses mâchoires pendant que sa mère sciait ses liens sur la lame. Ensuite, elle trancha elle-même ceux de Paul.

« J'aurais pu m'occuper de lui, dit-elle. Il aurait bien fallu qu'il me libère. Tu as pris un risque stupide. »

« J'ai vu l'ouverture et j'ai agi », dit-il.

Elle perçut le ferme contrôle de sa voix et dit : « Le signe de la maison de Yueh est gravé sur le plafond de cette cabine. »

Il leva les yeux.

« Sortons et examinons cet appareil, reprit Jessica. Il y a un paquet sous le siège du pilote. Je l'ai senti en montant à bord. »

« Une bombe ? »

« J'en doute. C'est quelque chose de bizarre. »

Paul sauta dans le sable et elle le suivit. Puis elle se retourna et examina le dessous du siège Les pieds de Czigo n'étaient qu'à quelques centimètres de son visage. Elle trouva le paquet et le tira à elle. Il était humide et elle comprit aussitôt que c'était le sang du pilote qui le maculait.

Gaspillage d'humidité, pensa-t-elle. Et c'était là une pensée arrakeen.

Paul regardait de toutes parts. Il vit l'escarpement rocheux qui s'élevait du désert comme une plage prise sur la mer, et, au-delà les palissades sculptées par le vent. Il se retourna comme sa mère sortait le paquet et il suivit son regard vers le Bouclier. Il vit alors ce qui avait attiré son attention : un autre ornithoptère qui plongeait vers eux. Et il comprit qu'ils n'auraient plus le temps de sortir les deux hommes et de fuir.

« Cours, Paul ! cria Jessica. Ce sont les Harkonnens ! »

Arrakis enseigne l'attitude du couteau : couper ce qui est incomplet et dire : « Maintenant c'est complet, car cela s'achève ici. »

Extrait de Les Dits de Muad'Dib, *par la Princesse Irulan.*

UN homme en uniforme harkonnen s'arrêta à l'extrémité du hall, regarda Yueh, le corps de Mapes, la forme immobile du Duc. En un seul regard. Il tenait un pistolet laser dans la main droite. Il émanait de lui une impression de brutalité, de dureté, de vigilance qui fit frissonner Yueh.

Un Sardaukar, pensa-t-il. *Un Bashar, à en juger par son allure. Probablement l'un de ceux que l'Empereur a envoyés pour garder un œil sur tout. Quel que soit l'uniforme qu'ils portent, il ne leur est pas possible de se dissimuler.*

« Vous êtes Yueh », dit l'homme. Il regardait alternativement le tatouage en diamant sur le front de Yueh, l'anneau de l'Ecole Suk qui maintenait ses cheveux. Puis il rencontra ses yeux.

« Je suis Yueh », dit le docteur.

« Vous pouvez vous détendre, à présent. Lorsque vous avez annulé les boucliers de la maison, nous sommes immédiatement entrés. Tout est neutralisé. Est-ce le Duc ? »

« C'est le Duc. »

« Mort ? »

« Simplement inconscient. Je vous conseille de le ligoter. »

« Qu'avez-vous fait pour les autres ? » Il regarda dans la direction du corps de Mapes.

« C'est regrettable », murmura Yueh.

« Regrettable ! dit le Sardaukar (Il s'avança, baissa les yeux sur le corps de Leto.) Ainsi voilà le grand Duc Rouge. »

Si j'avais des doutes quant à la nature de cet homme, voici qui les balayerait, songea Yueh. *Seul l'Empereur appelle ainsi les Atréides.*

Le Sardaukar se baissa et arracha le petit faucon rouge de l'uniforme de Leto. « Un petit souvenir, dit-il. Mais où est l'anneau ducal ? »

« Il ne l'a pas sur lui », dit Yueh.

« Je le vois bien ! »

Yueh se raidit. *S'ils m'interrogent, s'ils amènent une Diseuse, ils trouveront. A propos de l'anneau, à propos de l'orni... Tout s'effondrera.*

« Il arrive parfois que le Duc confie l'anneau à un messager pour prouver qu'un ordre vient directement de lui », avança Yueh.

« Il faut avoir une satanée confiance », grommela le Sardaukar.

« Vous ne le ligotez pas ? »

« Combien de temps encore restera-t-il inconscient ! »

« Deux heures à peu près. Pour lui, je n'ai pas été aussi précis que pour la femme et le garçon. »

Le Sardaukar remua le corps du Duc avec son pied.

« Il n'y a rien à craindre de lui, même quand il sera éveillé. Et la femme et le garçon ? »

« Ils se réveilleront dans dix minutes environ. »

« Si tôt ? »

« On m'a dit que le Baron arriverait immédiatement derrière ses hommes. »

« Il arrivera. Attendez dehors, Yueh. (Il eut un regard dur.) Allez ! »

Yueh regarda Leto. « Et... »

« Il sera livré au Baron troussé comme un rôti prêt pour le four. (A nouveau, le regard du Sardaukar se fixa sur le tatouage qui ornait le front de Yueh.) On vous connaît. Vous serez en sécurité dans les salles. Mais nous n'avons plus le temps de bavarder, traître. J'entends venir les autres. »

Traître, songea Yueh. Il baissa les yeux et s'éloigna rapidement du Sardaukar. Il savait déjà que c'était ainsi que l'histoire le connaîtrait : *Yueh le traître.*

En se dirigeant vers l'entrée principale, il rencontra deux autres corps et les examina, craignant de découvrir Paul ou Jessica. Mais c'étaient deux soldats d'Harkonnen.

Il surgit au-dehors dans la nuit illuminée par les flammes et les gardes se mirent sur le qui-vive et l'examinèrent. On avait mis le feu aux palmiers qui bordaient la route. La fumée noire du liquide inflammable que l'on avait utilisé rampait entre les flammes orange.

« C'est le traître », dit quelqu'un.

« Le Baron vous convoquera bientôt », dit un autre.

Il faut que j'aille jusqu'à l'orni, songea Yueh. *Il faut que je laisse le sceau ducal en un endroit où Paul le trouvera.* La peur se déversa soudain en lui. *Si Idaho a des soupçons à mon égard ou s'il s'impatiente. Il n'attendra pas et il ne se rendra pas au point exact que je lui ai indiqué. Et Jessica et Paul n'échapperont pas au carnage. Et mon acte n'aura plus la moindre décharge.*

L'un des gardes le poussa. « Attendez là-bas ! Ecartez-vous ! »

Brusquement, Yueh se vit perdu en ces lieux de destruction. On ne lui pardonnait rien ; on ne lui accordait pas la moindre pitié. *Idaho ne doit pas échouer !* pensa-t-il.

Un autre garde le poussa et aboya : « Hors d'ici, vous ! »

Même en tirant profit de moi, ils me méprisent. Il se redressa et retrouva un peu de dignité.

« Attendez le Baron ! » gronda un officier.

Yueh acquiesça et, avec une lenteur calculée, il s'éloigna le long de la façade et tourna à l'angle, perdant de vue les palmiers embrasés. Très vite, chacun de ses pas trahissant son anxiété, il s'avança vers la cour, derrière la serre, où l'ornithoptère attendait, prêt à emporter Paul et sa mère dans le désert.

Un garde était posté devant la porte de la demeure, mais son attention était fixée sur le Hall illuminé et sur les hommes qui allaient et venaient en tous sens, fouillant une pièce après l'autre.

Comme ils étaient confiants !

Yueh plongea dans l'ombre, contourna l'appareil et ouvrit la porte. Il glissa la main sous le siège et trouva le Fremkit qu'il avait dissimulé là. Il ouvrit un soufflet et y glissa l'anneau ducal. Il perçut alors le craquement du papier d'épice de la note qu'il avait écrite et il mit l'anneau à l'intérieur. Puis il repoussa le paquet en place, referma silencieusement la porte et regagna l'angle de la maison.

Maintenant, c'est fait, pensa-t-il.

Une fois encore, il s'avançait dans la nuit incendiée. Il ramena sa cape autour de lui et son regard courut entre les flammes. *Bientôt, je verrai le Baron et je saurai. Et le Baron, lui, trouvera devant lui une dent, une petite dent.*

Une légende dit que, à l'instant où le duc Leto mourut, un météore traversa le ciel au-dessus du castel ancestral de Caladan.

Introduction à l'histoire de Muad'Dib enfant
par la Princesse Irulan.

LE baron Vladimir Harkonnen se tenait devant une des baies d'observation de la nef où il avait installé son poste de commandement. Au-dehors, la nuit d'Arrakis était embrasée. L'attention du Baron était fixée sur le lointain Bouclier où se déchaînait son arme secrète. L'artillerie à explosifs.

Les canons pilonnaient les cavernes où les hommes du Duc avaient trouvé refuge pour une ultime résistance. Morsures de feu, pluies de rocher et de poussière entrevues en un éclair... Les hommes du Duc seraient murés là-bas comme des animaux pris au piège, condamnés à périr de famine.

Le Baron percevait cet incessant martèlement, ce roulement de tambour que lui transmettait la coque de métal du vaisseau : *Broum... broum...* Puis : *BROUM-Broum !*

Utiliser l'artillerie au temps des boucliers, il fallait y penser. Cette pensée était comme un rire d'exultation. *Il était facile de prévoir que les hommes du Duc se précipiteraient dans ces cavernes. L'Empereur saura certainement apprécier l'habileté avec laquelle j'ai ménagé nos forces communes.*

Il régla un des petits suspenseurs qui protégeaient son corps adipeux de l'emprise de la pesanteur. Un sourire vint déformer sa bouche et plisser ses joues.

Quel dommage de perdre des hommes de cette valeur, se dit-il. Son sourire devint plus large. Il rit, à présent. *Quel dommage d'être cruel!* Il hocha la tête. L'échec était, par définition, condamné. L'univers tout entier était ouvert à l'homme capable de prendre les décisions adéquates. Et il fallait forcer les lapins à se cacher dans leurs terriers. Sans cela, comment les dominer, comment les élever? Les combattants, là-bas, étaient comme des abeilles harcelant et guidant les lapins. Et le Baron songea : *L'existence est comme un bourdonnement très doux quand tant d'abeilles travaillent pour vous.*

Derrière lui, une porte s'ouvrit. Le Baron jeta un coup d'œil rapide au reflet dans la baie avant de se retourner.

Piter de Vries entra, suivi d'Umman Kudu, le capitaine de la garde personnelle du Baron. Au-delà du seuil, il y avait des hommes, ses gardes. Ils arboraient cette expression de mouton soumis qu'ils avaient en sa présence.

Le Baron fit face à ses visiteurs.

Piter porta un doigt vers son front en une esquisse de salut moqueur. « Bonnes nouvelles, Mon Seigneur. Les Sardaukar ont amené le Duc. »

« Bien sûr », grommela le Baron.

Il examinait le sombre masque de la vilenie sur le visage efféminé du Mentat. Et ses yeux, ces deux fentes bleues.

Bientôt, je devrai m'en débarrasser. Bientôt, il ne me sera plus utile et il deviendra un danger positif. Néanmoins, tout d'abord, il faut que la population d'Arrakis en vienne à le haïr, afin d'accueillir plus tard mon cher Feyd-Rautha comme un sauveur.

Le Baron reporta son attention sur le capitaine des gardes, Umman Kudu. Des mâchoires nettes, les muscles faciaux tendus, le menton comme la pointe d'une botte. Un homme dont les vices étaient bien connus et en qui l'on pouvait avoir confiance.

« Tout d'abord, où est le traître qui me livre le Duc ? demanda le Baron. Il doit recevoir sa récompense. »

Piter pivota sur la pointe des pieds et fit un geste à l'intention des gardes.

Il y eut quelques mouvements, noirs, et Yueh s'avança. Ses gestes étaient raides, tendus. Sa moustache tombait, morte, de part et d'autre de ses lèvres trop rouges. Seuls ses yeux semblaient vivants. Il fit trois pas dans la pièce et, sur un geste de Piter, s'arrêta. Immobile, il regardait le Baron.

« Ah, docteur Yueh. »

« Mon Seigneur Harkonnen. »

« Vous m'avez livré le Duc, à ce que l'on me dit ? »

« Telle était ma part du marché, Mon Seigneur. »

Le Baron regarda Piter.

Piter acquiesça.

Le Baron revint à Yueh. « Exactement le marché convenu, hein ? Et je... (Il parut cracher les mots.) Qu'étais-je censé faire en retour ? »

« Vous vous en souvenez parfaitement, Mon Seigneur Harkonnen. »

Et Yueh se remit à penser, à prêter l'oreille au silence énorme des horloges de son esprit. Il avait su lire dans les gestes du Baron, dans ses paroles. Wanna était morte. Elle leur avait échappé pour toujours. Si cela n'avait pas été, ils auraient maintenu une emprise sur lui, le faible docteur. Mais il n'y avait plus d'emprise. Plus rien.

« Vraiment ? » dit le Baron.

« Vous m'avez promis de délivrer ma Wanna de ses souffrances. »

Le Baron hocha la tête. « Ah, oui, je me souviens. Mais je l'ai fait. Telle était ma promesse. C'est ainsi que nous avons fait fléchir le Conditionnement Impérial. Vous ne pouviez supporter de voir votre sorcière Bene Gesserit se tordre dans les amplificateurs de souffrance de Piter... Eh bien, le Baron Vladimir Harkonnen a tenu sa promesse. Il la tient toujours. Je vous avais dit que je libérerais votre Wanna de ses souffrances et que je vous autoriserais à la rejoindre. Qu'il en soit donc ainsi. » Et il tendit la main vers Piter.

Les yeux bleus du Mentat flamboyèrent. Son mouvement, soudain et fluide, fut celui d'un chat. Le couteau, dans sa main, brilla comme une griffe. Il le plongea dans le dos de Yueh.

Le vieil homme se roidit. Ses yeux ne quittèrent pas le Baron.

« Rejoignez-la donc ! » lança le baron.

Yueh oscilla. Ses lèvres bougèrent, lentement, avec précision et sa voix, quand il parla, avait un rythme étrange : « Vous... pensez... que... vous... m'avez... détruit... Vous... croyez... que... je ne... savais... pas... ce... que... j'avais... acheté... pour... ma... Wanna. »

Il tomba. Sans se courber. Il ne s'effondra pas. Il tomba. Comme un arbre.

« Rejoignez-la donc », répéta le Baron. Mais ses mots étaient sans écho. Yueh venait d'installer en lui de l'appréhension. Ses yeux se portèrent sur Piter. Il le vit qui essuyait la lame avec un chiffon, il vit une douce satisfaction dans le bleu de ses yeux.

C'est donc ainsi qu'il tue de sa main, songea-t-il. *Voilà qui est bon à savoir.*

« Il nous a vraiment livré le Duc ? » demanda-t-il.

« Certainement, Mon Seigneur. »

« Qu'on l'amène alors ! »

Piter regarda le capitaine qui pivota pour obéir.

Les yeux du Baron s'abaissèrent sur le corps de Yueh. L'homme était tombé comme un chêne, comme si chacun de ses os avait été fait de bois dur.

« Je ne parviendrai jamais à faire confiance à un traître, dit-il. Même un traître créé de ma main. »

Il regarda la baie envahie de nuit. Tout ce noir, là-dehors, était à lui. Le grondement de l'artillerie avait cessé. Les cavernes du Bouclier étaient scellées, maintenant. Tout à coup, l'esprit du Baron ne pouvait plus concevoir quelque chose de plus beau que cette noirceur, ce vide total. Ou bien... du blanc sur ce noir. Un blanc laqué. Un blanc de porcelaine.

Mais il y avait toujours ce doute en lui.

Qu'avait donc voulu dire ce vieux fou de docteur? Bien sûr, il avait dû se douter du sort qui lui était réservé. Mais qu'avait-il dit... *Vous pensez que vous m'avez détruit.*

Qu'est-ce que cela signifiait ?

Le duc Leto Atréides apparut sur le seuil. Ses bras étaient maintenus par des chaînes. Son visage d'oiseau de proie était maculé. Son uniforme était déchiré, là où avait été fixé son insigne. Les trous, à sa taille, révélaient que sa ceinture-bouclier avait été arrachée. Son regard était celui d'un dément.

« Eh bien... », dit le Baron. Il hésitait, aspirant profondément. Il savait qu'il avait parlé d'une voix trop forte. Et cet instant, longtemps espéré, avait déjà perdu un peu de sa saveur.

Maudit soit ce docteur pour l'éternité !

« Je pense que le bon Duc est drogué, dit Piter. C'est ainsi que Yueh nous l'a amené. (Il se tourna vers le Duc.) N'êtes-vous pas drogué, mon cher Duc ? »

La voix était lointaine. Leto pouvait sentir les chaînes, la douleur de ses muscles, ses lèvres craquelées, ses joues brûlantes et la soif qui crissait dans sa bouche. Mais les sons étaient étouffés, altérés par une épaisse couverture. Et il ne discernait, au travers de cette couverture, que des formes incertaines.

« Et la femme et le garçon, Piter ? demanda le Baron. Toujours rien ? »

La langue du Mentat courut sur ses lèvres.

« J'ai posé une question ! lança le Baron. Alors ? »

Piter regarda le capitaine, puis le Baron. « Les hommes auxquels cette tâche avait été confiée, Mon Seigneur... ont... ont été retrouvés. »

« Eh bien, ont-ils fait un rapport satisfaisant ? »

« Ils sont morts, Mon Seigneur. »

« Bien entendu ! Mais ce que je veux savoir, c'est... »

« Ils ont été retrouvés morts, Mon Seigneur. »

Le Baron devint livide. « Et la femme et le garçon ? »

« Aucune trace, Mon Seigneur. Mais il y avait un ver. Il est arrivé au moment où l'on explorait les lieux. Peut-être cela s'est-il passé ainsi que nous le souhaitions... comme un accident. Il est possible que... »

« Nous ne pouvons nous fier à des possibilités, Piter ! Et l'ornithoptère porté manquant ? Cela ne te dit rien, Mentat ? »

« Il est évident qu'un des hommes du Duc a réussi à s'enfuir avec, Mon Seigneur. Il a tué le pilote. »

« Quel est cet homme ? »

« Un tueur parfait, silencieux... Hawat, peut-être, Mon Seigneur, ou ce Halleck. Il est aussi possible que ce soit Idaho. Ou un lieutenant important. »

« Des possibilités », murmura le Baron. Et ses yeux revinrent à la silhouette vacillante du Duc.

« Nous contrôlons la situation, Mon Seigneur », dit Piter.

« Non ! Où est ce stupide planétologiste ? Cet homme, Kynes ? »

« Nous savons où le trouver, Mon Seigneur, et l'on est parti le chercher. »

« Je n'aime pas la façon dont ce serviteur de l'Empereur nous a servis, nous », grommela le Baron.

Les mots traversaient difficilement l'épaisse couverture, mais certains brûlaient l'esprit de Leto. *Aucune trace de la femme et du garçon.* Paul et Jessica étaient parvenus à s'enfuir. Et l'on ne savait rien du destin de Hawat, d'Halleck ou d'Idaho. Il subsistait un espoir.

« Où est l'anneau ducal ? demanda le Baron. Il ne l'a pas au doigt. »

« Les Sardaukar ont dit qu'il ne l'avait pas lorsqu'on l'a amené, Mon Seigneur », dit le capitaine des gardes.

« Piter, tu as tué le docteur trop vite, dit le Baron. C'était une faute. Tu aurais dû m'avertir. Tu as agi en hâte, contre le bien de notre entreprise ! (Il fronça les sourcils.) Des possibilités ! »

La pensée s'insinua lentement dans l'esprit de Leto.

Paul et Jessica se sont enfuis ! Mais il y avait aussi autre chose dans sa mémoire. Un marché. Il pouvait presque s'en souvenir... *La dent !*

Cela lui revenait en partie : *Un gaz mortel dans une fausse dent.*

Quelqu'un lui avait dit de s'en souvenir. La dent était dans sa bouche. Il pouvait la sentir sous sa langue. Il suffisait de mordre, très fort.

Pas encore !

Quelqu'un lui avait dit d'attendre d'être près du Baron. Qui ? Il ne parvenait pas à se souvenir.

« Combien de temps restera-t-il ainsi ? » demanda le Baron.

« Peut-être une heure encore, Mon Seigneur. »

« Peut-être... » A nouveau, le Baron se tourna vers la baie, vers la nuit. « J'ai faim », dit-il.

Cette forme grise, là-bas, c'est le Baron, pensa Leto. La forme allait et venait, se balançait avec la pièce. La pièce qui se dilatait puis se contractait. Tantôt claire, tantôt sombre. Puis elle disparut dans les ténèbres. Le temps, pour le Duc, devint une succession de niveaux. Il flottait vers le haut, les traversant l'un après l'autre. *Attendre.*

Il y avait une table. Il la voyait très clairement. Un homme adipeux était assis à l'autre extrémité. Devant lui, il y avait les restes d'un repas. Et Leto était assis en face du gros homme. Il sentait les chaînes sur lui, les liens qui le maintenaient sur son siège. Il savait que le temps avait passé. Mais combien de temps ?

« Je crois qu'il revient à lui, Baron. »

Voix soyeuse. Piter.

« Je le vois, Piter. »

Basse grondante : Le Baron.

L'environnement se faisait plus net. Le siège devenait ferme. Les liens plus tangibles et durs.

Et il vit nettement le Baron. Ses mains, ses gestes. Le bord d'une assiette, le manche d'une cuiller. Un doigt qui suivait la ligne de la mâchoire. Cette main qui bougeait fascinait Leto.

« Vous pouvez m'entendre, Duc Leto, dit le Baron. Je sais que vous le pouvez. Nous voulons savoir où trouver votre concubine et l'enfant que vous avez conçu. »

Leto ne bougea pas. Les mots le baignaient de calme. *C'est donc vrai. Ils ne les ont pas.*

« Ceci n'est pas un jeu, gronda le Baron. Vous devez le savoir. » Il se pencha, étudiant le visage de Leto. Il était irrité que ceci dût se dérouler ainsi, sans intimité. Ils auraient dû être seuls, face à face. Que d'autres pussent découvrir la noblesse sous de tels aspects... Voilà qui créait un fâcheux précédent.

Leto sentait revenir ses forces. Et le souvenir de la fausse dent, soudain, fut comme un immense clocher dressé au centre d'une plaine, dans son esprit. Dans cette dent, il y avait une capsule dont la forme était exactement celle d'un nerf. Du gaz, mortel. Et le Duc se rappelait qui avait implanté cette arme dans sa bouche.

Yueh.

Souvenir brumeux d'un corps traîné dans la pièce où il s'était lui-même trouvé. Souvenir comme une trace vaporeuse. Yueh.

« Entendez-vous ce bruit, Duc Leto ? » demanda le Baron.

Leto prit conscience, alors, d'un cri, comme l'appel nocturne d'une grenouille, le gémissement étouffé de quelqu'un qui agonisait.

« Nous avons capturé l'un de vos hommes. Il était déguisé en Fremen, reprit le Baron. Nous n'avons pas eu de mal à le découvrir. A cause des yeux, bien sûr. Il prétend avoir été envoyé parmi les Fremens pour les espionner. Mais, cher cousin, j'ai vécu pendant un certain temps sur cette planète. On n'espionne pas ces canailles du désert. Dites-moi : auriez-vous acheté leur assistance ? Leur avez-vous envoyé votre femme et votre fils ? »

La peur étreignit la poitrine de Leto. *Si Yueh les a confiés au peuple du désert... la chasse n'aura de cesse qu'ils les aient trouvés.*

« Allons, allons, dit le Baron. Nous n'avons que peu de temps et la souffrance est vive. Ne nous forcez point à cela, mon cher Duc. (Le Baron se tourna vers Piter, penché sur l'épaule de Leto.) Piter n'a pas tous ses outils ici mais je suis bien certain qu'il peut improviser. »

« Parfois, l'improvisation est même meilleure, Baron. »

Cette voix, cette voix soyeuse, insinuante! Elle était tout près de son oreille.

« Vous aviez un plan d'alerte. Où avez-vous envoyé votre femme et le garçon? Vous n'avez plus votre anneau? Est-ce le garçon qui l'a maintenant? »

Le Baron se tut, regarda droit dans les yeux de Leto : « Vous ne répondez pas. Allez-vous donc me forcer à faire une chose que je ne souhaite pas? Piter usera de méthodes simples, directes. J'admets que, bien souvent, ce sont les meilleures mais il n'est pas bien, non, vraiment pas bien que *vous* y soyez soumis. »

« Fer rouge dans le dos ou, peut-être, sur les paupières, dit Piter. Ou sur d'autres parties du corps. C'est tout particulièrement efficace lorsque le sujet ignore en quel endroit va se poser le fer, la prochaine fois. Bonne méthode. Et il y a une certaine beauté dans la disposition des cicatrices blanches sur la peau. N'est-ce pas, Baron? »

« Ravissant », dit le Baron, et sa voix était pleine d'aigreur.

Ces doigts, ces doigts qui touchent! Le regard de Leto ne quittait pas les mains grasses, les bijoux brillants sur les doigts de bébé qui étreignaient les choses.

Les cris de souffrance qui venaient de derrière la porte mordaient dans les nerfs du Duc. *Qui ont-ils capturé? Est-ce Idaho?*

« Croyez-moi, mon cher cousin. Je ne désire pas en arriver là. »

« Pensez à des messagers courant le long des nerfs en quête d'une aide qui ne peut venir, dit Piter. Il y a en cela de la beauté, voyez-vous. »

« Quel magnifique artiste tu fais ! grommela le Baron. A présent, aie la décence de rester silencieux. »

Soudain, des paroles de Gurney Halleck traversèrent l'esprit du Duc. Il avait dit une fois, à propos du Baron : « Et, debout sur le fond sableux de la mer, je vis une bête surgir... Et je vis sur sa tête son nom : blasphème. »

« Nous perdons du temps, Baron », dit Piter.

« Peut-être. (Le Baron hocha la tête.) Mon cher Leto, vous savez bien que vous finirez par nous dire où ils sont. Il existe un degré de souffrance qui aura raison de vous. »

Il a raison, très probablement, pensa Leto. *Seulement il y a la dent... et le fait que j'ignore vraiment où ils se trouvent.*

Le Baron se découpa un morceau de viande, le mit dans sa bouche, le mâcha lentement, le déglutit. *Il faut essayer autre chose,* songeait-il.

« Contemple ce prisonnier qui nie être à vendre, dit le Baron. Contemple-le, Piter. »

Et le Baron pensait : *Oui, regarde-le, cet homme qui croit qu'on ne peut l'acheter. Regarde-le, partagé entre des millions de parts de lui-même vendues au détail à chaque seconde de son existence ! Si tu le prenais en cet instant, si tu le secouais, tu entendrais un bruit de grelot. Vide ! Vendu ! Qu'il meure de telle ou telle façon, maintenant, quelle différence cela fait-il ?*

Derrière la porte, les coassements de grenouilles se turent.

Umman Kudu, le capitaine des gardes, apparut sur le seuil et secoua la tête. Le prisonnier n'avait rien révélé. Un autre échec. Il était temps de cesser de jouer avec cet idiot de Duc, ce pauvre fou qui ne réalisait pas que l'enfer était si près de lui... à un nerf d'épaisseur.

Cette pensée ramena le calme dans l'esprit du Baron, triompha de sa répugnance à voir un être de sang royal soumis à la souffrance. Il se découvrait tout à coup sous l'aspect d'un chirurgien tranchant, incisant sans cesse, ôtant leurs masques aux fous, mettant au jour l'enfer.

Des lapins ! Tous des lapins !

Ils fuyaient devant le carnivore !

Leto leva les yeux vers l'extrémité de la table, se demandant pourquoi il attendait encore. La dent aurait si rapidement raison de tout cela. Pourtant... Sa vie avait été agréable, pour la plus grande part. Il se souvenait d'un cerf-volant dans le ciel de Caladan, bleu comme un coquillage, de Paul qui riait. Et du soleil de l'aube, ici, sur Arrakis... des stries de couleurs sur le Bouclier estompées par la brume de poussière.

« Quel dommage », murmura le Baron. Il repoussa son siège, se leva avec l'aide de ses suspenseurs, puis hésita. Il avait décelé un changement soudain dans le Duc. Il le vit respirer à fond. Ses joues se raidirent. Un muscle frémit comme le Duc claquait violemment les mâchoires...

Il a peur ! songea le Baron.

Effrayé à la pensée que le Baron pût lui échapper, Leto mordit sauvagement la capsule. Il la sentit se briser. Il ouvrit la bouche et souffla la vapeur dont il sentait le goût sur sa langue. Le Baron devint plus petit, s'enfonça dans un tunnel qui allait se rétrécissant. Leto entendit un hoquet près de son oreille. La voix soyeuse... Piter.

Lui aussi ! Je l'ai eu !

« Piter ! Qu'y a-t-il ? »

La voix grondait, très loin.

Leto sentit rouler, tourbillonner les souvenirs. La pièce, la table, le Baron, deux yeux terrifiés, bleus... Tout se fondit dans une destruction symétrique.

Un homme au menton aigu tombait. L'homme-jouet avait le nez brisé. Un métronome figé à jamais. Un fracas, un grondement. Son esprit tournait sans fin, percevait tout. Tout ce qui avait jamais été cri, souffle, chuchotement. Tout...

Une pensée demeurait en lui. Leto la vit s'inscrire sur des raies de noirceur, lumière informe : *Le jour modèle la chair, et la chair modèle le jour.* La pensée le frappa avec une intensité que jamais, il le savait, il ne pourrait expliquer

Silence.

Le Baron s'appuyait contre sa porte privée. Il venait de la refermer sur une pièce emplie de cadavres. Déjà, des gardes l'entouraient. *L'ai-je respiré ?* se demanda-t-il. *Est-ce que cela m'a atteint, moi aussi ?*

Les sons revenaient... et la raison. Il entendit que quelqu'un hurlait des ordres. Masques à gaz... Fermez cette porte... Souffleurs.

Ils sont tombés très vite ! se dit-il. *Je suis encore debout. Je respire toujours. Enfer ! C'était juste !*

Il parvenait à analyser ce qui s'était passé, maintenant. Son bouclier avait été activé, au degré minime, certes, mais cela avait suffi pour ralentir l'échange moléculaire au travers du champ énergétique ; et il s'était écarté de la table... Et puis, il y avait eu ce hoquet de Piter qui avait provoqué l'intervention du capitaine des gardes... et sa mort.

La chance. La chance et ce qu'il avait lu sur les traits d'un vieil homme mourant... Cela avait suffi pour le sauver.

Il ne ressentait aucune gratitude envers Piter. Cet idiot était mort en même temps que le stupide capitaine des gardes. Tous ceux qui étaient mis en présence du Baron étaient sondés, disaient-ils... Comment le Duc avait-il pu ?... Pas le moindre avertissement. Le goûte-poison lui-même n'avait pas réagi jusqu'à ce qu'il fût trop tard. Comment était-ce possible ?

Aucune importance, maintenant, songea le Baron comme son esprit devenait plus ferme. *Le nouveau capitaine des gardes arrivera bien à trouver une réponse.*

Il perçut un redoublement d'activité, de l'autre côté de cette pièce où régnait la mort. Il s'écarta de la porte et son regard courut sur les laquais, autour de lui. Ils le dévisageaient en silence, attendant ses ordres, guettant sa réaction

Le Baron sera-t-il furieux ?

Le Baron prenait seulement conscience que quelques

secondes à peine s'étaient écoulées depuis qu'il s'était échappé de cette terrible pièce

Certains des gardes avaient encore leurs armes braquées vers la porte. D'autres dirigeaient leur férocité sur le couloir vide d'où venaient les bruits d'agitation, maintenant.

Un homme apparut à l'angle. Un masque à gaz pendait à son cou. Ses yeux ne quittaient pas les indicateurs de poison alignés au long du couloir. Son visage était plat sous sa chevelure jaune. Ses yeux étaient intenses, verts. De fines rides irradiaient de sa bouche aux lèvres minces. Il évoquait quelque créature marine perdue sur la terre ferme.

Le Baron, tout en le regardant approcher, se souvint de son nom : Nefud. Iakin Nefud. Caporal de la garde. Nefud était intoxiqué par la sémuta, ce mélange de drogue et de musique qui agissait au niveau le plus profond de la conscience. Précieuse information.

Nefud s'arrêta devant lui et salua : « Le couloir est sûr, Mon Seigneur. Je montais la garde à l'extérieur et j'ai pensé qu'il pouvait s'agir d'un gaz létal. Les ventilateurs de la pièce puisaient l'air de ces couloirs. (Il leva les yeux vers un détecteur placé au-dessus du Baron.) Il ne reste plus une seule trace du gaz, maintenant. La pièce a été assainie. Quels sont vos ordres ? »

Le Baron reconnut la voix. C'était celle qui avait lancé des ordres, un instant plus tôt. *Un homme efficace, ce caporal.*

« Ils sont tous morts ? » demanda-t-il.

« Oui, Mon Seigneur. »

Eh bien, il faut nous adapter, se dit-il.

« Tout d'abord, laissez-moi vous féliciter, Nefud. Vous êtes maintenant capitaine de mes gardes. Et j'espère que vous apprendrez par cœur cette leçon qu'est la mort de votre prédécesseur. »

Le Baron put sentir cheminer la conscience de cette situation nouvelle dans l'esprit de Nefud. Jamais plus il ne manquerait de semuta.

Le garde acquiesça. « Mon Seigneur sait que je me dévouerai totalement à sa sécurité. »

« Oui. A ce propos, je pense que le Duc avait quelque chose dans la bouche Découvrez ce que c'était, comment cela a été utilisé et qui a pu l'aider. Prenez toutes précautions... »

Il s'interrompit. Le train de ses pensées venait d'être disloqué par un remue-ménage dans le couloir, derrière lui. Des gardes postés devant l'ascenseur qui reliait cet étage aux niveaux inférieurs de la frégate essayaient de contenir un grand colonel bashar qui venait d'émerger de la cabine.

Le Baron ne parvenait pas à situer ce visage mince, cette bouche pareille à une fente dans du cuir, ces petits yeux d'encre.

« Ecartez vos mains, mangeurs de charogne ! » rugit le personnage en bondissant hors de portée des gardes.

Ah, l'un des Sardaukar, pensa le Baron.

Le colonel bashar s'avançait vers lui et les yeux du Baron devinrent deux fentes pleines d'appréhension. Les Sardaukar provoquaient en lui un malaise. Ils semblaient tous avoir un quelconque lien de parenté avec le Duc... feu le Duc. Et la façon dont ils se comportaient avec le Baron...

Le Sardaukar vint se planter à un pas du Baron, les mains sur les hanches. Derrière lui, les gardes hésitaient.

Le Baron remarqua que l'homme ne le saluait pas et que ses façons étaient imprégnées de mépris. Son malaise n'en devint que plus grand. Une seule légion de Sardaukar (dix brigades) était venue renforcer les légions harkonnens. Mais le Baron ne se faisait pas d'illusions. Cette unique légion pouvait très bien se retourner contre eux et triompher.

« Dites à vos hommes de ne pas essayer de m'empêcher de vous voir, Baron, gronda le Sardaukar. Quant aux miens, ils vous ont livré le Duc Atréides avant que j'aie pu discuter avec vous du sort qui lui serait réservé. Nous allons le faire maintenant. »

Je ne dois pas perdre la face devant mes hommes, se dit le Baron.

« Vraiment ? » Sa voix était froide, parfaitement contrôlée et le Baron en ressentit de la fierté.

« Mon Empereur m'a chargé de m'assurer que son royal cousin périrait proprement, sans souffrance », dit le colonel bashar.

« Tels étaient les ordres impériaux que j'ai reçus, dit le Baron. Pensiez-vous que je n'allais pas leur obéir ? »

« Je dois rapporter à l'Empereur ce que j'aurai vu de mes propres yeux. »

« Le Duc est déjà mort », lança le Baron, et il leva la main pour congédier le Sardaukar.

Celui-ci demeura immobile devant lui. Il ne fit pas le moindre mouvement, n'eut pas le moindre regard qui pût donner à penser qu'il avait enregistré ce geste. « Comment ? » gronda-t-il.

Vraiment, pensa le Baron, *en voilà assez !*

« De sa propre main, si vous tenez à le savoir. Il a absorbé du poison. »

« Je veux voir le corps maintenant. »

Feignant l'exaspération, le Baron leva les yeux vers le plafond. Mais ses pensées s'accéléraient. *Damnation ! Ce Sardaukar à l'œil acéré va pénétrer dans la pièce sans que rien ait bougé !*

« Je veux le voir maintenant ! » répéta le Sardaukar.

Impossible d'y échapper, se dit le Baron. *Il va tout voir. Il va découvrir que le Duc a tué des hommes d'Harkonnen... et que le Baron s'en est tiré de justesse. Les reliefs du repas étaient une preuve. Au même titre que le Duc, mort au centre de ce massacre.*

Impossible d'y échapper.

« Vous ne m'évincerez pas », dit le colonel bashar d'un ton grinçant.

« Nul ne veut vous évincer, répliqua le Baron en regardant dans les yeux d'obsidienne de son interlocuteur. Je ne cache rien à l'Empereur. (Il inclina la tête à l'intention de Nefud.) Le colonel bashar doit tout vérifier, immédiatement. Introduisez-le par la porte devant laquelle vous étiez posté, Nefud. »

« Par ici, colonel », dit Nefud.

Lentement, insolemment, le Sardaukar contourna le Baron et se fraya un chemin entre les gardes.

Insupportable, songea le Baron. *A présent, l'Empereur sera au courant de cette faute. Il la jugera comme un signe de faiblesse.*

Et il était effrayant de se dire que l'Empereur et ce Sardaukar étaient identiques dans leur mépris de toute faiblesse. Le Baron se mordit la lèvre. Au moins, l'Empereur n'avait rien su du raid des Atréides sur Giedi Prime et de la destruction des entrepôts d'épice harkonnens.

Maudit soit ce perfide Duc !

Le Baron regardait s'éloigner l'arrogant Sardaukar et l'efficient Nefud.

Il faut nous adapter. Je devrai remettre Rabban sur cette satanée planète. Sans restriction. Il va me falloir payer de mon sang d'Harkonnen pour qu'Arrakis soit en mesure d'accepter Feyd-Rautha. Maudit Piter ! Il a fallu qu'il se fasse tuer avant que j'en aie fini avec lui !

Il soupira.

Je dois immédiatement demander un nouveau Mentat à Tleielax. Il y en a certainement un de prêt pour moi, dès maintenant.

Près de lui, un garde toussota.

Il se retourna. « J'ai faim. »

« Oui, Mon Seigneur. »

« Je désire aussi que l'on me divertisse pendant que cette pièce est nettoyée et que ses secrets sont examinés. »

Le garde baissa les yeux. « Quel divertissement souhaiterait Mon Seigneur ? »

« Je me rends dans ma chambre. Amenez-moi ce jeune homme que nous avons acheté sur Gamont et qui a des yeux adorables. Droguez-le, surtout. Je n'ai pas envie de lutter. »

« Oui, Mon Seigneur. »

Le Baron se détourna et prit le chemin de sa chambre, soutenu par les suspenseurs qui lui conféraient une démarche sautillante. *Oui*, se disait-il, *celui qui a des yeux adorables et qui ressemble tant au jeune Paul Atréides.*

O Mers de Caladan,
O Gens du Duc Leto,
Citadelle abattue,
A jamais disparus...

Extrait de Chants de Muad'Dib,
par la Princesse Irulan.

TOUT son passé, tout ce qu'il avait vécu, songeait Paul, était devenu comme du sable s'écoulant dans un sablier. Assis auprès de sa mère dans la petite tente de plastique et de tissu (l'abri-distille), il avait croisé les mains sur ses genoux. L'abri-distille provenait, tout comme la tenue fremen qu'ils portaient maintenant, du paquet trouvé dans l'orni.

Dans l'esprit de Paul, il n'y avait plus de doute quant à l'identité de celui qui avait placé le paquet là, qui avait pris ses dispositions pour que l'ornithoptère les amène là, auprès de Duncan Idaho.

Yueh.

Le docteur traître.

Au-delà de l'extrémité transparente de l'abri-distille, il apercevait les rochers baignés de lune qui délimitaient ce refuge préparé par Idaho.

Je me cache comme un enfant alors que je suis le Duc, maintenant, songea Paul. Cette pensée l'irritait mais, d'autre part, il ne pouvait nier que Duncan Idaho eût agi sagement.

Cette nuit, sa perception avait été modifiée. Il voyait avec clarté et netteté tout ce qui l'entourait, les événements, les circonstances. Il se sentait incapable d'endiguer le flot d'informations qui se déversait en lui. Avec une froide précision, chaque nouvel élément s'ajoutait à sa connaissance et l'opération était localisée au centre de sa conscience. Un pouvoir de Mentat. Plus encore.

Il songea à ce moment de rage impuissante qu'il avait connu lorsque l'étrange orni avait plongé sur eux du fond de la nuit, comme un faucon gigantesque, le vent du désert sifflant dans ses ailes. C'est alors qu'il s'était passé quelque chose dans son esprit. L'orni avait glissé sur le sable, droit sur eux, et il se souvenait de l'odeur de soufre brûlé qui s'était élevée des patins de l'appareil crissant sur le sable.

Sa mère, il le savait, s'était retournée avec la certitude d'affronter un pistolet laser. Et elle avait vu Duncan Idaho. Il se penchait au-dehors par la porte ouverte et il leur avait crié : « Vite ! Il y a le signe du ver au sud ! »

Pourtant Paul, à l'instant où il s'était retourné, avait su, lui, qui pilotait l'orni. Des détails subtils concernant sa façon de voler, de se poser, avaient été pour lui autant d'indices, si minces que sa mère ne les avait pas décelés.

Jessica bougea et dit : « Il ne peut y avoir qu'une explication. Les Harkonnens tenaient la femme de Yueh en leur pouvoir. Il les haïssait ! Je n'ai pu faire erreur sur ce point. Tu as lu son message. Mais pourquoi nous a-t-il sauvés du carnage ? »

Elle ne le devine qu'à présent, et bien difficilement, pensa Paul. Et cette pensée fut un choc. Il avait compris les faits simplement en lisant le message qui accompagnait l'anneau ducal.

« N'essayez pas de me pardonner, avait écrit Yueh. Je ne veux pas de votre pardon. J'ai déjà bien assez de fardeaux. Ce que j'ai fait, je l'ai fait sans méchanceté et sans espoir d'être compris. Ce fut mon tahaddi-alburhan, mon dernier test. Je vous donne le sceau ducal pour prouver que j'écris la vérité. Lorsque vous lirez ces lignes, le Duc Leto sera mort. Puisse l'assurance que je vous donne qu'il n'est pas mort seul mais qu'il a entraîné avec lui celui que nous détestions par-dessus tout, vous consoler. »

Il n'y avait ni adresse ni signature, mais l'écriture était familière.

En se rappelant la teneur du message, Paul revivait sa détresse comme quelque chose d'aigu, d'étrange, qui semblait se situer à l'extérieur de sa nouvelle vivacité mentale. Il avait lu que son père était mort et il savait que ces mots étaient vrais. Mais cela n'était pour lui qu'un élément nouveau, une information supplémentaire qui était entrée dans son esprit pour être utilisée.

J'aimais mon père, se dit-il, sachant bien que c'était vrai. *Je devrais le pleurer. Je devrais ressentir quelque chose.*

Mais il ne ressentait rien. Il pensait seulement : *Voilà un fait important.*

A côté de bien d'autres.

Et sans cesse, son esprit ajoutait des impressions nouvelles, extrapolait, calculait.

Les paroles d'Halleck lui revinrent : « *On se bat quand il le faut, et pas lorsqu'on en a le cœur! Garde donc ton cœur pour l'amour ou pour jouer de la balisette. Ne le mêle pas au combat!* »

Peut-être en est-il ainsi, se dit-il. *Je pleurerai mon père plus tard... lorsque j'en aurai le temps.*

Mais, dans la précision froide qui l'habitait maintenant, il ne ressentait pas le moindre fléchissement. Sa nouvelle perception venait seulement de naître et elle continuait de se développer. Cette sensation d'un but terrible qu'il avait éprouvée lors de sa confrontation avec la Révérende Mère Gaïus Helen Mohiam lui revint. Sa main droite, sous le souvenir de la souffrance, devint brûlante.

Etre le Kwisatz Haderach, c'est donc cela ?

« J'ai pensé pendant un temps que Hawat s'était

encore trompé, dit Jessica. Je crois qu'il est possible que Yueh n'ait pas été docteur Suk. »

« Il était tout ce que nous pensions... et plus encore, dit Paul. (Il pensa : *Pourquoi est-elle si lente à voir ces choses ?*) Si Idaho ne parvient pas jusqu'à Kynes, nous serons... »

« C'est notre seul espoir », dit-elle.

« Ce n'est pas ce que je suggérais. »

Dans la voix de son fils, elle décela une dureté d'acier, une inflexion de commandement et, dans l'ombre grise de l'abri-distille, elle le regarda. Il se silhouettait sur l'image claire des rochers givrés de lune.

« D'autres hommes de ton père ont dû réussir à fuir. Nous devons les regrouper, trouver... »

« Nous allons dépendre de nous-mêmes, dit-il. Notre premier souci devra être l'arsenal d'atomiques. Il faut l'atteindre avant que les Harkonnens ne se mettent en quête. »

« Il est peu probable qu'il le découvre là où il est caché. »

« Nous ne devons pas courir ce risque. »

Utiliser les atomiques de la famille pour menacer toute la planète et son épice. Voilà ce qu'il a en tête. Mais alors, il ne peut espérer survivre qu'en se réfugiant dans l'anonymat d'un renégat.

Les paroles de sa mère avaient déclenché un nouveau flux de pensées dans l'esprit de Paul. En tant que Duc, il s'inquiétait du sort de ses gens perdus dans la nuit du désert. *Les hommes sont la force véritable de toute Grande Maison*, se dit-il.

A nouveau, lui revinrent des paroles de Hawat : « *Il est triste d'être séparé de ses amis. Mais une demeure n'est jamais qu'une demeure.* »

« Des Sardaukars sont avec eux, dit Jessica. Nous devrons attendre leur départ. »

« Ils nous croient pris entre le désert et les Sardaukars. Ils n'entendent pas laisser un seul Atréides en vie. L'extermination totale... N'espère pas en voir réchapper aucun de nos gens. »

« Mais ils ne pourront continuer sans cesse. Ils courraient le risque de révéler quel a été le rôle de l'Empereur. »

« Le crois-tu ? »

« Quelques-uns de nos hommes parviendront à s'enfuir. »

« Vraiment ? »

Elle se détourna, effrayée par l'amertume et la dureté de la voix de son fils. Il avait calculé avec précision les chances. Elle le sentait dans ses paroles. C'était comme si l'esprit de Paul s'était brutalement éloigné du sien, comme s'il voyait plus loin qu'elle, maintenant. Elle avait participé à son éducation mais, à présent, elle avait peur du résultat. Ses pensées se tournèrent alors vers son Duc comme vers un sanctuaire perdu et les larmes vinrent lui brûler les yeux.

Il devait en être ainsi, Leto, pensa-t-elle. *Un temps pour l'amour, un temps pour la peine.* (Elle mit la main sur son ventre, consciente de la présence de l'embryon.) *J'ai en moi cette fille des Atréides que l'on m'a ordonné d'engendrer. Mais la Révérende Mère s'est trompée : une fille n'aurait pas sauvé mon Leto. Cette enfant n'est qu'une vie qui tente d'atteindre l'avenir dans un présent de mort. Je l'ai conçue par l'instinct et non par obéissance.*

« Vous devriez essayer à nouveau le communicateur », dit Paul.

L'esprit continue de fonctionner quoi que nous fassions pour l'en empêcher, se dit-elle.

Elle prit en main le minuscule appareil qu'Idaho leur avait laissé et mit le contact. Un voyant vert s'alluma. D'infimes grésillements sortirent du petit haut-parleur. Elle régla la fréquence et une voix retentit. Elle prononçait des mots dans le langage de bataille des Atréides.

« ... retraite et regroupez-vous dans le massif. Rapport Fedor : pas de survivants à Carthag. La Banque de la Guilde a été pillée. »

Carthag ! songea Jessica. *Un fief harkonnen !*

« Des Sardaukars. Prenez garde aux Sardaukars ! Ils sont en uniforme Atréides. Ils... »

Un ronflement envahit le haut-parleur. Puis, plus rien.

« Essayez les autres fréquences », dit Paul.

« Comprends-tu ce que cela signifie ? »

« Je m'y attendais. Ils veulent que la Guilde rejette sur nous la responsabilité de la destruction de la banque. Avec la Guilde contre nous, nous sommes pris au piège sur Arrakis. Essayez les autres fréquences. »

Elle soupesa les mots qu'il venait de prononcer : « *Je m'y attendais.* » Que s'était-il passé en lui ? Lentement, elle revint au communicateur. Comme elle explorait la gamme des fréquences, elle accrochait des voix violentes : « ... repliez... essayez de vous regrouper... prisonniers dans une grotte à... »

Aux voix Atréides se mêlaient des appels exultants en langage de combat harkonnen. Des ordres brefs, des rapports d'engagements. Tout était trop bref pour que Jessica pût enregistrer et découvrir le sens exact des mots, mais le ton était suffisant.

Il clamait avec éloquence la victoire des Harkonnens.

Paul secoua le paquet posé à côté de lui et entendit glouglouter l'eau des deux jolitres. Il inspira à fond et son regard se tourna vers l'extrémité transparente de l'abri, vers les rochers silhouettés sur le fond des étoiles. Sa main gauche se posa sur la fermeture du sphincter d'entrée.

« L'aube sera bientôt là, dit-il. Nous pouvons encore attendre Idaho pendant une journée, mais pas une nuit. Dans le désert, il faut voyager la nuit et se reposer durant le jour, à l'ombre. »

Sans distille, se souvint Jessica, *un homme assis à l'ombre, dans le désert, a besoin de cinq litres d'eau par jour pour maintenir l'équilibre de son organisme.* Leur existence dépendait de ce vêtement dont elle sentait la matière soyeuse et douce contre sa peau.

« Si nous partons, Idaho ne nous retrouvera jamais », dit-elle.

« Il existe des moyens de faire parler un homme. S'il n'est pas revenu à l'aube, nous devrons admettre l'éventualité de sa capture. Combien de temps croyez-vous qu'il puisse tenir ? »

Cette question n'appelait pas de réponse et Jessica demeura silencieuse.

Paul défit l'attache du paquet et en sortit un micromanuel muni de sa visionneuse et de son brilleur. Des lettres orange et verte se matérialisèrent, surgies d'entre les pages. « Jolitre, abri-distille, capsules d'énergie, recycles, snork, jumelles, repkit de distille, pistolet baramark, basse-carte, filtres, paracompas, hameçons à faiseur, marteleurs, Fremkit, pilier de feu... »

Il fallait tant de choses pour survivre dans le désert.

Il posa le micromanuel.

« Où pourrions-nous aller ? » demanda Jessica.

« Mon père parlait du *pouvoir du désert.* Sans lui, les Harkonnens ne réussiront pas à dominer cette planète. En fait, ils n'y sont jamais parvenus et ils n'y parviendront jamais. Même avec dix mille légions de Sardaukar. »

« Paul, tu ne penses pas que... »

« Nous avons toutes les preuves entre nos mains. Ici même, dans cette tente... La tente, ce paquet et tout ce qu'il contient, ces distilles. Nous savons que la Guilde exige une somme prohibitive pour des satellites météorologiques. Nous savons que... »

« Que viennent faire les satellites climatiques dans tout ceci ? Ils ne pourraient pas... » Elle s'interrompit.

Paul lisait ses réactions, calculait, intégrait les moindres détails.

« A présent, vous le voyez, dit-il. Les satellites observent le sol. Il existe dans le désert des choses qui ne doivent pas être observées. »

« Tu soupçonnes la Guilde de contrôler cette planète ? »

Lente. Elle était si lente.

« Non. Les Fremens ! Ils payent la Guilde pour préserver leur isolement. Et ils payent avec ce que le pouvoir du désert met à leur disposition : l'épice. Ce n'est pas une réponse fondée sur une approximation mais le résultat de déductions directes. »

« Paul, tu n'es pas encore un Mentat. Tu ne peux être certain de... »

« Je ne serai jamais un Mentat. Je suis autre chose... une monstruosité. »

« Paul ! Comment peux-tu dire de telles... »

« Laissez-moi seul ! »

Il se détourna d'elle et son regard plongea dans la nuit. *Pourquoi ne puis-je pleurer ?* songeait-il. Chaque fibre de son être s'y efforçait mais il savait que cela lui serait à jamais refusé.

Jamais encore Jessica n'avait perçu une telle détresse dans la voix de son fils. Elle aurait voulu le serrer contre elle, le consoler, l'aider... mais elle savait dans le même instant qu'elle ne pouvait rien pour lui. Il devrait résoudre lui-même ses problèmes.

Le manuel du Fremkit qui continuait de briller sur le sol attira son regard. Elle le prit et lut : « Manuel du Désert Ami, ce lieu plein de vie. Voici l'ayat et le burhan de la Vie. Crois, et jamais al-Lhat ne te consumera. »

Cela ressemble au Livre d'Azhar, se dit-elle, se souvenant de ses études des Grands Secrets. *Arrakis aurait-elle connu un Manipulateur de Religions ?*

Paul prit le paracompas dans le Fremkit, le reposa et dit : « Songez à tous ces appareils fremen aux fonctions précises. Ils sont l'indice d'une sophistication incomparable. Admettez-le. La culture qui a conçu tout ceci est plus vaste qu'on le soupçonne. »

En hésitant, toujours troublée par la dureté de la voix de son fils, Jessica se pencha de nouveau sur le manuel. Une constellation du ciel arrakeen : « Muad'Dib : la Souris. » Elle remarqua que la queue était dirigée vers le nord.

Paul observait la silhouette de sa mère, vaguement dessinée par la clarté du brilleur du manuel. *Voici venu le moment d'exaucer le vœu de mon père*, songea-t-il. *Je dois lui transmettre le message maintenant, alors qu'elle a encore le temps de pleurer. Plus tard, ce serait inopportun.* Cette logique précise le choqua.

« Mère ? »

« Oui ? »

Elle avait décelé le changement dans sa voix. Le froid se répandait maintenant dans ses entrailles. Mais jamais encore elle n'avait perçu un contrôle si dur.

« Mon père est mort », reprit Paul.

Elle chercha en elle-même. Les faits s'accouplant aux faits. L'assimilation Bene Gesserit. Et cela lui vint : la sensation d'une perte terrifiante.

Et elle hocha la tête, sans pouvoir parler.

« Mon père m'avait chargé de vous transmettre un message si quelque chose lui advenait. Il craignait que vous ne pensiez qu'il se défiait de vous. »

Ce soupçon inutile, pensa-t-elle.

« Il voulait que vous sachiez qu'il n'en a jamais été ainsi. (Il expliqua les faits tels qu'ils avaient été et ajouta :) Il désirait que vous sachiez que vous aviez sa confiance absolue, qu'il vous aimait toujours. Il a dit qu'il se serait plutôt méfié de lui-même que de vous et qu'il n'avait qu'un regret, celui de ne point vous avoir fait Duchesse. »

Elle essuya les larmes qui roulaient sur ses joues et pensa : *Quel gaspillage stupide ! Toute cette eau !* Mais elle savait dans le même instant que cette pensée révélait seulement son désir de se réfugier dans la colère. *Leto, mon Leto. Quelles terribles choses pouvons-nous faire à ceux que nous aimons !* D'un geste brusque, elle éteignit le brilleur du manuel.

Elle se mit à sangloter.

Paul entendait son chagrin. En lui, il ne distinguait rien. *Je n'ai pas de chagrin*, pensa-t-il. *Pourquoi ? Pourquoi ?* Cette incapacité de trouver du chagrin lui semblait une tare redoutable.

« *Un temps pour avoir, un temps pour perdre* », pensa Jessica. Une phrase de la Bible Catholique Orange. « *Un temps pour garder, un temps pour rejeter ; un temps pour aimer, un temps pour haïr ; un temps pour la guerre, un temps pour la paix.* »

L'esprit de Paul continuait sa course, froid, précis. Il découvrait les voies du temps ouvertes devant eux, sur ce monde. Sans même le secours du rêve, ses pouvoirs de prescience lui révélaient le faisceau des avenirs probables, et quelque chose d'autre, une frange d'inconnu... Comme s'il plongeait dans quelque niveau d'où le temps était absent mais où soufflaient les vents venus du futur.

Brusquement, comme s'il venait de découvrir une clé nécessaire, il s'éleva d'un échelon supplémentaire dans la perception. Il sentit qu'il était plus haut, trouva une prise précaire, regarda autour de lui. C'était comme le centre d'une sphère d'où irradiaient des avenues, dans toutes les directions. Encore que cette image fût loin de l'exacte sensation.

Il se souvenait d'un mouchoir de gaze flottant dans le vent. Et il percevait le futur ainsi, maintenant. Comme une surface ondulante, sans consistance.

Il voyait des gens.

Il sentait la chaleur et le froid de probabilités innombrables.

Il connaissait des noms et des lieux, éprouvait des émotions sans nombre, recevait des informations venues de sources multiples et inexplorées. Le temps était là pour sonder, goûter, examiner, mais pas pour façonner.

Le tout était le spectre des possibilités du plus lointain passé au plus lointain avenir, du plus probable au plus improbable. Il voyait sa propre mort en d'innombrables versions. Il voyait de nouveaux mondes, de nouvelles civilisations.

Des êtres.

Des êtres.

Des multitudes d'êtres qu'il ne pouvait dénombrer mais dont il percevait l'existence.

Des gens de la Guilde.

La Guilde... Pour nous, ce pourrait être l'issue. Faire accepter mon étrangeté comme une chose familière mais précieuse. L'épice, à présent nécessaire, nous serait assurée.

Mais il était effrayé à l'idée de devoir vivre le reste de son existence avec ce même esprit tâtonnant entre les avenirs possibles qui guidait les astronefs. Pourtant, c'était une voie ouverte. Et, en affrontant cet avenir possible qui recelait les gens de la Guilde, il reconnaissait sa propre étrangeté.

J'ai une autre vision. Je vois un autre paysage : tous les chemins offerts.

C'était là une pensée qui rassurait et inquiétait. Tant de ces chemins disparaissaient, se perdaient hors de vue.

Aussi vite qu'elle était venue, la sensation disparut et il comprit que cet instant n'avait duré que le temps d'un battement de cœur.

Pourtant, sa conscience avait été retournée, éclairée de terrifiante façon. Il regarda autour de lui.

La nuit recouvrait toujours l'abri-distille et les rochers protecteurs. Et sa mère pleurait toujours.

En lui, il ne ressentait toujours aucun chagrin. Séparé de son esprit, quelque part, il y avait toujours cet endroit creux qui poursuivait sa fonction, qui assimilait les informations, évaluait, déduisait, proposait des réponses à la façon d'un esprit Mentat.

Mais peu d'esprits avaient jamais accumulé autant d'informations. Et cela ne rendait pas l'endroit creux plus supportable. Paul avait l'impression que quelque chose devait se briser. C'était comme un mouvement d'horlogerie réglé pour l'explosion d'une bombe. Et le tic-tac continuait sans cesse, contre son gré. Et les plus infimes variations, autour de lui, étaient enregistrées. La plus subtile modification du taux d'humidité, une chute de température d'une fraction de degré, l'avance d'un insecte sur le toit de l'abri, la lente montée de l'aube dans le fragment de ciel poudré d'étoiles.

Ce vide était insupportable. Et de savoir comment ce mouvement d'horlogerie avait été mis en marche ne faisait aucune différence. Il pouvait contempler tout son passé et il voyait la mise en place du mécanisme : son éducation, l'entraînement, l'affinement de ses talents, les pressions des disciplines sophistiquées, la découverte de la Bible Catholique Orange dans un moment critique... Et puis, l'épice.

Mais aussi, il pouvait regarder devant lui, dans toutes les directions. Et c'était là le plus terrifiant.

Je suis un monstre ! pensa-t-il. *Une anomalie !*

Puis : Non ! Non ! *Non !* NON !

Ses poings frappaient le sol de la tente. Et, implacable, cette fraction de son être qui poursuivait ses fonctions, enregistra sa réaction comme un intéressant phénomène émotionnel et l'intégra aux autres facteurs.

« Paul ! »

Sa mère était près de lui, elle lui avait pris les mains. Son visage était une tache grise dans l'ombre. « Paul, qu'y a-t-il ? »

« Vous ! »

« Je suis là, Paul. Tout va bien. »

« Que m'avez-vous fait ? » demanda-t-il.

En un éclair de compréhension, elle devina les racines lointaines de la question : « Je t'ai mis au monde », dit-elle.

Son instinct comme ses connaissances les plus subtiles lui disaient que c'était la réponse qui le calmerait.

Il sentait les mains de sa mère, essayait de distinguer ses traits. Certains signes génétiques dans la forme de son visage furent ajoutés aux autres informations, assimilés. La réponse vint.

« Laissez-moi », dit-il.

Un ton de fer. Elle obéit.

« Paul, veux-tu me dire ce qui se passe ? »

« Saviez-vous ce que vous faisiez en m'éduquant ? »

Il n'y a plus trace de l'enfant dans sa voix, pensa-t-elle.

« J'espérais ce qu'espèrent tous les parents. Que tu serais... supérieur, différent. »

« Différent ? »

Cette amertume dans sa voix. « Paul, je... »

« Vous ne désiriez pas un fils ! Vous désiriez un

Kwisatz Haderach! Vous vouliez un mâle Bene Gesserit! »

« Mais, Paul... »

« Avez-vous jamais pris le conseil de mon père? »

La voix de Jessica était douce, dans son chagrin. « Quoi que tu sois, Paul, ton hérédité est partagée entre ton père et moi. »

« Mais pas mon éducation. Pas les choses qui ont... éveillé... ce qui dormait. »

« Ce qui dormait? »

« C'est là, dit-il, et il posa la main sur son front, puis sur sa poitrine. C'est là, dans moi. Et jamais ça ne s'arrête, jamais, jamais... »

« Paul! »

Elle le sentait au bord de l'hystérie.

« Ecoutez-moi, reprit-il. Vous vouliez que je parle de mes rêves à la Révérende Mère? Alors écoutez à sa place, maintenant. Je viens d'avoir *un rêve éveillé.* Savez-vous pourquoi? »

« Il faut te calmer. S'il y a... »

« L'épice. Il y en a partout. Dans l'air, dans le sol, la nourriture. L'épice gériatrique. Le Mélange. C'est comme la drogue des Diseuses de Vérité. Un poison! »

Elle se raidit.

La voix de Paul se fit plus basse comme il répétait : « Un poison... subtil, insidieux... sans antidote. Il ne tue pas si l'on ne cesse pas de le prendre. On ne peut quitter Arrakis sans emporter une partie d'Arrakis avec soi. »

La *présence* terrifiante de sa voix ne souffrait aucune réplique.

« Vous et l'épice, reprit-il. L'épice transforme quiconque en absorbe autant mais, grâce à *vous,* cette transformation a touché ma conscience. Je peux la voir. Elle n'est pas reléguée dans mon subconscient, là où je pourrais l'ignorer. »

« Paul, tu... »

« *Je la vois!* »

Elle percevait la folie dans la voix de son fils et ne savait plus quoi faire.

Mais il se remit à parler et la dureté de fer était de nouveau dans sa voix. « Nous sommes pris au piège. »

Nous sommes pris au piège, répéta-t-elle. Elle acceptait cette vérité. Nul effort Bene Gesserit, nulle astuce ou artifice ne les libérerait jamais complètement d'Arrakis. L'épice créait une accoutumance, un besoin. Son corps l'avait su bien longtemps avant que son esprit l'admette.

Nous vivrons donc le temps de nos vies sur cette planète infernale, songea-t-elle. *Si nous parvenons à échapper aux Harkonnens, ce monde est prêt pour nous. Et mon destin ne fait plus de doute : je ne suis là que pour préserver une lignée qui entre dans le Plan Bene Gesserit.*

« Je dois vous révéler ce qu'était mon rêve éveillé, reprit Paul et il y avait maintenant de la fureur dans sa voix. Pour être certain que vous accepterez mes paroles, je vous dirai d'abord que vous portez une fille, ma sœur, qui naîtra ici, sur Arrakis. »

Et Jessica posa les mains sur la paroi de la tente et appuya pour repousser la vague de peur. Elle savait que son état n'était pas encore visible. Seule son éducation Bene Gesserit lui avait permis de percevoir les tout premiers signaux de son corps, de savoir qu'elle portait un embryon de quelques semaines.

« Que pour servir, souffla-t-elle, s'accrochant à la devise Bene Gesserit. Nous n'existons que pour servir. »

« Nous trouverons refuge parmi les Fremens. C'est là que votre Missionaria Protectiva nous a préparé un abri. »

Notre fuite dans le désert était organisée, songea Jessica. *Mais comment peut-il connaître la Missionaria Protectiva ?* Elle avait peine, maintenant, à repousser la frayeur que faisait naître en elle l'étrangeté de son fils.

Paul examinait l'image sombre de sa mère, il lisait en elle la peur, clairement, comme si elle se dessinait en traits de lumière sur l'ombre. Et il ressentit un début de compassion à son égard.

« Je ne puis encore vous dire les choses qui peuvent advenir, dit-il. Je ne puis même me les dire, quoique je les aie vues. Cette *sensation* de l'avenir... Il semble que je n'aie aucun contrôle sur elle. C'est comme cela, c'est tout. L'avenir proche... un an peut-être... je peux le voir en partie... C'est une route aussi large que notre Avenue Centrale, sur Caladan. Il y a des choses que je ne distingue pas... des endroits pleins d'ombre... Comme si la route passait derrière une colline et... (l'image d'un mouchoir flottant au vent lui revint)... il y a des embranchements... »

Il demeura silencieux comme le souvenir de cette vision l'envahissait. Nul rêve prescient, nulle expérience dans son existence préalable ne l'avait préparé à cela, à cette révélation du temps mis à nu.

En se souvenant de l'expérience qu'il venait de vivre, il reconnaissait le but terrible qui était le sien. Sa vie se dilatait comme une bulle toujours plus immense et le temps lui-même battait en retraite...

Jessica découvrit le contrôle du brilleur de l'abri et une faible clarté verte repoussa les ombres et sa frayeur. Elle regarda le visage de son fils, ses yeux... tournés vers l'intérieur. Et elle sut où elle avait déjà rencontré un tel regard : dans des images anciennes de désastres passés, des visages d'enfants affamés ou blessés. Les yeux comme des puits noirs, la bouche réduite à un trait, les joues creuses, tendues.

L'expression de quelqu'un qui voit des choses terribles, songea-t-elle. *Qui affronte la certitude de sa mortalité.* Ce n'était plus un enfant.

Puis le sens sous-jacent des paroles de Paul se dessina dans son esprit, balaya tout. Paul pouvait, en regardant au-devant de leur route, discerner une issue possible.

« Il existe un moyen d'échapper aux Harkonnens », dit-elle.

« Les Harkonnens ! Chassez ces caricatures d'humains de votre esprit ! » Il avait les yeux fixés sur sa mère, dans la faible lumière du brilleur, sur son visage qui la trahissait.

« Tu ne devrais pas parler d'humains sans... »

« Ne soyez pas aussi assurée quant aux démarcations. Nous portons notre passé avec nous. Et, ma mère, il est une chose que vous ignorez et que vous devriez savoir... *Nous* sommes des Harkonnens. »

L'esprit de Jessica fit alors une chose terrifiante : il se ferma totalement, comme s'il voulait se couper de toute sensation. Pourtant, la voix de Paul lui parvenait toujours, l'entraînait.

« Lorsque vous serez devant un miroir, examinez votre visage. Examinez le mien, maintenant. Les signes sont là, lisibles, si vous ne tentez pas de vous aveugler vous-même. Regardez mes mains, l'aspect de mon ossature. Et si rien de cela ne vous convainc, alors croyez-moi quand même sur parole. J'ai cheminé dans l'avenir, j'ai vu un document, dans un lieu. J'ai tous les détails. Nous sommes des Harkonnens. »

« Une... branche renégate de la famille, dit-elle. C'est cela, n'est-ce pas ? Quelque cousin harkonnen qui... »

« Vous êtes la propre fille du Baron », dit Paul, et il la regarda porter les mains à sa bouche avant de poursuivre : « Le Baron s'est adonné à bien des plaisirs dans sa jeunesse et il s'est laissé séduire, une fois. Mais c'était pour les besoins génétiques du Bene Gesserit. C'était par l'une d'entre *vous.* »

Vous. C'était comme une gifle. Mais son esprit se remit à fonctionner et elle ne pouvait nier ses paroles. Tant de suppositions passées reparaissaient maintenant et se rejoignaient. La fille que désirait le Bene Gesserit... Non pas pour mettre un terme à la vieille haine Atréides-Harkonnens mais pour fixer un facteur génétique. *Lequel ?* Elle cherchait la réponse, confusément.

Comme s'il lisait en elle, Paul dit : « Ils croyaient que c'était moi. Mais je ne suis pas ce qu'ils attendaient. Je suis venu avant mon temps. Et ils l'ignorent. »

Les mains de Jessica étaient rivées à sa bouche.

Grande Mère ! Le Kwisatz Haderach

Elle comprenait maintenant que peu de choses échappaient à son regard. Elle était nue devant lui. Complètement ouverte. Et elle savait que c'était là la base même de sa peur.

« Vous pensez que je suis le Kwisatz Haderach. Mais ôtez cette idée de votre esprit. Je suis quelque chose d'inattendu. »

Il faut que j'avertisse l'une de nos Ecoles, se dit-elle. *L'index des accouplements révélera ce qui s'est produit.*

« Il sera trop tard lorsqu'ils apprendront mon existence », dit Paul.

Elle tenta une diversion, baissa les mains et demanda : « Nous trouverons refuge parmi les Fremens ? »

« Les Fremens ont une maxime qu'ils attribuent à Shai-hulud, le Vieux Père Eternité, et qui dit : « Sois prêt à apprécier ce que tu rencontres. »

Il pensa : *Oui, ma mère... parmi les Fremens. Vous aurez les yeux bleus et une callosité sous votre joli nez, là où sera fixé le tube de votre distille... et vous porterez ma sœur : Sainte Alia du Couteau.*

« Si tu n'es pas le Kwisatz Haderach, dit Jessica, qui... »

« Il n'est pas possible que vous le sachiez. Vous ne le croirez que lorsque vous le verrez. »

Et il pensa : *Je suis une graine.*

Et il vit soudainement combien fertile était le terrain où il était tombé. Dans le même temps, cette sensation d'un but terrible revenait, l'envahissait, remplissait cette région vide, quelque part en lui. Le chagrin l'étouffa.

Sur le chemin qui les attendait, il avait vu deux embranchements importants. Le premier conduisait à un vieux Baron empli de mal auquel il disait : « Bonjour, grand-père. » Il détestait cet embranchement, vomissait ce à quoi il conduisait.

Le second sentier, lui, était plein de zones grisâtres et d'éminences violentes. Il portait une religion guerrière, un feu qui se répandait dans l'univers, la bannière verte et noire des Atréides flottant à la tête de légions de fanatiques abreuvés de liqueur d'épice Il y avait là Gurney Halleck et quelques autres hommes de son père, mais si peu, tous arborant le signe du faucon, inspiré de la châsse du crâne de son père.

« Je ne peux pas le prendre, murmura Paul. C'est ce que voudraient les vieilles sorcières de vos Ecoles. »

« Paul, je ne te comprends pas », dit Jessica.

Il demeura silencieux. Graine, il pensait avec cette conscience raciale qu'il avait d'abord ressentie comme un but terrible. Il comprenait qu'il ne pouvait plus haïr le Bene Gesserit, l'Empereur ou même les Harkonnens. Tous, ils obéissaient au besoin de leur race de renouveler son héritage dispersé, de croiser, de mêler les lignées en un immense et nouveau bouillon de gènes. Pour cela, la race ne connaissait qu'une manière, l'ancienne manière, celle qui avait été éprouvée, qui était sûre et qui écrasait tout sur son chemin : le jihad.

Je ne peux pas choisir cela, pensa-t-il.

Mais, à nouveau, au fond de son esprit, il vit la châsse du Crâne de son père, la violence et la bannière noire et verte.

Jessica, inquiète de son silence, demanda : « Ainsi... les Fremens vont nous recueillir ? »

Il leva les yeux et, dans la pénombre verte de la tente, regarda son visage aux traits affinés, patriciens. « Oui, c'est l'un des chemins, dit-il en hochant la tête. Oui... Ils m'appelleront... Muad' Dib, « Celui Qui Montre Le Chemin ». Oui... ils m'appelleront ainsi. »

Et il ferma les yeux et pensa : *Maintenant, mon père, je peux te pleurer.* Et les larmes roulèrent sur ses joues.

LIVRE SECOND
MUAD'DIB

Lorsque mon père, l'Empereur Padishah, apprit la mort du Duc Leto et ses circonstances, il entra dans une fureur que jamais nous ne lui avions connue. Il s'en prit à ma mère et au complot qui l'avait forcé à placer une Bene Gesserit sur le trône. Il s'en prit à la Guilde et au cruel Baron. Il s'en prit à tous ceux qui se trouvaient là, sans même m'épargner, disant que j'étais une sorcière comme les autres. Comme je tentais de l'apaiser en lui disant que tout cela avait été fait pour obéir à une vieille loi de sécurité à laquelle les plus anciens gouvernants s'étaient toujours soumis, il réagit en me demandant si je le prenais pour un faible. Je compris alors qu'il avait été touché non par la mort du Duc mais par ce qu'elle impliquait pour toute la royauté. En y repensant, je crois que mon père lui aussi avait quelque don de prescience car il est certain que sa lignée et celle de Muad'Dib avaient des ancêtres communs.

Dans la Maison de Mon Père,
par la Princesse Irulan.

« A présent, Harkonnen va tuer Harkonnen », murmura Paul.

Il s'était éveillé peu après la venue de la nuit et s'était redressé dans l'ombre de la tente. Comme il parlait, il entendit les mouvements de sa mère qui dormait près de la paroi opposée.

Il se pencha sur les écrans du détecteur de proximité illuminés par les tubes au phosphore.

« Bientôt la nuit sera totale, dit Jessica. Pourquoi ne relèves-tu pas les parois ? »

Il comprit alors qu'elle était éveillée depuis un moment. Elle était demeurée immobile, silencieuse, jusqu'à ce qu'elle fût certaine qu'il était éveillé.

« Ça ne servirait à rien, dit-il. Il y a eu une tempête. La tente est couverte de sable ; il va falloir que je la dégage. »

« Aucun signe de Duncan ? »

« Non. »

D'un geste absent, il toucha l'anneau ducal à son pouce puis se mit à trembler sous l'effet d'une rage soudaine à l'égard de cette planète qui avait aidé à l'assassinat de son père.

« J'ai entendu la tempête arriver », dit Jessica.

Ces mots vides, inutiles, l'aidèrent à retrouver un peu de calme. Son esprit se tourna vers le souvenir de la tempête telle qu'il l'avait vue par la paroi transparente de l'abri. Froides coulées de sable à travers le bassin, puis écharpes et ruisseaux dans le ciel. A un moment, sous ses yeux, une spire de rocher avait changé de forme. Dans le souffle du sable, elle était devenue une simple excroissance orangée. Puis le sable avait empli tout le ciel qui était devenu comme un plafond d'épice avant de recouvrir la tente.

Sous la pression, les tendeurs de l'abri avaient craqué une seule fois puis le silence s'était définitivement établi, habité seulement des faibles plaintes du snork qui, à travers le sable, pompait l'air à la surface.

« Essaye à nouveau le récepteur », dit Jessica.

« Inutile », dit Paul.

Il prit le tube à eau de son distille fixé à son cou et aspira une gorgée tiède, songeant qu'ainsi il commençait véritablement son existence arrakeen, vivant de l'humidité de son propre corps, de sa propre respiration. L'eau était douceâtre mais elle calmait le feu de sa gorge.

Jessica l'avait entendu boire. Son distille était moite

sur son corps mais pourtant, elle refusait d'écouter sa soif. L'eût-elle fait, elle se serait dans le même temps éveillée pleinement aux nécessités terribles d'Arrakis, ce monde où la moindre trace d'humidité devait être récupérée, où chaque goutte qui se formait dans les poches de l'abri-distille était précieuse, où l'on se retenait de respirer à l'air libre.

Il était tellement plus facile de se laisser glisser à nouveau dans le sommeil.

Mais elle avait eu un rêve et à ce seul souvenir elle frissonna. Un rêve où ses mains étaient plongées dans le sable. Et sur le sable un nom avait été inscrit : *Duc Leto Atréides.* Un nom que le sable effaçait, qu'elle essayait de reformer, de préserver, mais dont les lettres s'effaçaient tandis qu'elle les retraçait.

Le sable ne cessait jamais de s'accumuler.

Et dans son rêve elle avait gémi, de plus en plus fort. Un gémissement ridicule. Une partie de son esprit avait compris que c'était sa voix alors qu'elle n'était qu'une petite enfant. La femme s'effaçait, une femme que les souvenirs les plus lointains ne discernaient pas vraiment.

Ma mère inconnue, songea Jessica. *La Bene Gesserit qui m'a enfantée et m'a donnée aux Sœurs parce qu'elle en avait reçu l'ordre. A-t-elle éprouvé de la joie à se débarrasser ainsi d'une enfant harkonnen ?*

« C'est par l'épice qu'il faut les frapper », dit Paul.

Comment peut-il penser à l'attaque en un tel moment ?

« La planète tout entière est pleine d'épice, dit-elle. Comment peux-tu songer à les frapper ? »

Elle l'entendit bouger, traîner leur sac d'équipement sur le sol de l'abri.

« Sur Caladan, dit-il, c'était le pouvoir de la mer, le pouvoir des airs. Ici, c'est *le pouvoir du désert.* Les Fremen en sont la clé. »

Il se trouvait maintenant près du sphincter d'entrée. Ses sens Bene Gesserit lui révélaient à nouveau l'amertume qu'il éprouvait à son égard.

Toute sa vie durant, on lui a appris à haïr les Harkonnens, songea-t-elle. *Maintenant, il découvre qu'il en est un... à cause de moi. Comme il me connaît mal! J'ai toujours été l'unique femme de mon Duc. J'avais accepté ses valeurs et sa vie, même si elles défiaient mes ordres Bene Gesserit.*

Sous la main de Paul, le brilleur de l'abri-distille s'éveilla et répandit une clarté verte. Paul s'accroupit devant le sphincter, le capuchon de son distille ajusté pour la sortie dans le désert. Frontal serré, filtre en place devant la bouche, embouts sur le nez. Seuls ses yeux sombres demeuraient visibles quand il tournait la tête vers sa mère, parfois.

« Préparez-vous à sortir », dit-il. Et sa voix était étouffée par le filtre.

Jessica mit son propre filtre en place et entreprit d'ajuster son capuchon tandis que Paul ouvrait le sceau d'entrée.

Le sphincter se dilata dans le crissement du sable et un nuage de grains vint grésiller à l'intérieur de la tente avant que Paul ait pu l'immobiliser avec un outil de compression statique. Un trou apparut alors dans la muraille de sable comme les grains obéissaient au faisceau de l'outil. Paul quitta l'abri et Jessica écouta attentivement, suivant sa progression vers la surface.

Qu'allons-nous trouver là-haut? pensait-elle. *Les hommes d'Harkonnen, les Sardaukar... Ce sont des dangers auxquels nous pouvons nous attendre. Mais ceux que nous ignorons?*

Elle pensa à l'outil de compression statique et à tous ces instruments étranges qui se trouvaient dans le paquet. Dans son esprit, chacun d'eux correspondait à quelque danger mystérieux.

Elle sentit alors sur ses joues, au-dessus du filtre, une brise brûlante venue de la surface.

« Passez-moi le paquet. » C'était la voix de Paul, basse, mesurée.

Comme elle soulevait le paquet du sol, elle entendit le glougloutement des jolitres. Levant les yeux, elle distingua la silhouette de Paul sur le fond des étoiles.

« Par ici », dit-il, et il se pencha pour prendre le paquet.

Elle ne distingua plus que le cercle des étoiles. C'était comme autant de pointes acérées dirigées sur elle. Une pluie de météorites traversa alors ce fragment de nuit qu'elle apercevait et elle songea à un avertissement. Des griffes de tigre sur sa peau, des blessures de lumière qui répandaient son sang.

« Dépêchez-vous, dit Paul. Je veux abattre cette tente. »

Une averse de sable s'abattit sur sa main gauche. *Combien de sable peut-on tenir dans une main ?* se demanda-t-elle.

« Faut-il que je vous aide ? »

« Non. »

Sa gorge était sèche. Elle s'engagea dans le trou. Le sable aggloméré par l'outil statique crissa sous ses doigts. Paul se pencha et lui saisit le bras. Elle se redressa à côté de lui sur le désert doux, à la clarté des étoiles. Elle regarda tout autour d'eux. Le sable avait presque totalement comblé le bassin, ne laissant qu'une étroite lisière de rochers. Ses sens acérés sondèrent la nuit.

Des bruits de petits animaux.

Des oiseaux.

Une chute de sable et des cris assourdis.

Paul abattant l'abri, le récupérant.

La clarté des étoiles, suffisante pour placer des ombres menaçantes sur la nuit. Des trous de ténèbres où Jessica plongeait son regard.

Le noir, songeait-elle. *Un souvenir aveugle. On prête l'oreille aux hordes, aux cris de ceux qui chassaient nos ancêtres en un passé si lointain que seules nos cellules les plus primitives s'en souviennent. Les oreilles voient. Les narines voient.*

« Duncan m'a dit que s'il était capturé, il pourrait tenir assez longtemps, dit Paul. Il faut que nous partions maintenant. »

Il mit le Fremkit sur ses épaules, traversa le creux du bassin et remonta vers une brèche ouverte sur le désert

Jessica le suivit avec des gestes automatiques, consciente de vivre désormais dans l'orbite de son fils

Car désormais mon chagrin est plus lourd que les sables des mers, songea-t-elle. *Ce monde m'a vidée de tout hormis du plus ancien des buts : la vie de demain. A présent, c'est pour mon jeune Duc que j'existe et pour ma fille à venir.*

Le sable croulait sous ses pas comme elle se hissait au côté de Paul. Par-delà une alignée de rochers, il regardait en direction du nord, vers un lointain escarpement rocheux. Celui-ci, sur le fond des étoiles, avait l'apparence d'un ancien navire de guerre. Sa forme élancée semblait portée par quelque vague invisible, avec des antennes en syllabes, des cheminées inclinées, une tourelle en poupe.

Un feu orange éclata au-dessus du navire figé et une ligne violette vint à sa rencontre, striant la nuit.

Puis une autre !

Et un second feu orange !

C'était tout à coup comme un combat naval des temps perdus, un duel d'artillerie. Paul et Jessica regardaient, immobiles.

« Des piliers de feu », murmura Paul.

Un anneau d'yeux rouges s'éleva au-dessus du lointain rocher. Des lacets mauves se déployèrent dans le ciel.

« Fusées et lasers », dit Jessica.

La première lune d'Arrakis, rouge de poussière, s'élevait au-dessus de l'horizon, à leur gauche, et ils distinguèrent la piste d'une tempête dans cette direction, un mouvement furtif à la surface du désert.

« Ce sont les ornis des Harkonnens, dit Paul. Ils nous pourchassent. Ils quadrillent le désert comme s'ils voulaient tout détruire... jusqu'au dernier nid d'insectes. »

« Ou jusqu'au dernier nid d'Atréides », dit Jessica.

« Il faut nous mettre à couvert. Nous allons marcher

vers le sud en restant à l'abri des rochers. Si jamais ils nous surprenaient en terrain plat... (Il se détourna et rajusta le Fremkit sur ses épaules.) Ils tuent tout ce qui bouge »

Comme il faisait un pas en avant il entendit le sifflement léger et, dans le même instant, aperçut les formes sombres des ornithoptères au-dessus d'eux

Mon père me dit une fois que le respect de la vérité est presque le fondement de toute morale. « Rien ne saurait sortir de rien », disait-il. Et cela apparaît certes comme une pensée profonde si l'on conçoit à quel point « la vérité » peut être instable.

Extrait de Conversations avec Muad'Dib,
par la Princesse Irulan.

« JE me suis toujours flatté de voir les choses telles qu'elles sont réellement, disait Thufir Hawat. C'est la malédiction du Mentat. Il ne peut jamais s'empêcher d'analyser. »

Son visage paraissait calme dans la pénombre qui précédait l'aube. Ses lèvres tachées de sapho étaient réduites à une simple ligne d'où irradiaient des rides verticales.

L'homme en robe accroupi devant lui sur le sable ne semblait pas l'avoir entendu.

Ils se tenaient sous un surplomb de rocher qui dominait un vaste et profond bassin. Au-dessus de la ligne hachée des collines l'aube se dessinait vaguement. Sa lumière rose se posait sur toute chose. Il faisait froid sous le rocher, un froid sec et pénétrant laissé par la nuit. Peu avant l'aube, un vent tiède s'était levé mais, à présent, il était retombé. Derrière lui, Hawat pouvait entendre quelques claquements de dents parmi les survivants de sa troupe.

L'homme qui était accroupi devant lui était un Fremen. Il avait traversé le bassin dans les toutes premières lueurs de l'aube, glissant dans le sable, se fondant entre les dunes, à peine discernable.

Il tendit un doigt et sur le sable, entre eux, dessina une forme. Comme une sphère d'où pointait une flèche « Il y a de nombreuses patrouilles harkonnens », dit-il Il leva le doigt et désigna les collines d'où étaient venus Hawat et ses hommes.

Hawat acquiesça.

De nombreuses patrouilles. Oui.

Mais il ignorait toujours ce que voulait le Fremen et cela l'irritait. L'éducation Mentat donnait à un homme le pouvoir de discerner les motivations.

Cette nuit qui s'achevait avait été la pire de toute l'existence de Hawat. Lorsque les premiers rapports sur l'attaque étaient arrivés, il se trouvait à Tsimpo, un village de garnison, poste avancé de l'ancienne capitale, Carthag. Au début, il avait pensé : *Ce n'est qu'un raid. Les Harkonnens nous éprouvent.*

Mais les rapports s'étaient succédé, de plus en plus vite.

Deux légions avaient débarqué à Carthag.

Cinq autres (cinquante brigades !) attaquaient la base ducale d'Arrakeen.

Une légion à Arsunt.

Deux groupes de combat au Rocher Brisé.

Puis les rapports s'étaient faits plus précis. Des Sardaukar Impériaux se trouvaient mêlés aux assaillants. Probablement deux légions. Il apparut bientôt que les attaquants savaient exactement comment répartir leurs forces. *Magnifiquement renseignés*, avait songé Hawat.

Sa fureur n'avait fait que croître jusqu'à menacer ses capacités de Mentat. La violence de cette attaque avait frappé son esprit avec une force presque physique

Maintenant, il se cachait sous un rocher, quelque part dans le désert Il hocha la tête et ramena sur lui sa tunique lacérée comme pour s'isoler des ombres glacées.

La violence de l'attaque.

Il s'était toujours attendu à ce que l'ennemi loue un vaisseau de la Guilde pour des raids préalables. C'était un processus assez répandu dans chaque guerre entre Maisons. Les vaisseaux se posaient régulièrement sur Arrakis pour charger l'épice de la Maison des Atréides.

Hawat avait pris toutes les mesures qui s'imposaient contre des raids surprises par de faux transports d'épice. Mais pour une attaque générale, il n'avait jamais compté sur plus de dix brigades.

Pourtant, la dernière estimation indiquait que plus de deux mille vaisseaux s'étaient abattus sur Arrakis. Et pas seulement des transports d'épice, mais aussi des frégates, des monitors, des patrouilleurs, des transports de troupe, des éperonneurs, des vidangeurs...

Plus de cent brigades... Dix légions !

Les récoltes complètes d'épice effectuées sur Arrakis en cinquante années suffiraient à peine à couvrir les frais d'une telle expédition.

Peut-être.

J'ai sous-estimé ce que le Baron était prêt à dépenser pour nous attaquer, se dit Hawat. *J'ai trahi la confiance de mon Duc.*

Restait la traîtresse.

Je vivrai pour la voir étranglée ! se dit-il. *J'aurais dû tuer cette sorcière Bene Gesserit quand j'en avais l'occasion.* Dans son esprit il n'y avait nul doute : c'était Dame Jessica qui les avait trahis. Cela correspondait à tous les faits.

« Votre homme, Gurney Halleck et une partie de sa troupe sont en sûreté auprès de nos amis contrebandiers », dit le Fremen.

« Très bien. »

Ainsi Gurney pourra s'échapper de cette infernale planète. Nous n'avons pas tous péri.

Hawat se tourna vers ses hommes. Ils avaient été trois cents parmi les meilleurs au début de la nuit. A présent, ils n'étaient plus qu'une vingtaine dont la moitié étaient blessés. Certains dormaient, debout, appuyés au rocher ou écroulés dans le sable. Leur dernier orni, qu'ils avaient utilisé comme un véhicule au sol pour transporter les blessés, avait refusé d'aller plus loin peu avant l'aube. Ils l'avaient entièrement découpé au laser avant de dissimuler les débris. Puis ils s'étaient réfugiés dans ce bassin.

Hawat n'avait qu'une idée très sommaire de leur position. Ils devaient se trouver à deux cents kilomètres au sud-est d'Arrakeen. Les voies de communication entre les communautés sietch du Bouclier passaient quelque part au sud.

Le Fremen rejeta son capuchon et sa coiffe de distille et révéla une barbe et une chevelure couleur de sable. Les cheveux étaient rejetés en arrière à partir du front, haut et étroit. Ses yeux insondables étaient de ce bleu dû à l'épice. Sur un côté de sa bouche, là où passait la boucle du tube des narines, les poils de sa barbe étaient tachés.

L'homme ôta les embouts de son nez pour les rajuster. Il gratta l'escarre qui s'était formée sous ses narines.

« Si vous franchissez le bassin ici, cette nuit, dit-il, ne vous servez pas de boucliers. Il y a une brèche dans la paroi... (Il pivota sur ses talons et désigna le sud.)... là-bas, et ensuite du sable nu jusqu'à l'erg. Les boucliers attireraient un... (Il hésita)... un ver. Ils ne viennent pas souvent par ici mais un bouclier en attirerait un. »

Il a dit ver, songea Hawat. *Mais il allait dire autre chose. Quoi ? Et qu'attend-il de nous ?*

Il eut un soupir.

Il ne se rappelait pas avoir jamais été aussi las. Il éprouvait dans tous ses muscles une douleur qu'aucune pilule énergétique ne pourrait dissiper.

Ces satanés Sardaukar !

Plein d'amertume à son égard, il pensa aux soldats fanatiques et à la trahison impériale qu'ils représentaient. Tous les éléments qu'il possédait, assimilés par son esprit Mentat, lui révélaient qu'il n'avait que peu de chance de découvrir une preuve de cette trahison. Jamais le Haut Conseil du Landsraad ne leur rendrait justice.

« Souhaitez-vous rejoindre les contrebandiers ? » demanda le Fremen.

« Est-ce possible ? »

« C'est un long chemin. »

« *Les Fremen n'aiment pas dire non* », lui avait appris Idaho.

« Vous ne m'avez pas dit si votre peuple peut porter secours à mes blessés. »

« Ils sont blessés. »

Cette même maudite réponse chaque fois !

« Nous le savons ! Ce n'est pas ce... »

« Paix, ami, dit le Fremen. Que disent vos blessés ? En est-il parmi eux qui peuvent comprendre le besoin d'eau de votre tribu ? »

« Nous n'avons pas parlé de l'eau, dit Hawat. Nous... »

« Je peux comprendre votre répugnance. Ce sont vos amis, les hommes de votre tribu. Avez-vous de l'eau ? »

« Pas assez. »

Le Fremen désigna la tunique de Hawat, sa peau nue qui apparaissait par les déchirures. « Vous avez été surpris dans votre sietch, sans vos habits. Vous devez prendre une décision d'eau, mon ami. »

« Pouvons-nous vous demander votre aide ? »

Le Fremen haussa les épaules. « Vous n'avez pas d'eau. (Ses yeux se portèrent sur le groupe des hommes.) Combien de vos blessés pouvez-vous perdre ? »

Hawat demeura silencieux, les yeux fixés sur l'homme. Son esprit de Mentat lui révélait que leur conversation était déphasée. Les sons-mots n'étaient pas reliés normalement.

« Je suis Thufir Hawat, dit-il. Je peux parler au nom de mon Duc. Je suis prêt à m'engager pour obtenir votre aide. Je ne désire qu'une aide limitée afin de préserver mes moyens pour tuer une traîtresse qui se croit à l'abri de toute vengeance. »

« Vous voulez que nous nous joignions à une vendetta ? »

« Je me chargerai moi-même de la vendetta. Je désire seulement que l'on m'ôte la responsabilité de mes blessés. »

Le Fremen fronça les sourcils. « Comment pourriez-vous être responsable de vos blessés ? Ils sont responsables d'eux-mêmes. C'est l'eau qui importe, Thufir Hawat. Me laisserez-vous prendre cette décision ? »

Il mit la main sur l'arme dissimulée sous sa robe et Hawat, soudain tendu, se demanda : *Une trahison ?*

« Que craignez-vous ? » dit le Fremen.

Ces gens déroutants, si directs !

« Ma tête est mise à prix », répondit prudemment Hawat.

« Ah... (Le Fremen ôta sa main de l'arme.) Vous nous croyez corrompus comme des Byzantins. Vous ne nous connaissez pas. Les Harkonnens n'ont pas assez d'eau pour acheter le plus petit de nos enfants. »

Mais ils étaient capables de payer à la Guilde le prix du passage de plus de deux mille vaisseaux, songea Hawat. Il était toujours abasourdi par la somme que cela représentait.

« Nous combattons tous deux les Harkonnens. Ne pourrions-nous partager nos problèmes et les moyens de triompher ? »

« Nous partageons, dit le Fremen. Je vous ai vu combattre les Harkonnens. Vous vous battez bien. A certains moments, j'aurais apprécié la présence de votre bras à mes côtés. »

« Quand vous le désirerez », dit Hawat.

« Qui sait ? Les forces d'Harkonnen sont de tous côtés. Mais vous n'avez toujours pas pris la décision d'eau. Vous ne l'avez pas soumise à vos blessés. »

Prudence, se dit Hawat. *Il y a là quelque chose que je ne comprends pas.*

« M'apprendrez-vous les règles arrakeen ? »

« Pensée étrangère, dit le Fremen avec du mépris dans la voix. (Il désigna le nord-ouest, au-delà de la colline.) Nous vous avons observés, cette nuit, comme vous approchiez. (Il baissa le bras.) Vous restiez sur le versant friable des dunes. Mauvais. Vous n'avez pas de distilles, pas d'eau. Vous ne résisterez pas longtemps. »

« On ne s'accoutume pas vite à Arrakis », dit Hawat.

« Vérité. Mais nous avons tué des Harkonnens. »

« Que faites-vous pour vos propres blessés ? »

« Un homme ne sait-il pas lorsqu'il vaut d'être sauvé ? demanda le Fremen. Vos blessés savent que vous n'avez pas d'eau. (Il pencha la tête.) Il est clair que le moment est venu de prendre la décision d'eau. Blessés et non blessés doivent regarder l'avenir de la tribu. »

L'avenir de la tribu, pensa Hawat. *La tribu des Atréides. Cela a un sens.* Et il fit un effort pour poser la question qu'il avait évitée jusque-là.

« Savez-vous quelque chose de mon Duc ou de son fils ? »

« Savoir ? » Les yeux bleus restaient insondables.

« Quel a été leur sort ! » lança Hawat.

« Le sort est le même pour chacun. Votre Duc, à ce que l'on dit, a connu le sien. Quant à celui du Lisan al-Gaib, son fils, il est entre les mains de Liet. Et Liet n'a rien dit. »

Je connaissais la réponse avant d'avoir posé la question, se dit Hawat.

Il regarda de nouveau ses hommes. Tous étaient éveillés, à présent. Ils avaient entendu. Ils regardaient le sable, et leurs visages révélaient les mêmes pensées : ils ne reverraient jamais Caladan et, à présent, Arrakis était perdue.

« Avez-vous entendu parler de Duncan Idaho ? » demanda Hawat.

« Il se trouvait dans la grande maison quand le bouclier a été abattu. J'ai entendu dire cela... rien de plus. »

Elle a désactivé le bouclier et fait entrer les Harkonnens. Cette fois, c'était moi qui tournais le dos à la porte.

Mais comment a-t-elle pu faire cela ? Agir contre son propre fils ? Qui sait ce que pense une sorcière Bene Gesserit ?... Si l'on peut appeler cela penser...

La gorge sèche, il lutta pour avaler sa salive. « Quand saurez-vous, pour le garçon ? »

« Nous ne savons que peu de choses d'Arrakeen, dit le Fremen. (Il haussa les épaules.) Qui sait ? »

« Vous avez un moyen de savoir ? »

« Peut-être. (A nouveau, il gratta l'escarre sous son nez.) Dites-moi, Thufir Hawat, connaissez-vous ces lourdes armes dont se sont servis les Harkonnens ? »

L'artillerie, songea Hawat avec amertume. *Qui aurait pensé qu'ils utiliseraient l'artillerie de nos jours, face à des boucliers ?*

« Vous pensez à l'artillerie qu'ils ont utilisée pour enterrer les nôtres dans les grottes, dit-il. J'ai... une connaissance théorique de ces armes à explosifs. »

« Tout homme qui se réfugie dans une grotte n'ayant qu'une seule issue mérite la mort », dit le Fremen.

« Pourquoi m'avez-vous posé cette question, à propos des armes ? »

« Liet désirait savoir. »

Est-ce donc là ce qu'il attend de nous ?

« Etes-vous venu pour obtenir des renseignements sur ces gros canons ? » demanda Hawat.

« Liet désirait examiner l'une de ces armes. »

« En ce cas, vous n'avez qu'à aller en prendre une. »

« Oui, dit le Fremen. Nous en avons pris une. Nous l'avons cachée là où Stilgar pourra l'étudier pour Liet et où Liet pourra l'examiner par lui-même s'il le désire. Mais je doute qu'il le fasse : cette arme n'est pas très bonne. Médiocre pour Arrakis. »

« Vous... vous avez pris un canon ? » demanda Hawat.

« C'était un beau combat. Nous n'avons perdu que deux hommes et répandu l'eau de plus de cent des leurs. »

Il y avait des Sardaukar à chaque pièce, songea

Hawat. *Et ce fou prétend n'avoir perdu que deux hommes contre des Sardaukar !*

« Nous n'aurions pas perdu ces deux hommes s'il n'y avait eu ceux qui se battaient aux côtés des Harkonnens, reprit le Fremen. Certains de ceux-là sont de bons guerriers. »

Le lieutenant de Hawat s'approcha en trébuchant et se pencha vers le Fremen. « Est-ce que vous parlez des Sardaukar ? »

« Il parle des Sardaukar », dit Hawat.

« Les Sardaukar ! s'exclama le Fremen avec une sorte de joie. Ainsi, ce sont des Sardaukar ! Excellente nuit. Des Sardaukar ! De quelle légion ? Le savez-vous ? »

« Nous... nous l'ignorons. »

« Des Sardaukar. (Le Fremen semblait réfléchir à haute voix.) Pourtant, ils portaient la tenue des Harkonnens. N'est-ce pas étrange ? »

« L'Empereur ne souhaite pas que l'on sache qu'il s'attaque à l'une des Grandes Maisons », dit Hawat.

« Mais *vous*, vous savez que ce sont des Sardaukar. »

« Qui suis-je ? » fit Hawat avec amertume.

« Vous êtes Thufir Hawat. Pour les Sardaukar, nous aurions fini par savoir qui ils étaient. Nous avons envoyé trois prisonniers aux hommes de Liet pour qu'ils les interrogent. »

Le lieutenant debout auprès de Hawat parla d'une voix lente. L'incrédulité perçait dans chacune de ses paroles. « Vous... vous... avez... *capturé...* des Sardaukar ? »

« Seulement trois, dit le Fremen. Ils se battent bien. »

Si seulement nous avions eu le temps de nous allier à ces Fremen, pensa Hawat, et c'était comme une plainte dans son esprit. *Si seulement nous les avions entraînés et armés. Grande Mère ! De quelle force n'aurions-nous pas disposé alors !*

« Peut-être vous attardez-vous à cause de votre inquiétude pour le Lisan al-Gaib, reprit le Fremen. S'il est réellement le Lisan al-Gaib, rien ne saurait le menacer. Mais ne dépensez point vos pensées pour une chose qui n'a pas encore été prouvée. »

« Je sers le... Lisan al-Gaib, dit Hawat. Sa sécurité dépend de moi. Je me suis engagé à le protéger. »

« Par son eau ? »

Hawat jeta un coup d'œil au soldat qui ne quittait pas le Fremen du regard avant de répondre : « Oui, par son eau. »

« Vous souhaitez regagner Arrakeen, le lieu de l'eau ? »

« Oui... le lieu de l'eau. »

« Pourquoi n'avoir pas dit dès le début que c'était une question d'eau ? » Le Fremen se leva et ajusta fermement les embouts de ses narines.

De la tête, Hawat fit signe à son lieutenant de rejoindre les autres. L'homme obéit avec un haussement d'épaules plein de lassitude. Derrière lui, Hawat perçut des murmures.

« Il y a toujours un chemin qui conduit à l'eau », dit le Fremen.

Hawat entendit un juron. Puis : « Thufir ! Arkie vient de mourir ! »

Le Fremen leva le poing contre son oreille. « Le gage d'eau ! C'est un signe ! (Il regarda Hawat.) Nous avons un lieu proche pour accepter l'eau. Dois-je appeler mes hommes ? »

Le lieutenant revint vers Hawat. « Thufir, certains des hommes ont laissé leurs femmes à Arrakeen. Ils... vous savez ce que cela peut être en un moment pareil. »

Le Fremen pressait toujours le poing contre son oreille. « C'est le gage de l'eau, Thufir Hawat ? » demanda-t-il.

L'esprit du Mentat travaillait à toute allure. Il discernait maintenant le sens des paroles du Fremen mais il craignait la réaction de ses hommes épuisés.

« Le gage de l'eau », dit-il.

« Que nos tribus se joignent », dit le Fremen, et il abaissa le poing.

Comme s'ils obéissaient à ce signal, quatre hommes

dévalèrent les rochers, au-dessus d'eux. Ils plongèrent sous le surplomb, roulèrent le corps du soldat dans une robe, le soulevèrent et partirent en courant avec leur fardeau, suivant la falaise dans un sillage de poussière. Ils eurent disparu avant que les hommes de Hawat n'aient retrouvé leurs esprits.

« Où vont-ils avec Arkie ? lança une voix. Il était... »

« Ils vont... l'enterrer », dit Hawat.

« Les Fremen n'enterrent pas leurs morts, insista l'homme. N'essayez pas de nous tromper, Thufir. Nous savons ce qu'ils en font. Arkie était un... »

« Le Paradis est assuré à celui qui est mort au service du Lisan al-Gaib, dit le Fremen. S'il est vrai que vous servez le Lisan al-Gaib, comme vous l'avez dit, pourquoi vous lamenter ? Le souvenir de celui qui est mort ainsi vivra aussi longtemps que durera la mémoire des hommes. »

Mais les hommes s'avançaient, le visage coléreux. L'un d'eux s'était emparé d'un pistolet laser et le brandissait.

« Arrêtez-vous immédiatement ! lança Hawat. (Il lutta contre l'emprise douloureuse de la fatigue sur ses muscles.) Ces gens respectent nos morts. Leurs coutumes sont différentes des nôtres, mais elles ont le même sens ! »

« Ils vont prendre toute l'eau de son corps », gronda l'homme au pistolet laser.

« Vos hommes voudraient-ils assister à la cérémonie ? » demanda le Fremen.

Il ne comprend pas le problème, pensa Hawat, et il s'effraya de la naïveté du Fremen.

« Ils ont du chagrin pour un camarade qu'ils respectaient », dit-il.

« Nous le traiterons avec autant de respect que l'un des nôtres. Ceci est le gage de l'eau. Nous connaissons le rite. La chair d'un homme lui appartient. Son eau revient à la tribu. »

L'homme au laser fit un pas en avant et Hawat demanda rapidement :

« Et maintenant, vous allez porter secours à nos blessés ? »

« On ne peut mettre le gage en question, dit le Fremen. Nous ferons pour vous ce qu'une tribu ferait pour elle-même. Tout d'abord, nous devrons tous vous vêtir et veiller à vos besoins. »

L'homme hésita.

« Achetons-nous leur aide avec... l'eau d'Arkie ? » demanda le lieutenant de Hawat.

« Nous n'achetons rien... Nous nous allions à ces gens. »

« Les coutumes sont différentes », murmura une voix.

Hawat commença de se détendre.

« Ils nous aideront à atteindre Arrakeen ? »

« Nous tuerons les Harkonnens, dit le Fremen. (Il sourit.) Et les Sardaukar aussi. (Il fit un pas en arrière, mit ses mains en coupe derrière ses oreilles, renversa la tête et écouta. Puis il baissa les mains et dit) : Un appareil aérien approche. Cachez-vous sous le rocher et ne faites plus un mouvement. »

Sur un geste impératif de Hawat, les hommes obéirent.

Le Fremen prit le bras du Mentat et le poussa vers les autres. « Nous nous battrons quand viendra le moment de se battre », dit-il. Il plongea une main sous sa robe et en sortit une petite cage où il prit un animal. Hawat reconnut une minuscule chauve-souris. Elle tourna la tête et il vit qu'elle avait les yeux bleus, entièrement bleus.

Le Fremen se mit à la caresser, à la calmer avec des murmures. Puis il se pencha sur la tête du petit animal et lâcha une goutte de salive dans sa bouche ouverte. La chauve-souris déploya ses ailes mais ne quitta pas la main du Fremen. Celui-ci prit alors un petit tube qu'il plaça contre la tête de l'animal. Puis il prononça quelques paroles à l'extrémité du tube, souleva la chauve-souris et la lança en l'air.

Elle plongea derrière l'angle de la falaise et disparut.

Le Fremen reprit la cage et la remit sous sa robe. A nouveau il renversa la tête en arrière et écouta.

« Ils nous fouillent le haut pays, dit-il. On se demande ce qu'ils peuvent y chercher. »

« Ils savent que nous avons battu en retraite dans cette direction », dit Hawat.

« On ne doit jamais penser que l'on est le seul gibier d'une chasse. Regardez de l'autre côté du bassin. Vous allez voir. »

Du temps passa.

Les hommes commencèrent à s'agiter, à murmurer.

« Restez aussi silencieux qu'un animal effrayé », siffla le Fremen.

A cet instant, Hawat décela un mouvement près de la falaise, de l'autre côté du bassin. Des taches fauves sur le sable fauve.

« Mon petit ami a remis le message, dit le Fremen. De nuit comme de jour, c'est un très bon messager. J'aurai du chagrin en le perdant. »

Le mouvement cessa. Sur les quatre ou cinq kilomètres de sable du bassin il n'y eut plus que la chaleur du jour, de plus en plus lourde. Des colonnes d'air vibraient.

« Soyez totalement silencieux, maintenant », murmura le Fremen.

Une ligne de silhouettes émergea d'une brèche dans la falaise opposée et s'engagea dans le bassin. Six hommes qui se hâtaient avec lourdeur. Pour Hawat, ils ressemblaient à des Fremen, mais ils se déplaçaient de façon bien étrange.

Le « flouc-flouc » des ailes d'un ornithoptère se fit alors entendre sur la droite, derrière eux. L'appareil surgit au-dessus de la colline et plongea vers les hommes qui traversaient le bassin. C'était un orni Atréides qui avait été peint en hâte aux couleurs de combat des Harkonnens.

Les six hommes s'étaient immobilisés sur la crête d'une dune et agitaient les bras.

L'orni vira une première fois au-dessus d'eux, brusquement, puis revint se poser dans un jaillissement de poussière. Cinq hommes en surgirent et Hawat distingua le scintillement du sable repoussé par les boucliers. Leurs mouvements révélaient l'âpre efficience des Sardaukar.

« Aiiihh ! Ils utilisent ces stupides boucliers », siffla le Fremen auprès de Hawat. Son regard se porta vers l'ouverture, au sud du bassin.

« Des Sardaukar », murmura Hawat.

« Très bien. »

Les Sardaukar s'approchaient maintenant en demi-cercle du petit groupe des Fremen toujours immobiles, apparemment indifférents. Le soleil luisait sur les lames levées.

Brusquement, le sable parut vomir des Fremen. Ils entourèrent l'ornithoptère. Ils étaient déjà à l'intérieur. A l'instant où les deux groupes se rejoignaient, sur la crête de la dune, un nuage de poussière s'éleva. Lorsqu'il disparut, il ne restait que les Fremen.

« Il n'y avait que trois hommes dans leur orni, dit le Fremen. C'est une chance. Il ne fallait pas endommager l'appareil en nous en emparant. »

« Des Sardaukar ! C'étaient des Sardaukar ! » souffla un homme derrière Hawat.

« Avez-vous remarqué comme ils se sont bien battus ? » demanda le Fremen.

Hawat inspira profondément. Il perçut la sécheresse, la poussière brûlée, la chaleur. De la sécheresse, il y en avait aussi dans sa voix quand il répondit : « Oui, ils se sont bien battus. Evidemment. »

Dans un grand battement d'ailes, l'orni capturé quitta le sol et s'éleva rapidement vers le sud.

Ainsi, ils connaissent également les ornis, songea Hawat.

Au sommet de la dune lointaine, un Fremen agitait un carré d'étoffe verte. Une fois... deux fois.

« Il en vient d'autres ! lança le Fremen à côté de Hawat. Tenez-vous prêts. J'avais espéré que nous quitterions cet endroit sans plus de difficultés. »

Des ennuis ! se dit Hawat.

Deux nouveaux ornis venaient de surgir de l'ouest et glissaient vers le bassin d'où les Fremen avaient soudain disparu, ne laissant que les corps des Sardaukar sur les lieux du combat.

Un troisième orni apparut au-dessus de la colline. Hawat leva la tête et l'identifia avec un bref soupir : un lourd transport de troupes. Ses ailes largement déployées, il se déplaçait avec la lenteur, la lourdeur d'un oiseau géant regagnant son nid.

Dans le lointain, l'un des deux premiers ornis darda un doigt mauve sur le sable. Une sombre traînée de poussière marqua le passage du faisceau laser.

« Les lâches ! » gronda le Fremen.

Le transport de troupes s'arrêta au-dessus des corps vêtus de bleu. Ses ailes s'étendirent encore et se mirent à battre l'air pour le freiner sur place.

A cet instant, l'attention de Hawat fut attirée par un éclair de soleil. Un quatrième orni arrivait du sud, plongeant à pleine vitesse, ailes rabattues. Ses fusées laissaient un sillage doré sur l'argent sombre du ciel. Comme une flèche, il plongea vers le gros transport de troupes qui, à cause des faisceaux lasers, avait abattu son bouclier. Il le percuta de plein fouet.

Un grondement secoua tout le bassin. Les flammes jaillirent. Des blocs de rocher se mirent à pleuvoir de toutes les collines alentour. Un geyser orange et rouge s'éleva du sable, à l'endroit où s'étaient posés le lourd transport et les premiers ornis. Tout fut noyé dans le brasier.

Le Fremen qui était à bord. Celui qui a capturé l'orni, pensa Hawat. *Il s'est sacrifié pour détruire le transport... Grande Mère ! Mais que sont donc ces gens ?*

« Un échange raisonnable, dit le Fremen à côté de lui. Il devait bien y avoir trois cents hommes dans ce transport. A présent, nous allons nous occuper de leur eau et faire le nécessaire pour nous procurer un autre appareil. » Il s'avança, hors de l'abri du surplomb.

Une pluie d'uniformes bleus s'abattit du haut de la

falaise. Les hommes tombaient lentement, freinés par les suspenseurs. Hawat eut le temps d'entrevoir leurs visages, durs, prêts au combat. Des Sardaukar. Ils n'avaient pas de bouclier et chacun d'eux était armé d'un couteau dans une main, d'un tétaniseur dans l'autre.

Un couteau vint transpercer la gorge du Fremen qui roula en arrière, le visage dans le sable. Hawat parvint à tirer son couteau avant qu'un projectile de tétaniseur l'atteigne et l'engloutisse dans les ténèbres.

> Muad'Dib pouvait, certes, voir l'avenir, mais il faut connaître les limitations de ses pouvoirs. Pensez à la vue. Vous avez des yeux mais ils ne peuvent voir sans lumière. Au fond d'une vallée, vous ne pourrez voir ce qui se trouve au-delà de la vallée. De la même manière, Muad'Dib n'avait pas toujours la possibilité de contempler ce terrain mystérieux de l'avenir. Il nous dit qu'un détail obscur d'une prophétie, tel mot choisi au lieu et place d'un autre, pouvait modifier totalement l'aspect de cet avenir. Il nous dit : « La vision du temps est vaste mais lorsque vous le traversez, le temps devient une porte étroite. » Et il luttait toujours contre la tentation d'emprunter les voies dégagées, sûres, disant : « Ce chemin n'aboutit qu'à la stagnation. »
>
> *Extrait de* L'éveil d'Arrakis,
> *par la Princesse Irulan.*

A l'instant où les ornithoptères surgissaient de la nuit, au-dessus d'eux, Paul saisit le bras de sa mère. « Ne bougez pas ! »

Puis, dans le clair de lune, il vit l'appareil de tête qui s'apprêtait à se poser. Et, à la façon dont ses ailes brassaient l'air, il identifia les mains téméraires qui étaient aux commandes.

« Idaho », souffla-t-il.

L'orni et ses compagnons se posèrent au creux du bassin comme de grands oiseaux revenant au nid. Déjà,

Idaho était dehors et se ruait dans leur direction avant même que le nuage de poussière fût dissipé. Deux silhouettes en tenue fremen le suivaient et Paul reconnut en l'une d'elles Kynes.

« Par là ! » lança le grand planétologiste barbu. Et il s'élança sur sa gauche.

Derrière lui, d'autres Fremen lançaient des housses sur les ornithoptères qui se transformèrent en une rangée de dunes.

Idaho s'arrêta devant Paul et salua. « Mon Seigneur, les Fremen ont préparé un refuge proche où nous... »

« Et cela, là-bas ? » Paul désignait, au-dessus de la lointaine colline, les éclatements de fusées, les faisceaux mauves des lasers qui fouillaient le désert.

Un sourire apparut sur le visage large et placide d'Idaho. « Mon Seigneur... Sire, je leur ai laissé une petite sur... »

Une lueur blanche, flamboyante, aussi intense que le soleil projeta soudain leurs ombres sur le rocher. D'un seul mouvement, Idaho saisit Paul d'un bras, jeta Jessica sur son épaule et les projeta vers le fond du bassin. Ils roulèrent dans le sable tandis que le tonnerre de l'explosion grondait au-dessus d'eux. L'onde de choc arracha des fragments de rocher à l'entablement où ils se trouvaient encore la seconde d'avant.

Idaho s'assit en époussetant le sable de sa tenue.

« Pas les atomiques familiaux ! s'écria Jessica. Je croyais... »

« Tu avais laissé un bouclier là-bas », dit Paul.

« Un grand, dit Idaho. Et à pleine puissance. Le premier laser qui l'a touché... » Il haussa les épaules.

« Fusion subatomique, dit Jessica. C'est une arme dangereuse. »

« Non pas une arme, Ma Dame, mais un moyen de défense. Ces canailles y réfléchiront à deux fois, maintenant, avant d'utiliser des lasers. »

Les Fremen les entouraient. « Nous devrions nous mettre à l'abri, amis », dit l'un d'eux, d'une voix basse.

Paul se redressa et Idaho soutint Jessica.

« Cette explosion va certainement attirer l'attention, Sire », dit-il.

Sire, songea Paul. Adressé à lui, c'était un mot bien étrange. *Sire* avait toujours été son père.

Ses pouvoirs de prescience réapparurent brièvement. Il se vit en proie à cette sauvage conscience raciale qui entraînait l'univers des hommes vers le chaos. Cette furtive vision le bouleversa et il se laissa guider par Idaho vers un éperon rocheux, à la lisière du bassin. Les Fremen creusaient le sable à cet endroit avec leurs outils à compression.

« Puis-je prendre votre paquet, Sire ? » demanda Idaho.

« Il n'est pas lourd, Duncan. »

« Vous n'avez pas de bouclier corporel. Voulez-vous le mien ? (Il jeta un coup d'œil vers la colline lointaine.) Je doute que les lasers nous menacent encore. »

« Garde ton bouclier, Duncan. Ton bras droit me suffit. »

Jessica remarqua les effets du compliment, la façon dont Idaho se rapprocha un peu plus de Paul, et elle songea : *Mon fils sait comment traiter les siens.*

Un Fremen déplaça un rocher, découvrant un passage qui s'enfonçait dans le sol. Une couverture de camouflage était prête pour masquer l'orifice.

« Par ici », dit un des Fremen en s'engageant le premier sur les degrés de roc qui s'enfonçaient dans l'obscurité.

Derrière eux, le camouflage retomba sur le clair de lune. Une pâle lueur verte apparut au-devant de leur route, dessinant les murailles et les marches. Le passage s'orientait sur la gauche. Les Fremen étaient tout autour d'eux, maintenant. Au-delà d'un tournant, ils empruntèrent un autre boyau qui descendait toujours et débouchèrent dans une chambre souterraine aux parois grossièrement taillées.

Kynes leur faisait face. Il avait rejeté en arrière le capuchon de sa jubba. Le col de son distille luisait dans la clarté verte. Sa chevelure et sa barbe étaient hirsutes.

Sous ses épais sourcils, ses yeux étaient deux puits d'ombre.

En cet instant, le planétologiste songeait : *Quelles raisons ai-je d'aider ces gens ? Jamais je n'ai rien fait d'aussi dangereux. Cela peut signifier ma perte, en même temps que la leur.*

Puis il regarda Paul, bien en face, et il vit un enfant qui venait d'assumer son fardeau d'adulte, qui avait rejeté le chagrin pour accepter le rôle qu'il devrait jouer, celui de Duc. Et il comprit en cette minute que le Duché était toujours debout, du seul fait de l'existence de ce jeune garçon. Et c'était là, très certainement, une chose que l'on ne pouvait prendre à la légère.

Le regard de Jessica courait par toute la salle, ses sens enregistraient cet endroit dans la manière Bene Gesserit. Un laboratoire, un lieu plein d'angles et d'arêtes à la mode ancienne.

« Voici donc l'une de ces Stations Ecologiques Expérimentales de l'Imperium que désirait mon père et dont il voulait faire des bases avancées », dit Paul.

Que son père désirait ! songea Kynes. Et à nouveau il se demanda : *Pourquoi suis-je là ? A prêter assistance à ces fugitifs ? Il serait si facile de les livrer aux Harkonnens, maintenant, pour acheter leur confiance.*

Imitant sa mère, Paul promenait sur les lieux son regard, établissant la carte-Gestalt de la salle : murailles de roc nu, tables de travail à une extrémité, instruments au-dessus, cadrans lumineux, plans-grilles d'où s'élevaient des tiges de verre. Sur le tout, l'odeur de l'ozone.

La salle possédait un recoin où plusieurs Fremen s'étaient regroupés. De là s'élevaient de nouveaux bruits : halètements de machines, plaintes de courroies et de poulies.

Sur la paroi opposée, Paul identifia de petites cages. Il y avait des animaux à l'intérieur.

« Vous avez parfaitement identifié cet endroit, dit Kynes. Mais pour quoi l'utiliseriez-vous, Paul Atréides ? »

« Pour rendre ce monde habitable aux humains », dit Paul.

Peut-être est-ce pour cela que je les aide, se dit Kynes.

Brusquement, les machines se turent. Dans le silence, un animal couina, dans l'une des cages, puis s'interrompit, comme honteux. En regardant dans cette direction, Paul s'aperçut que les animaux étaient de petites chauves-souris à ailes brunes. Une mangeoire automatique desservait l'ensemble des cages.

Un Fremen surgit du recoin dissimulé et s'adressa à Kynes : « Liet, le générateur de champ ne fonctionne pas. Il m'est impossible de nous isoler des détecteurs de proximité. »

« Vous ne pouvez pas le réparer ? » demanda Kynes

« Pas immédiatement. Les pièces... » Le Fremen haussa les épaules.

« Oui, dit Kynes. En ce cas, nous nous passerons des machines. Reliez une pompe à air manuelle à la surface. »

« Immédiatement. » L'homme s'éloigna.

Kynes se tourna vers Paul. « J'aime votre réponse », dit-il.

Jessica nota le timbre grave, souple. Une voix *royale,* accoutumée à donner des ordres. Et l'homme avait dit *Liet.* Liet était l'alter ego fremen du planétologiste, son autre visage.

« Nous vous sommes reconnaissants pour votre aide, docteur Kynes », dit-elle.

« Oui... oui, nous en reparlerons », murmura Kynes ; puis, s'adressant à l'un de ses hommes : « Du café d'épice dans ma chambre, Shamir. »

« Tout de suite, Liet. »

Kynes désigna une arche ouverte dans une paroi. « Je vous en prie. »

Jessica eut un acquiescement royal avant de le suivre, tandis que Paul, de la main, indiquait à Idaho de monter la garde.

Le passage, profond de deux pas, accédait à une lourde porte ouvrant sur une pièce carrée illuminée par des brilleurs dorés. Jessica frôla la porte de la main et eut la surprise de reconnaître du cristacier. Paul fit trois pas dans la pièce et déposa son paquet sur le sol. Il entendit la porte se refermer sur eux, étudia les lieux. La pièce devait mesurer environ huit mètres de long. Les murs, ici encore, étaient taillés dans le roc. Des armoires de classement métalliques se détachaient sur ce fond ocre, à leur droite. Un bureau bas occupait le centre de la pièce. Il était recouvert de verre opaline constellé de bulles jaunes et entouré de quatre chaises à suspenseurs.

Kynes contourna Paul et avança un siège pour Jessica qui prit place tout en remarquant la manière dont son fils sondait les lieux. Paul demeura debout le temps d'un autre battement de cils. Une subtile différence dans les flux d'air lui révélait qu'il existait une issue secrète derrière les armoires métalliques.

« Voulez-vous vous asseoir, Paul Atréides ? » demanda Kynes.

Comme il évite de me donner mon titre, se dit Paul. Il accepta la chaise et demeura silencieux tandis que Kynes prenait place.

« Vous pensez qu'Arrakis pourrait être un paradis, dit Kynes. Pourtant, comme vous le constatez, l'Imperium n'envoie ici que ses spadassins les mieux entraînés afin de lui rapporter l'épice ! »

Paul leva le pouce auquel il avait passé l'anneau ducal. « Voyez-vous cet anneau ? » demanda-t-il.

« Oui. »

« Savez-vous ce qu'il signifie ? »

Jessica se tourna pour le regarder avec attention.

« Votre père a trouvé la mort dans les ruines d'Arrakis, dit Kynes. Légalement, vous êtes désormais Duc. »

« Je suis un soldat de l'Imperium, dit Paul. *Techniquement*, un spadassin. »

Le visage de Kynes se fit sombre. « Même alors que les Sardaukar de l'Empereur sont rassemblés autour du corps de votre père ? »

« Les Sardaukar sont une chose. la source légale de mon autorité en est une autre. »

« Arrakis a ses propres façons de déterminer à qui revient le sceptre », dit Kynes.

Jessica porta son regard sur lui et songea : *Il y a de l'acier en cet homme et nul n'a eu le courage de s'y attaquer... nous avons besoin d'acier. Paul joue un jeu dangereux.*

« La présence des Sardaukar sur Arrakis, dit Paul, indique à quel point notre bien-aimé Empereur craignait mon père. A présent, c'est *moi* qui vais donner à l'Empereur Padishah toutes raisons pour craindre le... »

« Mon garçon, s'écria Kynes, il est des choses qui... »

« Vous voudrez bien me dire Sire ou Mon Seigneur. »

Doucement, songea Jessica.

Kynes regarda Paul et Jessica décela de l'admiration dans son expression, de l'admiration et une trace d'humour.

« Sire », dit-il.

« Pour l'Empereur, je suis une gêne, reprit Paul. Je suis une gêne pour tous ceux qui entendent se partager Arrakis. Au fil des ans, cette gêne deviendra telle qu'elle finira par les étouffer, par les tuer ! »

« Des mots ! » dit Kynes.

Paul posa son regard sur lui et déclara lentement : « Sur ce monde court la légende du Lisan al-Gaib, la Voix d'Outre-Monde, celui qui conduira les Fremen au paradis. Vos hommes ont... »

« Superstition ! » s'écria Kynes.

« Peut-être. Ou peut-être pas. Parfois, les superstitions ont de bien étranges racines et des surgeons plus étranges encore. »

« Vous avez conçu un plan, c'est évident... *Sire.* »

« Vos Fremen pourraient-ils m'apporter une preuve positive de la présence de Sardaukar en uniforme Harkonnen sur cette planète ? »

« Très probablement. »

« L'Empereur remettra un Harkonnen au pouvoir, dit Paul. Peut-être même Beast Rabban. Qu'il en soit ainsi. Et que l'Empereur, s'étant mis de lui-même dans l'impossibilité d'échapper à sa culpabilité, affronte l'éventualité d'un Acte d'Accusation déposé devant le Landsraad. Et qu'il réponde donc lorsque... »

« Paul ! » lança Jessica.

« En admettant que le Haut Conseil du Landsraad accepte ce cas, dit Kynes, il ne pourrait y avoir qu'une issue : un conflit généralisé entre l'Imperium et les Grandes Maisons. »

« Le Chaos », dit Jessica.

« Mais je soumettrai l'affaire à l'Empereur lui-même, dit Paul, et je lui donnerai le choix. »

« Un chantage ? » demanda Jessica d'un ton sec.

« L'un des instruments du pouvoir, vous l'avez dit vous-même, fit Paul. (Et sa mère perçut l'amertume dans sa voix.) L'Empereur n'a pas de fils seulement des filles. »

« Tu viserais le trône ? » demanda Jessica.

« Jamais l'Empereur ne courra le risque de voir l'Imperium s'effrondrer dans la guerre totale, les planètes ravagées, le désordre de tous côtés... Non, il ne risquera jamais cela. »

« C'est un choix désespéré que vous offrez là », dit Kynes.

« Que craignent avant tout les Grandes Maisons du Landsraad ? Ce qui se passe actuellement sur Arrakis : les Sardaukar triomphant d'elles, une à une. C'est pour cette raison que le Landsraad existe. Il est le ciment de la Grande Convention. Ce n'est que par l'union que les Grandes Maisons peuvent tenir tête aux forces Impériales. »

« Mais elles sont... »

« C'est bien ce qu'elles craignent, dit Paul. Arrakis deviendrait un véritable cri de ralliement. Chaque Maison se reconnaîtrait dans mon père, craindrait d'être écartée des autres pour être mieux abattue. »

Kynes s'adressa à Jessica. « Son plan peut-il réussir ? »

« Je ne suis pas Mentat », dit-elle.

« Mais vous êtes Bene Gesserit. »

Elle lui décocha un regard perçant et dit . « *Il* y a de bons et de mauvais aspects dans son plan… tout comme dans n'importe quel plan à ce stade. Et tout plan dépend autant de sa conception que de son exécution. »

« La loi est l'ultime science, cita Paul. Ainsi est-il écrit au-dessus de la porte de l'Empereur. J'entends lui montrer la loi. »

« Je ne suis pas certain de pouvoir faire confiance à celui qui a conçu ce plan, dit Kynes. Arrakis a le sien propre qui… »

« Depuis le trône, dit Paul, je pourrais, d'un geste de la main, faire d'Arrakis un paradis. Tel est le prix que je vous offre pour votre soutien. »

Kynes se raidit. « Ma loyauté n'est pas à vendre, *Sire.* »

Par-dessus le bureau, Paul affronta le froid regard de ses yeux bleus, étudiant ce visage barbu, cet air d'assurance impérative. Un sourire dur se forma sur ses lèvres. « Bien dit. Je vous fais mes excuses. »

Kynes répondit à son regard. « Nul Harkonnen n'a jamais admis son erreur. Peut-être n'êtes-vous pas comme eux, vous, les Atréides. »

« Ce pourrait être une faille de leur éducation. Mais vous dites que vous n'êtes pas à vendre et pourtant je pense offrir un prix que vous devez accepter. En échange de votre loyauté, je vous offre la mienne… totalement. »

Mon fils a la sincérité des Atréides, songea Jessica. *Cet honneur terrible, presque naïf…* qui est en vérité une force formidable.

Elle vit que les paroles de Paul avaient touché Kynes.

« C'est absurde, dit ce dernier. Vous n'êtes qu'un enfant et… »

« Je suis le Duc, dit Paul, et je suis un Atréides. Jamais aucun Atréides n'a rompu un tel serment. »

Kynes se taisait.

« Lorsque je dis totalement, reprit Paul, je veux dire sans réserve. Pour vous, je donnerais ma vie. »

« Sire ! » s'écria Kynes, et ce fut comme si le mot lui était arraché Jessica vit qu'il ne parlait plus soudain à un garçon de quinze ans mais à un homme, à un supérieur. Cette fois, il avait dit : *Sire* avec sincérité.

En un tel moment, il donnerait sa vie pour Paul, se dit-elle. *Comment les Atréides peuvent-ils accomplir ces choses si rapidement, si aisément ?*

« Je sais que vous êtes sincère, reprit Kynes, pourtant, les Harkonn... »

Derrière Paul, la porte fut ouverte à la volée. Il se retourna et découvrit une vision de violence, des cris, un fracas d'acier, des visages grimaçants comme des masques de cire.

Paul bondit vers la porte, sa mère à ses côtés. Idaho bloquait le passage. Ses yeux injectés de sang brillaient au travers de la brume du bouclier ; il y avait des mains comme des serres, derrière lui, des arcs d'acier qui s'abattaient en vain, la bouche incandescente d'une charge tétanisante, et les lames d'Idaho, partout, dansant, frappant, ruisselantes de sang.

Et puis Kynes se retrouva au côté de Paul et, ensemble, ils pesèrent de tout leur poids sur la porte. Paul eut une dernière vision d'Idaho au centre d'un essaim d'uniformes harkonnens, de ses gestes vifs, contrôlés, de sa chevelure grise marquée d'une fleur rouge et mortelle. Puis la porte se referma et Kynes mit les verrous en place.

« Il semble que mon choix soit fait », dit-il.

« Ils ont dû repérer votre installation avant qu'elle ait cessé de fonctionner », dit Paul. Il écarta sa mère de la porte et lut le désarroi dans ses yeux.

« J'aurais dû soupçonner quelque chose en ne voyant pas arriver le café », dit Kynes.

« Il existe une autre issue. Pouvons-nous l'emprunter ? »

Kynes inspira profondément. « Cette porte devrait résister au moins vingt minutes, sauf s'ils utilisent des pistolets-lasers. »

« Ils ne le feront pas. Nous pourrions avoir des boucliers. »

« C'étaient des Sardaukar en tenue d'Harkonnen », murmura Jessica.

Maintenant, des coups résonnaient à la porte, en cadence.

Kynes désigna la rangée d'armoires métalliques. « Par là ! »

Il s'approcha du premier meuble, ouvrit un tiroir et tira une poignée à l'intérieur. L'ensemble des armoires pivota, démasquant l'entrée d'un tunnel obscur. « Cette porte est également en cristacier », dit Kynes.

« Vous étiez bien préparé », remarqua Jessica.

« Il y a quatre-vingts ans que nous vivons avec les Harkonnens. » Il les poussa dans les ténèbres et referma la porte. Devant eux, sur le sol, Jessica distingua immédiatement une flèche lumineuse.

« Nous allons nous séparer ici, dit la voix de Kynes, du fond de l'ombre. Cette muraille est plus solide encore que les autres. Elle tiendra bien une heure. Suivez les flèches sur le sol. Elles s'éteindront à votre passage et vous guideront dans le labyrinthe. A la sortie, vous trouverez un orni que j'ai préparé. Cette nuit, il y a une tempête sur le désert. Votre seule chance est d'aller à sa rencontre, de plonger droit dedans et de la suivre. C'est ainsi que procède mon peuple pour voler les ornis. En restant en altitude, vous pourrez survivre. »

« Et vous ? » demanda Paul.

« Je vais tenter de m'enfuir d'une autre façon. Et si je suis capturé... Eh bien, je reste encore le Planétologiste Impérial. Je pourrai toujours dire que j'étais votre prisonnier. »

Nous courons comme des lâches, songea Paul. *Mais comment pourrais-je survivre autrement et venger mon père ?* Dans l'obscurité, il s'était retourné vers la porte.

« Duncan est mort, Paul, dit la voix de Jessica. Tu l'as vu. Il était blessé. Il n'y a rien que nous puissions faire pour lui. »

« Un jour, je leur ferai payer tout cela. »

« Alors il faut vous hâter maintenant », dit Kynes
Sur son épaule, Paul sentit la main du planétologiste.

« Quand nous retrouverons-nous, Kynes ? » demanda-t-il.

« J'enverrai des Fremens à votre recherche. Ils connaissent la route de la tempête. Dépêchez-vous, et que la Grande Mère vous donne la chance et la vitesse. »

Dans les ténèbres, ils entendirent s'éloigner le bruit de ses pas. Jessica prit la main de Paul, le tira doucement.

« Il ne faut pas nous séparer. »

« Non. »

Il suivit Jessica au-delà de la première flèche qui s'éteignit sous leurs pas tandis qu'une autre naissait devant eux.

Ils s'avancèrent. La flèche mourut. Une autre se dessina.

Ils se mirent à courir.

Des plans dans des plans dans des plans, sans cesse, pensa Jessica. *Participons-nous au plan de quelqu'un d'autre, en ce moment ?*

Les flèches les emmenaient de tournant en tournant. Au passage, ils devinaient des embranchements à peine esquissés par la faible lueur des flèches. A un moment, le sol s'inclina pour se relever ensuite. Ils continuèrent à monter et atteignirent des marches. Un dernier tournant et ils se retrouvèrent devant une paroi faiblement lumineuse. Une poignée sombre apparaissait au centre. Paul la prit et appuya. La paroi s'éloigna et la lumière jaillit, leur révélant une caverne taillée dans le roc. L'ornithoptère était là. Derrière lui, un signe sur un haut mur gris indiquait une porte.

« Où est Kynes ? » demanda Jessica.

« Il a fait ce qu'aurait fait n'importe quel chef de guérilleros, dit Paul. Il nous a séparés en deux parties et s'est arrangé pour ne pas pouvoir révéler où nous nous trouvons si jamais il vient à être pris car il ne le sait pas. »

Il entraîna sa mère dans la caverne, remarquant que leurs pieds s'enfonçaient dans une épaisse couche de poussière.

« Nul n'est venu ici depuis très longtemps », dit-il.

« Il semblait certain que les Fremens nous retrouveraient. »

« Je le suis également. »

Paul lâcha la main de Jessica, s'approcha de l'ornithoptère, ouvrit la porte de gauche et plaça le Fremkit à l'arrière. « Cet appareil possède un masque antidétecteur, dit-il. L'éclairage et les portes sont commandés automatiquement à partir du tableau de bord. Ces quatre-vingts années de fief harkonnen leur ont appris à être prévoyants. »

Jessica s'appuya contre le flanc de l'orni pour reprendre son souffle.

« Les Harkonnens ne sont pas stupides, dit-elle. Ils auront placé une couverture aérienne. (Elle consulta son sens de la direction et tendit la main vers la droite.) La tempête se trouve par là. »

Paul acquiesça, luttant contre une soudaine répugnance à se mouvoir. Bien qu'il en connût la cause, cela ne l'aidait en rien. Quelque part, durant cette nuit, il avait passé un nexus de décision dans l'inconnu le plus profond. Il connaissait désormais la région temporelle qui les entourait mais le présent immédiat demeurait un mystère. C'était comme si, de très loin, il se voyait lui-même disparaître dans une vallée. De tous les chemins qu'il pouvait emprunter pour apercevoir de nouveau Paul Atréides, rares étaient ceux qui ne se perdaient point.

« Plus nous attendrons, plus ils seront prêts », dit Jessica.

« Montez et fixez votre ceinture », dit-il.

Il la rejoignit, luttant toujours contre la pensée qu'ils se trouvaient dans une zone *obscure*, une zone que nulle vision presciente ne lui avait révélée. Et brusquement il comprit qu'il avait accordé de plus en plus crédit à ses pouvoirs prescients et que cela l'avait affaibli en cet instant capital.

« Si vous vous fiez à votre seul regard, vos autres sens s'effacent. » C'était un axiome fremen. Il se jura de le faire sien à partir de maintenant et de ne jamais retomber dans le piège... si jamais il en sortait.

Il boucla son harnachement de sécurité, vérifia celui de sa mère puis se pencha sur les contrôles. Les ailes étaient totalement déployées, leurs délicates nervures métalliques au maximum d'extension. Il posa la main sur les barres de rétraction et vérifia qu'elles se repliaient bien pour la poussée initiale des fusées, ainsi que le lui avait enseigné Gurney Halleck. Le contacteur jouait librement. Sur le panneau de commandes, les cadrans s'illuminèrent à l'instant où il arma les fusées de départ. Puis les turbines firent entendre leur sifflement assourdi.

« Prêt ? » demanda-t-il.

« Oui. »

Il appuya sur la commande automatique d'éclairage.

Les ténèbres s'abattirent sur l'appareil.

La main de Paul ne fut plus qu'une ombre qui se déplaçait sur le fond lumineux des cadrans. Il pressa la touche de contrôle des portes et, immédiatement, ils perçurent des grincements. Le sable s'abattit en cascade, puis le silence revint. Sur ses joues, Paul sentit une brise qui portait des grains de sable et il ferma la porte de l'orni ; la pression intérieure s'établit aussitôt.

La porte s'était effacée et, dans le polygone de nuit ainsi découvert, les étoiles clignotaient, estompées par la poussière. Leur clarté changeante révélait les courants de sable.

Paul posa le doigt sur la touche de départ. Les ailes de l'orni se mirent à battre régulièrement. Le grand insecte jaillit hors de son nid. Les fusées entrèrent alors en action.

Les mains de Jessica couraient sur les commandes mixtes, imitant les gestes assurés de son fils. Elle avait peur et, pourtant, elle se sentait excitée. *A présent,* songeait-elle, *l'éducation, l'entraînement de Paul constituent notre unique chance avec sa jeunesse, sa vivacité.*

Paul augmenta la puissance des fusées de queue. L'ornithoptère s'inclina et ils s'enfoncèrent dans leurs sièges en même temps qu'un mur noir se dressait sur le fond des étoiles. Les ailes se déployèrent, la puissance augmenta encore. Un nouveau battement, un nouvel élan et ils survolèrent les rochers, arêtes de gel et lames d'argent. Sur la droite, la seconde lune d'Arrakis, sous un voile rouge de poussière, révélait le chemin de la tempête.

Les mains de Paul dansaient sur les commandes. Les ailes se rétractèrent pour n'être plus que des élytres de scarabée. L'orni vira brusquement et l'accélération pesa lourdement sur leurs poitrines.

« Des fusées derrière nous ! » lança Jessica.

« Je les ai vues. »

Il bascula le levier de puissance vers l'avant. L'appareil se cabra comme un animal effrayé et se rua vers le sud-ouest, vers la tempête et la vaste courbe du désert. Tout près apparaissaient les ombres brisées qui révélaient la fin des rochers et le début des dunes qui se déployaient comme autant de doigts inclinés sous la lune.

Au-dessus de l'horizon, la tempête se dressait comme une vaste muraille, occultant les étoiles.

L'ornithoptère fut ébranlé.

« Une explosion ! haleta Jessica. Ils utilisent des projectiles ! »

Il y avait un sourire sauvage sur le visage de Paul.

« On dirait qu'ils évitent d'utiliser leurs lasers », dit-il.

« Mais nous n'avons pas de boucliers ! »

« Le savent-ils ? »

A nouveau, l'orni frémit

Paul se retourna pour regarder vers l'arrière. « Un seul d'entre eux semble en mesure de nous poursuivre. »

Il reporta son attention sur les commandes tandis que

la tempête s'élevait au-dessus d'eux comme un rempart infranchissable.

« Lanceurs de projectiles, fusées... Tout l'arsenal ancien, murmura Paul. Nous donnerons cela aux Fremens. »

« La tempête, dit Jessica. Ne vaudrait-il pas mieux faire demi-tour ? »

« Et l'appareil qui nous suit ? »

« Il rebrousse chemin. »

« Alors... »

Il rétracta les ailes et l'orni bondit tout droit dans le bouillonnement lent et trompeur de la tempête. Paul sentit ses joues s'étirer sous l'effet de l'accélération. Il avait l'impression qu'ils s'enfonçaient dans un nuage de poussière qui se faisait de plus en plus dense. Le désert et la lune disparurent. L'orni ne fut plus qu'un long chuchotement qui courait, horizontal, dans les ténèbres.

Tous les avertissements qu'elle avait pu entendre à propos de ces tempêtes revenaient à l'esprit de Jessica. On disait qu'elles tranchaient net le métal, qu'elles rongeaient la chair et attaquaient les os. Et tout autour d'eux, au-dehors, elle sentait la pression de la poussière tourbillonnante. Paul luttait aux commandes. Il coupa la puissance et l'appareil roula dans un gémissement de métal. La coque trembla.

« Le sable ! » s'écria Jessica.

Elle perçut son mouvement de tête dans la faible clarté. « Pas à cette hauteur. »

Mais elle sentait qu'ils s'enfonçaient toujours plus avant dans le maelström.

Paul remit les ailes en extension maximale et les entendit craquer sous l'effort. Ses yeux ne quittaient pas les contrôles. Il pilotait par instinct, luttait pour ne pas perdre d'altitude.

Le bruit allait diminuant. L'orni dériva sur la gauche et Paul, le regard rivé à la courbe d'altitude, livra bataille pour le redresser et le remettre en ligne. Jessica avait l'impression horrible qu'ils s'étaient immobilisés et que tous les mouvements, désormais, n'intéressaient plus que l'extérieur. Seuls le poudroiement brun derrière les baies, le grondement, les sifflements lui rappelaient les puissances qui se déchaînaient autour d'eux.

Le vent doit bien atteindre sept ou huit cents kilomètres/heure, songea-t-elle, et elle perçut la morsure de l'adrénaline. La litanie Bene Gesserit lui revint : *Je ne connaîtrai pas la peur, car la peur tue l'esprit.*

Lentement, ses longues années d'éducation faisaient sentir leur effet. En elle, le calme revint.

« Nous tenons le tigre par la queue, murmura Paul. Nous ne pouvons pas descendre, nous ne pouvons pas nous poser... et je ne crois pas que je parviendrai à sortir de ça. Il faut suivre la tempête. »

Le calme reflua. Jessica sentit le tremblement qui agitait ses mâchoires, les serra désespérément. Puis la voix de Paul lui parvint à nouveau, basse, contrôlée. Il récitait la litanie :

« Je ne connaîtrai pas la peur, car la peur tue l'esprit. La peur est la petite mort qui conduit à l'oblitération totale. J'affronterai ma peur. Je lui permettrai de passer sur moi, au travers de moi. Et lorsqu'elle sera passée, je tournerai mon œil intérieur sur son chemin. Et là où elle sera passée, il n'y aura plus rien. Rien que moi. »

Le lecteur pourra se reporter au *Lexique de l'Imperium,* à la fin du volume 2. (N.D.E.)

Achevé d'imprimer sur les presses de

BUSSIÈRE

GROUPE CPI

à Saint-Amand-Montrond (Cher)
en septembre 2001

POCKET - 12, avenue d'Italie - 75627 Paris Cedex 13
Tél. : 01-44-16-05-00

— N° d'imp. 15140. —
Dépôt légal : 1er trimestre 1980.

Imprimé en France